RESPIRAÇÃO, ANGÚSTIA E RENASCIMENTO

CIP-BRASIL. CATALOGAÇÃO NA PUBLICAÇÃO
SINDICATO NACIONAL DOS EDITORES DE LIVROS, RJ

G131r

Gaiarsa, José Angelo, 1920-2010
Respiração, angústia e renascimento / J. A. Gaiarsa. - [2. ed. rev.] - São Paulo : Ágora, 2021.
400 p. ; 21 cm.

ISBN 978-85-7183-283-1

1. Respiração - Aspectos psicológicos. 2. Respiração - Aspectos fisiológicos. 3. Exercícios respiratórios. 4. Psicofisiologia. I. Título.

21-72073 CDD: 152
CDU: 159.952.3

Camila Donis Hartmann - Bibliotecária - CRB-7/6472

J. A. GAIARSA

RESPIRAÇÃO, ANGÚSTIA E RENASCIMENTO

Editora executiva: **Soraia Bini Cury**
Capa: **Marianne Lépine**
Projeto gráfico e diagramação: **Crayon Editorial**

Editora Ágora
Departamento editorial
Rua Itapicuru, 613 – 7º andar
05006-000 – São Paulo – SP
Fone: (11) 3872-3322
http://www.editoraagora.com.br
e-mail: agora@editoraagora.com.br

Atendimento ao consumidor
Summus Editorial
Fone: (11) 3865-9890

Vendas por atacado
Fone: (11) 3873-8638
e-mail: vendas@summus.com.br

Impresso no Brasil

Dedico este livro

a

WILHELM REICH,
primeiro psicanalista
a cuidar da respiração;

a

CARL GUSTAV JUNG,
primeiro psicanalista
do espírito;

aos
fisiologistas ocidentais
que se dedicaram ao
estudo da função respiratória;

aos mestres de pranaiama,
arte e ciência
hindus da respiração.

SUMÁRIO

Este livro é sério? 9
Paralelo com Freud 15
Respiração, espírito e Deus 17
Eu e meu coração 27
Três grandes espíritos 35
O lugar, a origem e a função do espírito no corpo 51
Exercícios respiratórios 83
Imagens 87
Casos clínicos 105
Etimologia: as raízes do significado 179
Sentido universal e singular da palavra 279
O coração, a individualidade e as emoções 291
A essência de minha alma não é minha — nem sou eu! 315
Renascimento 319

ESTE LIVRO É SÉRIO?

Para mim ele é muito sério, mas a reação de diversas pessoas a outras publicações minhas obriga-me a colocar essa pergunta ridícula logo no começo do livro.

O negócio é o seguinte: para muitos, coisa séria é aquela exposta em ordem didática, em tom autoritativo (evitemos o termo "autoritário", que hoje soa mal), que começa pelo começo e termina no fim; ainda, é preciso expurgar o texto, com todo o cuidado, de qualquer insinuação pessoal, de qualquer frase bem-humorada e de qualquer pensamento errático ou caprichoso que possa quebrar a pureza acadêmica do texto.

Se não é assim, não é sério (o que é verdade, tomando-se "sério" no sentido de *expressão facial* séria). Sub-repticiamente insinua-se porém outra ideia: se não é assim, então não é verdadeiro — e aqui o sofisma faz-se evidente. Pior ainda: se não é assim, então não merece ser levado a sério — é uma coisa sem importância.

Não é preciso ser psicanalista para ver operando nessas transposições de sentido o velho e querido complexo de autoridade de todos — mesmo dos mais libertos. Quem fala de um "jeito sério", não raro carrancudo, pedante e autoritário, é o velho patriarca, seja ele o pai, o professor, o presidente e outros.

Se não foi papai quem falou, então não é preciso dar atenção nem se incomodar: esta é a puerilidade dos que exigem estilo sério para que as coisas se façam importantes (à custa do estilo!)

Devo confessar outro pecado que faz de mim um autor "não muito sério"; este livro foi pensado, vivido, sofrido e redigido ao longo de cinquenta anos de vida pessoal e profissional. Seu estilo é muito desigual, acompanhando em certa medida as peculiaridades de cada etapa de minha vida. Nesse sentido, ele é ao mesmo tempo a exposição de uma teoria e a história dessa mesma teoria. É um livro vivo.

Uma velha amiga disse-me, após a leitura de alguns trabalhos meus: "Gaiarsa, seus livros me confundem sempre; no decorrer da leitura são frequentes os momentos de grande euforia, quando você toca em pontos que despertam algo latente dentro de mim. Então, é como se eu própria estivesse criando. Ao terminar a leitura, porém, sinto certa perplexidade: sou incapaz de reproduzir em linhas gerais o que você disse, e isso é frustrante".

Eu sei. Sei como é, e sei por que é.

Minha linguagem é muito subjetiva, isto é, *imita demais a forma como nós falamos sozinhos, a forma do diálogo interior*. Digamos que eu sofro de um grave defeito profissional: durante cinquenta anos, meu trabalho me levou a cultivar essa forma verbal oito horas por dia.

Meu trabalho é viver falando com as pessoas como se elas estivessem falando sozinhas.

A lenda do aprendiz de feiticeiro na certa consagra este fato, elevando-o à classe de mito coletivo: fazemos nosso trabalho e na mesma medida ele nos faz. Por isso, também, muitas das críticas que me são dirigidas podem ser tidas como defesas psicológicas: como estou continuamente falando com o leitor e para o leitor, de modo bem pessoal e íntimo, o conteúdo de meu escrito tende a infundir-se, a propagar-se ou a contaminar o leitor, *como se ele estivesse pensando a sós.*

Muitos leitores conversam comigo como se estivessem em diálogo com seu superego...

* * *

Diante dos cânones super-rígidos da forma acadêmica, meu pecado maior deve ser a falta de bibliografia. Como não há, na página certa, a esperada lista, e como não há no texto as esperadas chamadas numéricas, conclui-se que eu não li nada; logo, ou não sei nada ou invento o que me apraz — dá na mesma.

Devo dizer: li e leio muito, mas não leio fazendo fichas; escrevo bastante desde os 15 anos e nunca fiz um trabalho científico em sentido formal, isto é, projetado antecipadamente, com método e materiais programados e todas as demais etapas. Sou clínico e ensaísta, clínico por força da necessidade e ensaísta por inclinação pessoal.

Só o profissional de laboratório pode fazer um trabalho científico de acordo com os cânones estabelecidos.

O clínico não é só mais um cientista; é outra espécie de cientista. É aquele que se dedica a estudar o fato concreto e singular, todo envolto em sua circunstancialidade e historicidade; é o mineiro que colhe da torrente de realidade aquelas questões significativas que o profissional de laboratório tentará isolar e imobilizar, para compreendê-las de certo modo, que é obviamente o modo isolado e imobilizado (*que outro poderia ser?*).

É o clínico que depois absorve *em si — como pessoa e não como cientista* — o achado de seu companheiro de laboratório e assim, mais bem equipado, retorna para o concreto, mais apto a modificá-lo.

Só o clínico pode, *agindo profissionalmente como pessoa*, reintegrar e mobilizar a verdade isolada e imóvel que lhe veio do laboratório.

Claro que os dois tipos de cientista interagem dialeticamente; seria bom se ambos compreendêssemos que somos úteis, mas também que *somos diferentes* e não vivêssemos a exigir um do outro uma semelhança que anularia nossas qualidades específicas; melhor ainda se não vivêssemos a *nos criticar por nossas diferenças pessoais, sob o disfarce de nossas diferenças profissionais*. Estas na certa têm correspondência com diferenças pessoais importantes, e, segundo o princípio do aprendiz de feiticeiro, quanto mais cada um se dedicar ao que é seu, mais se confirmará e mais se desenvolverá nessa direção.

A aceitação do outro — com tudo aquilo em que ele é diferente de mim — não é apenas a mais fundamental das virtudes sociais; ela é também vital para que a ciência se desenvolva de modo orgânico, bem unido, bem humano e bem humanizante.

Na verdade, não creio em outro remédio para o especialismo. Por isso, ainda que não pareça, creio que este livro é muito sério. De que cuida este livro? Da respiração, de seu significado e de seu valor psicológico.

Este livro é um ovo de Colombo; mostra com insistência que a respiração está na base de toda a fenomenologia psicológica, em paralelo com seu valor biológico. *A respiração é uma função biológica sempre urgentemente necessária — e só ela é assim.* Já após alguns segundos começamos a sentir sua falta, que é sempre muito aflitiva, muito rapidamente aflitiva e insuportável. Em relação às demais funções (comer, beber, fazer sexo, dormir), podemos passar várias horas *sem realizá-las e sem sentir a menor ansiedade ou desconforto* — muito menos a sensação de morte iminente que se liga à asfixia.

Não estaria aí a explicação da angústia (como asfixia, consequência de inibições respiratórias) e ao mesmo tempo da permanência do eu? Que outra função se faz em nós, continuamente, do nascimento à morte?

A primeira coisa que o recém-nascido humano faz ao nascer, e a primeira coisa que ele faz em sentido próprio, é *respirar.*

Este livro desenvolve esses fatos e muitas de suas consequências. Junto com a respiração cuidamos da palavra, que é um parasita ou um derivado da respiração.

Se a estrutura do fenômeno respiratório pode ser considerada base da organização do eu psicológico, a palavra pode ser considerada o fundamento do eu como entidade social.

Esquecer a *psicologia* da palavra (não confundir com o significado das palavras) é ignorar o ser humano, simplesmente.

* * *

Este livro não teria sido escrito se eu não tivesse conhecido Freud, Stekel, Ferenczi, Horney, Adler, Klein, Alexander, French, Patanjali, fisiologia respiratória, embriologia do pulmão, semântica, ioga,

Schultze, cibernética, psicologia da Gestalt, Pavlov, Skinner, Massermann, Cannon, Sherrington, Aristóteles, Aquino, Sartre, Nietzsche, Uexküll, Lorenz, Tinbergen, mas principalmente **Carl Gustav Jung** e **Wilhelm Reich**, aos quais dediquei a maior parte de mim mesmo. A meu modo sou eles. Este livro é nosso.

Se o capítulo sobre fisiologia soar difícil, leitor, passe para outros, estude as imagens e, ao final, volte para ele — fundamento científico deste livro.

O autor

PARALELO COM FREUD

"O inconsciente faz pressão contínua sobre a consciência" — dito clássico atribuído a Freud. Digo eu: a voz-palavra claramente sobe do peito para a garganta e a boca, onde — e quando — é dita

ou SUFOCADA — sufocando no mesmo ato: angústia.

Daí reprimir — re-premer, pressionar de novo — e depois com--primir, o-primir, su-primir, de-primir.

Todos esses termos aplicam-se muito bem a gases; todos se referem a PREM — fazer pressão. Vale lembrar que o ar, com o qual "fazemos" as palavras, é uma mistura de gases. Referem-se, também, a importantes frutos sociais e psicológicos.

Parece que Freud estudou exclusivamente a fala, a PALAVRA — um gás em vibração —, que pode ser subpremida (premida "para baixo").

Ao falar de impulsos, afetos, instintos, desejos, ele só estudava a comunicação verbal sobre impulsos, afetos, instintos, desejos — e não se referia a essas realidades. Eram "o" inconsciente.

Se essa reflexão couber — e em certa medida cabe —, então diremos que Freud, sem saber, estudou continuamente a respiração, da qual a palavra é um derivado, um sinal — e um parasita!

Enfim, Freud excluiu o olhar da relação pessoal! Tem cabimento?

RESPIRAÇÃO, ESPÍRITO E DEUS

Se dissermos coisas relativas à atmosfera, ao ar e à respiração, escolhendo com certo cuidado as palavras, logo se fará claro quanto essas coisas têm que ver com as concepções religiosas dos homens e com sua maneira de conceber o espírito.

A atmosfera, como Deus,

É INFINITA.

O ar, como Deus, está misteriosamente em todos os lugares ao mesmo tempo. Presente em tudo e em todos.

Deus

É ONIPRESENTE.

Deus vê tudo — é o Transparente e o Luminoso por excelência, como o ar.

Deus

É LUZ.

As palavras existem e caminham pelo ar, que as "contém" todas. Deus "sabe tudo" — isto é, "conhece" todas as palavras.

Deus

É ONISCIENTE.

Nunca se ouviu dizer que os homens tivessem lutado uns contra os outros a fim de respirar.[1] Caso raro! Os homens já brigaram por tudo

1. Marta, em sua infância, receosa de que, se todos respirassem muito, o ar pudesse acabar, ficava horas respirando o menos possível. Vivia o limite do temor persecutório! Vivia também o medo de estar perdendo o próprio espírito, de estar sendo gradualmente sufocada — o que era fato. Seus desejos iam sendo lentamente sufocados; é o que acontece com todos nós ao reprimirmos nossas emoções.

que se possa imaginar de existente, de inexistente, de concreto, de abstrato, de simbólico ou do que seja. No entanto, jamais puderam brigar por causa do ar, que existe em abundância para todos, bons e maus.

Logo, Deus É AMOR.

A atmosfera está "no alto", "lá em cima", "no céu" — como todos os paraísos, como tudo que é "bom".

Tudo que vem "do alto" são seres superiores; de baixo vêm os demônios e os monstros. Como no tronco: na metade de cima, o peito — que respira; na metade de baixo, o ventre e os genitais.

A intenção dos deuses, como as forças invisíveis que modelam as nuvens, é caprichosa. Dela — como das nuvens — dependem o bom tempo, a chuva, o azul, a seca — a fartura ou a fome!

Na atmosfera acontece a tempestade e nela estão os deuses, antigos e modernos, que sempre foram concebidos como o vendaval e os relâmpagos, barulhentos e intimidantes como o trovão.

"Ó Senhor Deus das tempestades..."

Dado que operamos com alguma coisa de todo invisível, que está sempre e simultaneamente dentro de nós (no pulmão) e fora de nós (na atmosfera), é sempre muito difícil saber o que é nosso, o que é de cada um e o que é do grande espírito (isto é, da atmosfera). Comportamo-nos em relação ao ar como os peixes em relação à água. A água é o mar e é de todos os peixes, enquanto os sustenta e lhes enche continuamente a boca e as guelras. Na água, todos os peixes são um.

EM RELAÇÃO AO GRANDE ESPÍRITO,
SOMOS TODOS UM.

Quando ele nos enche, vivemos; quando nos esvaziamos (ou nos esvaziam), morremos. Os mortos não respiram e isso se soube desde sempre.

Ou somos um com o grande espírito, ou não somos.

Dissemos "quando nos esvaziamos". Essa é uma frase moderna, de alguém conhecedor da respiração.

Para os antigos, no começo, "o Espírito pairava sobre as águas", isto é, a Força Invisível ainda não havia formado, nem criado, nem vivificado coisa alguma. Logo depois, porém, Deus fez a figura do ser humano com barro e a seguir insuflou-lhe ar nas narinas, para que vivesse.

Essa noção de que o ar entra em nós por força própria existe no relato bíblico e, implicitamente, na mente das crianças e daqueles que nunca se detiveram para uma percepção cuidadosa da própria respiração.

Muitas pessoas não percebem o esforço que fazem para aspirar o ar que respiram. A impressão ingênua — se as interrogarmos — é a de que o ar entra nelas por força própria — "sozinho". A respiração é nosso automatismo mais antigo e o mais frequente, por isso ela é nossa ação mais inconsciente, apesar de estar SEMPRE ocorrendo.[2]

É com base nessa percepção precária da respiração que se elaborou a noção de que o grande espírito nos mantém vivos, introduzindo-se em nós por força própria; por isso, nossa vida depende dele, visto que ele pode retirar-se de nós a qualquer momento, quando lhe aprouver.

É o espírito que "se retira" de nós quando expiramos. Por isso morremos!

Deus

É VIDA (o ar é vida).

É difícil convencer as pessoas de que o ar pesa. A maioria jamais chega a conceber com clareza o que seja pressão atmosférica.

Deus, pois, não pesa. É a própria leveza (como nós, em nossos sonhos). Deus não pode ter nada de material — de matéria, que é peso.

Deus

É UM PURO ESPÍRITO.

(Em latim, *spiritus* = "que sopra";
alma = "sopro", "hálito", em hebraico.)

2. Cláudia ficava, por vezes, minutos terríveis sem respirar — peito imóvel e duro —, com medo de que "o vento" a fizesse estourar ao "expandi-la" incontrolavelmente. Muitas pessoas toleram mal a sensação de "cheio de felicidade" — claramente ligada ao peito que "quer" expandir-se muito, muito.

Inúmeras concepções da filosofia partem de um esquema respiratório mal expresso em palavras.

As ideias relativas às coisas concretas eram algo invisível, mas muito atuante; representavam uma operação potencialmente formativa, capaz de gerar e definir os objetos do mesmo modo como a laringe e a boca "formam" as palavras. Todas as coisas tinham uma essência ou um espírito capaz de "explicá-las", isto é, todas as coisas tinham um nome! Todas as coisas eram "pensamento divino" — palavras de Deus!

O UNI-VERSO É UM POEMA!
(E UMA DANÇA).

Todas as coisas são vivas — respiram — e têm voz!

Ainda hoje há quem defenda, na área da linguística, a hipótese de que as palavras não são de todo convencionais, de que os sons delas têm algo que ver com as propriedades do objeto significado.

O Grande Espírito que, com o vazio pulmonar, nos animava de fora para dentro, sustentando a vida, certamente pode fazer o mesmo com tudo que existe, e tudo que existe subsiste porque essa grande respiração anima todas as coisas.

O cosmos é um poema que cessará quando Deus deixar de declamá-lo. Ou quando ele se cansar da dança.

Até os dias de hoje, as noções que temos a respeito de ideias e de palavras são semelhantes. As palavras também são uma "forma" que "contém" um "significado". O significado é precisamente a "essência" da palavra, seu conteúdo "invisível" (respiratório). As coisas têm nome e é pelo nome que as "chamamos" quando queremos recordar-nos delas.

O ÁTOMO

Segundo os autores Hewitt, Suchocki e Hewitt[3], como todos nós, sou feito de átomos. Absorvo (da atmosfera) um sem-número deles a

3. HEWITT, P. G.; SUCHOCKI, J.; HEWITT, L. A. *Conceptual physical science*. São Francisco: Addison-Wesley, 1999, p. 313.

cada respiração. Alguns eu exalo imediatamente, outros permanecem em mim por algum tempo — como partes de mim — e posso exalá-los mais tarde. Cada vez que você respira, alguns átomos que estiveram em mim passam a fazer parte de você (e, analogamente, alguns dos teus se fazem meus). Átomos ciclam e reciclam por todos nós. Seu número e seu tamanho são inacreditáveis. Há mais átomos em uma respiração do que a população humana desde o começo dos tempos. Assim, a cada respiração inalamos átomos que uma vez foram parte de todas e de cada pessoa dos que já viveram. E átomos que agora fazem parte de nós serão um dia parte de outras pessoas. Neste sentido, somos todos um.

Eles não dizem, mas eu poderia acrescentar: e o oxigênio sai de você, sai como CO_2 (gás carbônico) — que vai envenenar a todos nós (aquecimento global)...

O QUE É UM ANJO?

Um anjo, segundo a teologia clássica, é um emissário de Deus, capaz de levar mensagens com grande rapidez da Boca Divina aos ouvidos dos fiéis (*ággelos* = mensageiro). O anjo é de todo *invisível* e levíssimo — tem asas, certamente *voa*, caso contrário não seria tão rápido...

No todo dia não é percebido.

Mas quando a gente está em um lugar amplo e silencioso, então, sim.

Quando há um som, uma voz longínqua, um grito, é evidente que

ELE (o som) VEM.

Vem de "lá longe".

Não vem pelo chão. O que vem pelo chão faz um barulho especial que conhecemos.

O som vem de lá.

Voando.

Como — se não?

Voando como as aves, que para sempre serão o símbolo natural do "espírito" (do ar) e do "pensamento" (das palavras). Seres vivos, voadores, macios (penas) e quentes, palpitantes. Movem-se no ar; usam o ar para se mover; parecem "parar" no ar, indiferentes ao peso.

Puros espíritos, sem substância — imateriais!

Espírito Santo — pomba.

Palavras são mensagens que *caminham* no ar e *são feitas* de ar.

Palavras são anjos...

Porque também a palavra nossa de todo instante vem... vem... vem...

Por onde?

Vamos nos pôr de crianças ou de índios — que não sabem de vibrações nem de nada disso.

Por onde — por que meios — a palavra nos "chega"?

Como ela é *enquanto voa*, quando ainda está *no ar*?

Alguém sabe? Quase ninguém — e os antigos menos ainda.[4] Não é fácil conceber um torvelinho fluido e complexo como é a vibração gerada em nós a percorrer o ar quando falamos.

Além disso, ela alcança a todos.

O olhar é de um para um, mas a palavra pode ser de um para muitos.

Um anjo é uma palavra.

Um anjo é uma representação VISUAL da palavra. É do invisível e pelo invisível que nos vêm toda palavra, toda inspiração, toda profecia, todo plano, todo "Eureca", toda comunicação = tudo que torna comum — que junta. Como a palavra, que pode ser de um para muitos, juntando todos na *mesma* palavra, no *mesmo* instante.

"Veio-me à mente", "De repente pensei"...

Deus tem "falanges incontáveis" de anjos. Quantas palavras há no mundo? A falange dos substantivos, dos pronomes... Todas as línguas, todos os dialetos...

Podemos ter uma ideia, com base nas figuras do capítulo "Imagens", de quantos símbolos os homens inventaram — a maior parte deles inconscientemente — para representar a palavra.

4. Os antigos não conheciam a física do som. Muitos deles, porém, conheciam a fundo as vibrações — o que inclui o som, mas vai além dele. De qualquer modo, eles não sabiam o que simbolizavam ao desenhar seus primeiros Cupidos — os protoanjos.

Mas na palavra há música e letra — som e significado.

Se ouço "Olhe o degrau", não vou entender a frase, nem pensar nela. Vou frear o corpo instantaneamente, ou baixar os olhos o mais depressa que puder.

O som que veio de perto, como o que vinha de longe, "tem um sentido", aponta para um objeto, sugere uma direção, convida, empurra, puxa... É um vetor.

A mensagem MEXE com a gente, mexe NA gente, faz a gente "tomar posição", preparar-se para a coisa, para ir com ela — ou contra ela.

O espírito nos move, a palavra nos move, os anjos nos guiam... Seja o de fora (o grande espírito: leis, frases feitas, preconceitos — e atmosfera!), seja o de dentro (o pequeno espírito: voz da consciência, interlocutor interior, tribunal interior, "De quem é a culpa?" — ar do pulmão).

INSPIRAÇÃO

A palavra é um anjo. Todas as ideias são anjos, como se pode ver nos quadros religiosos medievais: o ar coalhado de anjinhos, que vão de lá para cá! Conforme aquele que nos entra pelos ouvidos, nós ouvimos esta ou aquela mensagem.

É preciso lembrar que a noção de vibração sonora é recente na história da humanidade. Não sei em detalhe a explicação física que os antigos davam para a palavra humana. Não duvido muito de que eles admitissem a presença, no ar, de germes de palavras — portanto, de pensamentos. Quando inspiramos, absorvemos ideias que, em seguida, "nos vêm à mente" de modo muito misterioso, e por meio de um veículo tão invisível como o ar que entra nos pulmões. O problema seria... aspirar na hora certa (ou na direção certa!) a fim de obter a... inspiração adequada. Deus, que é infinita sabedoria, é todas as palavras do mundo esparsas pelo ar. Basta um bom ouvido ou um sopro divino a orientar melhor esses anjinhos e ei-los chegando a seu destino certo, na hora certa.

Como a interpretação do psicanalista...

Assim nasciam a poesia e a profecia.

E assim se demonstrava, de modo assaz elegante, que Deus sabe todas as coisas.

Todas as coisas estão no grande espírito, na forma de um número infinito de palavras. Deus é um dicionário falado — e transmitido pelos meios "naturais" de comunicação de massa: as palavras.

Hoje, se quiséssemos representar as ondas eletromagnéticas que percorrem o ar (rádio, TV), poderíamos repetir um quadro religioso medieval! Note-se: todas elas são mensagens, têm sentido. Todas invisíveis. O problema é captá-las.

Se tivermos coragem de especular, pensaremos que os homens *inventaram* o telefone, o rádio e a TV a fim de objetivar o INCONSCIENTE COLETIVO,

— a fim de explicitar,

— e nesse ato reunir,

— os pensamentos de todos.

A fim de nos aproximarmos mais, de nos entendermos melhor, de coordenarmos com sucesso as ações coletivas. Os meios para esses fins jazem — latentes — no íntimo de cada um.

Era preciso inventar anjos modernos, inventar meios de tornar verdade o mito de outros tempos — a comunhão de todos com todos (a Comunhão dos Santos!).

Objetivado nos meios de comunicação de massa, o inconsciente coletivo ganha maior possibilidade de congregar efetivamente a humanidade e unificar sua ação. Objetivado, isto é, transformado em objeto — como é o aparelho de rádio, o telefone, a TV; objetivado, isto é, transformado na mesma palavra e imagem, igual para todos.

Nunca no universo tantas pessoas *ao mesmo tempo* estiveram presentes a um só fato como na chegada do homem à Lua — por meio da TV. Nunca a humanidade esteve tão unida na mesma ação-emoção-imagem-pensamento.

Recordando as famosas querelas medievais: *quantos anjos há no ar a cada instante?* Quantas mensagens, quantas ondas, quantas imagens, quantas palavras?

Os que tiverem o controle dessas legiões de anjos serão donos dos destinos humanos.

Serão... Deus!

A IOGA E FREUD

Reflexões dessa ordem podem explicar muitas das diferenças entre filosofia e psicologia, do Oriente e do Ocidente.

Freud descreveu o ego formando-se inicialmente em torno da função alimentar, digestiva ou nutritiva. A seguir, são lançados os fundamentos para os esquemas de relacionamento com o outro, nos moldes e por força da atração sexual. Tudo concreto, tudo coisa, tudo gente. O meu centro está no outro e está nas coisas.

O protomodelo da posição oriental bem pode ser *atmã* — a individualidade, a noção de que o pequeno espírito que se contém em nosso peito é, de muitos modos, idêntico ao grande espírito que sustenta toda a vida do universo. No plano da respiração, essa é uma declaração de fato — sem mais.

Também (e principalmente!) a ideia — formosa e enigmática — de que a divindade é um VAZIO CRIADOR. (Sem o vazio pulmonar não haveria vida, nem palavra.)

Os hindus defendem como essencial para o desenvolvimento do espírito a prática do *pranaiama* — conjunto de exercícios destinados a ampliar e a refinar a percepção e o controle da respiração, isto é, o desenvolvimento de nossa relação com o ar — a atmosfera. Lógico! O pranaiama é um exercício de consciência — ou uma meditação — sobre o vazio criador — percepção do divino em mim.

Freud e todos os psicanalistas, até o presente, não descobriram a respiração, não sabem para que ela serve e não discutem, sequer, se ela tem alguma importância ou algum valor psicológico.

Coube a Reich iniciar a readmissão da respiração no espaço da psicologia e da consciência. "Qualquer ativação da couraça muscular do caráter envolve sempre uma inibição respiratória." Esta a fórmula básica que ele desenvolveu de modo não sistemático.

Exemplos: a atitude do orgulhoso o impede de exalar o ar por completo; o depressivo (tronco inclinado, ombros caídos) não consegue expandir o tórax adequadamente.

Com base em Reich desenvolveu-se a bioenergética, cujas sessões começam, muitas vezes, com uma intensificação voluntária da respiração.

Um dos meios de influir sobre o nível de energia da personalidade é a respiração. Quando se hiperventila o pulmão, o id (a vida, os instintos) ganha força e invade a musculatura, movendo a pessoa na direção do desejo. Paradoxalmente, o que se observa em clínica, na maior parte das vezes em que se solicita hiperventilação, é um aumento da inibição — acentuação de um ou mais elementos (anéis) da couraça muscular do caráter (Reich).

Pode-se, pois, manipular mais ou menos à vontade o nível energético da personalidade de acordo com a respiração. Essa declaração exige restrições e esclarecimentos, mas é essencialmente correta e operacional. Em clínica, pode-se trabalhar com ela proveitosamente. Note-se que a energia biopsíquica sofre a influência de *outros fatores* além da respiração (fome, fadiga, calor, carência sexual ou de contato, emergências etc.)

Freud, coerente com sua carência espiritual (respiratória), dizia: não temos meios para influir sobre o id.

Para influir sobre o id, basta respirar mais.

Sobre a interpretação dos sonhos descritos no texto

Há muitas interpretações de sonhos neste livro. Se o leitor quiser compreendê-las melhor, aconselho que, primeiro, procure imaginar o sonho, fazê-lo retornar às figuras visuais que as palavras descrevem. Depois, principalmente no caso de sonhos longos, que volte a ler o texto do sonho após uma ou duas páginas de análise. Caso contrário, a interpretação parecerá solta, desarticulada. A interpretação dos sonhos é uma arte e não uma ciência. Qualquer sonho pode ser interpretado de vários modos, todos plausíveis. Boa interpretação é a que serve melhor ao sonhador, a que esclarece algo obscuro, abre caminho para novos sentimentos. Ou é a que melhor confirma a teoria do autor. Claro que os sonhos citados no texto foram interpretados todos à luz da fenomenologia respiratória. Mas insisto: muitas outras interpretações são possíveis para os mesmos sonhos. Elas não se contradizem nem se eliminam; elas se somam ou se compõem.

EU E MEU CORAÇÃO

Fui um angustiado crônico durante metade da minha vida, e tudo que está escrito aqui veio do meu sentir e do meu sofrer. Por isso, antes de aprofundar o estudo da respiração, falo de mim e de meu coração. Pulmões e coração não têm sentido um sem o outro; ainda que órgãos distintos, sua função primeira é uma só: absorver o oxigênio e distribuí-lo pelo corpo todo.

Quando folheei pela primeira vez o *Tratado de anatomia humana*, de Testut — em cinco alentados volumes, para estudos médicos —, meus olhos ficaram presos às figuras do coração. Eu teria, então, 15 ou 16 anos, e a anatomia chegou em casa porque meus dois irmãos mais velhos iniciavam seus estudos de medicina.

"Anatomia" me era então palavra pouco familiar, e a primeira associação que me ocorria — forte! — era com cadáveres... MEDO. (Creio que essa associação é comum; hoje vivo espantado com a reação quase sempre negativa das pessoas ante palavras e principalmente figuras que mostram nosso "interior" — como somos feitos.)

Se ampliadas, as figuras do Testut — deveras bonitas — poderiam originar uma exposição de pinturas. As misteriosas câmaras cardíacas, com tudo sempre arredondado, afunilado, acilindrado — tudo passando a tudo sem limites bem definidos, sem fronteiras bem demarcadas.

FLUIDEZ — essa a palavra boa para resumir a anatomia do coração. Hoje sei dizer em palavras a impressão que sofri: a estrutura anatômica, o formato, a textura e a função do coração são uma coisa só:

TURBILHÃO.

Quando ele se agita no peito — na emoção, no exercício, no esforço pesado — podemos sentir esse turbilhão que agita líquidos sob pressão em tubos de borracha.

O coração é um turbilhão suspenso por um nó de tubos elásticos pelos quais, graças à força ordenada desse turbilhão, a ele chegam e dele saem cinco a seis litros de sangue por minuto.

Meio balde de sangue, por minuto, a vida toda.

O coração trabalha três oitavos de segundo e descansa cinco oitavos de segundo a cada batimento quando estamos em repouso.

A vida toda — dia e noite —, sem parar.

O coração só pode parar uma vez.

O coração do Testut me fascinou. Até hoje olho para aquelas figuras desejando participar

— de seu segredo?

— de sua força?

— de seu movimento?

— de sua vida?

O coração é incrivelmente forte.

No segundo ano de meu curso médico (eu tinha 22 anos), entrei por acaso, e fora do horário de aula, em um laboratório de farmacologia, onde haviam acabado de fazer experiências com um cão, ainda vivo, mas condenado à morte.

Acheguei-me à mesa e o cão lá estava, de tamanho médio, as pernas bem afastadas, expondo toda a porção inferior do tronco, tórax aberto e coração à mostra.

PULSANDO — PULSANDO — PULSANDO
(*pulsus* — pulsação, golpe).

Pulsus: o coração é bem um punho/mão que se fecha com muita força e muito depressa, contra um líquido viscoso e vermelho — o sangue. Só que nenhum sangue escapa dessa mão, esteja aberta ou fechada.

A cada segundo, um punho/pulso que se fecha rápido e forte, soltando-se, logo depois, e ficando mole, mole como o próprio sangue, para endurecer no fim do mesmo segundo, como pedra, que vibra.

Pedra porque duríssimo; mas vibrante na sua dureza, que não dura mais do que três décimos de segundo.

Foi essa a minha sensação quando, movido não sei por quais motivos, me aproximei do cão e tomei seu coração em minha mão direita.

Senti em minha mão o coração do cão — pulsando. E fiquei espantado com sua força e com sua incessância.

O coração não cessa de pulsar. Só no fim. Só uma vez.

Se, durante a sístole cardíaca, eu quisesse fazer com minha mão o esforço feito pelo coração, na certa eu não conseguiria ser tão forte nem tão rápido quanto ele.

Minha mão NÃO tem a força que contrai o coração.

Depois, uma vida longa, com muitos momentos de aguentar coisas, conter os próprios sentimentos e emoções, segurar a vontade de chegar, de pegar, de contatar, não dizer o que se pensa, não fazer o que se deseja, não, não, não...

E meu peito retraía-se, diminuía, encolhia.

O desejo deveras mora no peito — e em nenhum outro lugar.

Se o peito não almeja (se não respiro livremente), o coração não pode desejar (o coração funciona mal), fica OPRIMIDO (falo do coração, falo do sentimento, falo das sensações que moram no peito).

Vivi com essa opressão muitos e muitos anos — parecia ferida aberta doendo e sangrando sempre, e eu puxando o ombro esquerdo para junto do corpo, na boa intenção de proteger o coração. Não percebia que, ao protegê-lo, eu o apertava ainda mais. Era preciso segurar aquilo que em meu peito queria expandir-se:

— minha vida — meu sangue — derramando-se pelo meu corpo;

— minha vida — o ar respirado difundindo-se por mim.

Isso é o que se pode SENTIR como vida.

Sentir o sentimento e a sensação de estar vivendo.

E é bom, e é forte. Mas isso eu aprendi depois; naquele tempo, eu queria proteger meu coração e ele doía mais, não podia pulsar.

Eu freava meu coração e meus desejos. E eram uma coisa só, não duas.

E pressentia, e sabia, e temia: "Vou morrer do coração".

E olhava para meu coração como meu inimigo mortal! ELE podia me matar.

É que meu ato de protegê-lo era medo — de que ele pulsasse mais: "Fica bonzinho e calmo — pelo amor de Deus! (Senão eu não sei mais o que fazer.)"

Passarinho protegido pela gaiola — quem pode acreditar numa coisa dessas?

O meu estava assim. E doía. E o peito — a gaiola — opresso, pesado, difícil.

Eu não estava vivendo.

Eu estava morrendo.

Não existe o ficar esperando: só existe o viver ou o morrer.

Era um trabalho insano sobreviver — navegar — entre esses turbilhões de vida e de morte.

Era deveras como navegar em mar bravio, em pequeno barco agitado, como o mar.

Foi assim que me imaginei muitas e muitas vezes: mestre amador de um pequeno barco pesqueiro, navegando sozinho em mar tempestuoso e noite escura.

Só havia uma coisa a fazer: manter o rumo. Eu tinha nas mãos a roda do leme, e diante de mim a luzinha esverdeada da bússola. A agulha não podia oscilar; cabia a mim corrigir a cada instante os desvios de rumo que o mar grosso impunha ao pequeno barco.

Barco pequeno, frágil na aparência, mas bastante seguro e muitíssimo arredondado e feito para navegar — em água...

Tratava-se de meu coração e meu respirar — juntos. A vida em meu peito...

Nosso peito contém, a cada instante e em todos os instantes, cinco a seis litros de ar e dois litros de sangue — distribuídos entre o coração, os grandes vasos e o pulmão.

Água (sangue) em movimento — ONDA.

Ar em movimento — VENTO.

Onda e vento:

MAR.

O barco era meu coração e o mar minha respiração, agitada, atormentada, que a fantasia do pequeno pesqueiro configurava, permitindo que eu vivesse com ela. Ensinando-me a viver com ela.

Aprendi primeiro, treinando durante muitos anos, a flutuar, a boiar (a garantir o pequeno barco — que era meu coração).

Nas horas de tempestade mais feroz, eu conseguia me dizer: "Relaxe! Respire! Não segure!", e cumpria as orientações.

E quando a gente se deixa flutuar, o medo é menos pungente; ele VAI PASSANDO.

— Ele não fica preso.

— Ele não prende a gente!

E aí dá para aguentar o medo.

Mas demorou muito e, no resto do tempo, eu continuava "protegendo" meu coração.

Aos 42 anos, notícia de que meu pai sofrera um infarto. Morávamos em cidades diferentes, distantes uma hora de carro. Durante a viagem, sofro dores no peito, mais agudas que nunca, e me digo, amargurado e estoico ao mesmo tempo: "Vai ver que morro também — antes dele".

Meu pai, que não morreu nessa ocasião, foi influência positiva em minha vida — e negativa também. Com ele aprendi a não julgar as pessoas, a aceitar as coisas com certa equanimidade, a acolher com maciez.

Meu medo — de morrer do coração — continuava. Não era frequente, mas era fundo. Era quase desejo. Viver mal dá vontade de morrer.

Aos 45 anos começo a sentir sintomas inequívocos de hipertensão arterial. O exame clínico confirma. Ligeira.

Mas o medo/desejo não era ligeiro. Amadurecia, implacável, a certeza da morte pelo coração, traiçoeira. Seria ele meu inimigo, apesar de tudo que eu fazia para protegê-lo? (Seria eu seu inimigo — sempre contra tudo que ele desejava?)

A hipertensão durou poucos meses, e passou.

Aos 60 anos, um checape médico me traz notícia deveras alvissareira sobre meu coração — que está ótimo! Minha circulação, melhor ainda: apesar da idade, não há o menor sinal de arteriosclerose nos vasos da retina — onde a doença pode ser vista muito precocemente.

Fico feliz com a notícia — e orgulhoso. Ela me dizia não só que eu estava me dando melhor com meu coração, como também que todas as minhas loucuras poderiam ser atribuídas ao que se quisesse, menos à arteriosclerose cerebral!

Eu e ele — meu coração — estávamos iniciando uma aproximação.

Pouco tempo antes — 58 anos —, ao subir uma escada com mais de cem degraus, comecei a sentir claramente, em certo momento, meu coração galopando no peito, prestes a "sair-me pela boca".

No primeiro momento, um susto, rápido. Logo dei-me tapinhas no ombro, sorri com coragem e — aí sim foi bom — "montei" no meu coração, que galopava como um cavalo; sentimos ambos a vertigem de sua potência — forte e vibrante —, a força de meu turbilhão vital.

Meu peito expandiu-se muito.

Há muitos e muitos anos, quase morri num dia em que fiquei feliz. O peito foi se expandindo tanto que fiquei com medo de que aquilo — a felicidade — NÃO FOSSE CABER no meu peito.

Eram sentimentos, eram sensações no peito. E segurei, claro. É muito difícil aprender a soltar.

É muito difícil sentir felicidade. Ninguém deixa. Nunca fomos ensinados. É proibido.

Em horas de meditação motora e corporal, nas quais procurava me sentir, esbarrei várias vezes com sensações no coração que me deixavam em pânico.

Sempre de aperto — até a morte. Assim parecia.

Eu fazia de tudo para desapertar, soltar, libertar-me daquele peso de morte. E forcejava, e tentava abrir o peito quase que com a força das mãos — na pura força.

Mas assim não se abre o peito (assim o peito não se abre).

Muito menos o coração. Se ele está apertado — fui aprendendo —, então é preciso APERTAR UM POUCO MAIS — um pouco! Ir junto.

Mas fazer isso com o próprio coração, sobretudo quando ele já está apertado, é difícil.

É preciso ter muita coragem para — ou muito medo de — contrariar o coração.

E aí a gente começa a aprender a obedecê-lo.

Se ele está apertado, que não se tente abri-lo à força.

Se sempre que ele queria se abrir eu me assustava — e o segurava —, por que será que depois eu me amedrontava quando ele insistia em se fechar?

Se agora ele está apertado, é porque precisa, e o que se pode fazer por ele é apertá-lo um pouco mais. Um pouco mais, como alguém que empurra o amigo que hesita, ou que ajuda o amigo cansado a andar.

Depois que a gente aprende a ir com ele, ele começa a vir com a gente, e, depois de apertar junto, quando a gente solta ele se solta.

"Apertar o peito" não é uma metáfora; quer dizer endurecer o tórax, ou apertar o peito com as mãos ou com outro gesto, conforme o que parecer melhor no momento. Mas é um esforço corporal, muscular; não é apenas mental.

Antes de ir junto com ele, durante muito tempo fui tentando compreender — e desfazer — a força que eu fazia com o ombro para protegê-lo; foi uma longa e tortuosa história, mas andou, soltou, ajudou.

Acho que querer amar muito — e encontrar muito amor — ajudou mais do que tudo.

Querer expandir o peito, sentir o coração galopando como o cavalo do cavaleiro andante — de ânsia, de busca, de heroísmo, de fogo, de vida cheia, densa, forte —, querer amar é isso.

Os amores se sucediam, cada qual um pouco menos tímido.

O coração se abria...

Um dia, deitado, relaxado, fico apreensivo e sinto que posso morrer a qualquer momento.

Estou até inclinado a morrer. De vingança.

Então, começo a me entender verdadeiramente com meu coração.

Sinto claramente que ESTAMOS — eu E ele — resolvendo se convém parar ou não. Se é hora.

Sei que poderia ter escolhido morrer — e teria morrido, com meu coração parando —, mas não foi isso que nós, eu e ele, enfim concordamos, de amigo para amigo, com muita confiança recíproca.

Depois, em outro dia, foi o contrário. Comecei sentindo toda a minha árvore arterial pulsando. Uma árvore como se fosse de borracha, com mil galhos inteiramente ocos; o tronco da árvore de borracha está enraizado no coração, e sua copa tem a forma de nosso corpo. O meio copo de sangue que o coração ejeta na circulação a cada pulsação "estufa" essa árvore já cheia de sangue, e sempre cheia de sangue, e a onda se propaga pela árvore toda, pelo corpo todo, podendo ser sentida.

Isso que, ao ser dito, parece aula, causou, na prática, uma sensação impressionante.

Aos poucos, minha percepção foi se concentrando no coração e por um tempo fiquei a senti-lo, envolvido em certo pasmo diante aquele turbilhão incessante que me mantinha vivo sem que eu pedisse ou quisesse.

Sem me pedir nada.

Minha vida sempre aí, interminável, gratuita.

Aí quase nos personificamos — eu e ele.

E ficamos muito comovidos — juntos.

CO-MOVIDOS.

TRÊS GRANDES ESPÍRITOS

Este capítulo procura demonstrar que Freud, Jung e Reich, três pioneiros da psicologia profunda, ao mesmo tempo que ignoraram a importância da respiração, mostraram em seus estudos e análises clínicas que de algum modo a percebiam — de forma inconsciente... Aponta, também, vários erros ou impropriedades nas teorias respectivas daí decorrentes. A omissão da respiração, que é total em Freud, atenua-se em Jung, desaparecendo em Reich. Este reconheceu em princípio o valor central da respiração, mas não se dedicou a pormenorizá-lo. Outrossim, a ligação entre respiração e fala — ou palavra — é frouxa em Reich (quando, a meu ver, ela é fundamental).

O SONHO FATÍDICO DE FREUD

Até onde me é dado saber, Freud nunca se deu conta da fenomenologia respiratória; nunca lhe passou pela mente buscar os possíveis correlatos mentais de tal fenomenologia.

De outra parte, pode-se dizer que a psicanálise estuda somente a angústia e tudo que fazemos a fim de não senti-la. Estuda, a meu ver, todas as insuficiências respiratórias funcionais. Note-se: estuda *exclusivamente* a ansiedade e os "mecanismos neuróticos" formados para controlá-la. Logo, ela afirma a respiração o tempo todo. Para que a tese proposta seja universalmente válida, como se pretende, deve se encontrar, nos escritos de Freud, referências a fatos pertinentes, ainda quando faltem as interpretações correspondentes. Com esse propósito em mente, escolhi para exame um sonho clássico do próprio Freud, descrito por ele mesmo.

O texto encontra-se nas *Obras completas* do autor, no primeiro volume da tradução espanhola editada em Madri, em 1948 (Biblioteca Nova, p. 312-18).

Excluí o que não servia à minha demonstração.

Sonho de 23 para 24 de julho de 1895.

Um *hall* amplo. Muitos convidados, os quais recebíamos. Entre eles Irma, da qual me aproximo logo, a fim de responder sem perda de tempo à sua carta e reprová-la por não haver aceito ainda a "solução".
Digo-lhe: "Se ainda tens dores, a culpa é toda tua".
Ela me responde: "Se soubesses as dores que sinto agora na garganta, no ventre e no estômago! Sinto uma opressão..."
Assustado, observo-a com atenção. Está pálida e intumescida. Penso se não me passou despercebido algo orgânico.
Levo-a para junto de uma janela e disponho-me a examinar sua garganta.
De início, resiste um pouco, como o fazem, nesse caso, as mulheres com dentaduras postiças. Penso que Irma não precisa delas. Por fim abre bem a boca e vejo, à direita, uma grande mancha branca e, em outros regiões, singulares escaras acinzentadas, cuja forma lembra a dos cornetos nasais.
Meu amigo Otto acha-se agora a meu lado e meu amigo Leopold percute Irma, por cima da blusa, e diz: "Há uma zona maciça à esquerda, e uma parte da pele infiltrada no ombro esquerdo". (Sinto o fato tão bem quanto ele, não obstante o vestido.)

A figura central desse sonho é indiscutivelmente Irma, que pouco tem que ver com a Irma real.

A doença está situada exclusivamente na garganta e no tórax, isto é, fonação — respiração!

O próprio Freud atribuiu a esse sonho um valor extraordinário; seu livro sobre sonhos é tido, por quase todos, como a mais fundamental de suas obras, visto que esse é o primeiro sonho examinado por Freud no livro, e também, segundo a obra, o primeiro sonho submetido por ele a uma análise rigorosa.

Repetindo: toda a doença de Irma está situada na garganta, na boca e no tórax, isto é, nos lugares onde nasce a palavra e por onde nos relacionamos com o espírito (o ar). Esse sonho é por demais dramático. Muitos e muitos anos antes do fato, ele prenunciava o câncer mandibular — depois com metástases pulmonares — que torturaria Freud durante muito tempo antes de matá-lo.

Jung e Fromm, entre outros, deixam bem claro o que Freud negava-se a reconhecer: a espiritualidade do ser humano, elemento tão primitivo quanto os demais instintos estudados pela psicanálise.

O livro *Reich speaks of Freud*[5] contém dados muito significativos para a tese que proponho. Limito-me a transcrevê-los.

> Freud fumava muito (vinte charutos por dia). Sempre senti que ele fumava não por nervosismo, mas porque ele queria dizer alguma coisa que jamais chegou a seus lábios... Como se tivesse de "engolir" alguma coisa desagradável. Morder, engolir, não exprimir jamais. Ele era muito polido, "incisivamente" polido às vezes. Incisivo... Meio frio, mas não cruel. Aí ele desenvolveu o câncer. Se você morder com um músculo durante anos, os tecidos começam a deteriorar e aí surge o câncer. Freud era infeliz de vários modos. Primeiro, sentia-se preso pelos seus discípulos e sua Associação. Não podia mais mover-se. Estava preso também pessoalmente. Não podia aparecer em lugar nenhum. Permanecia em casa. Era infeliz no casamento e só tinha dois amigos. Tratava seus discípulos muito formalmente... (p. 20-21).
> De que modo começou a manifestar-se o câncer? Pela dificuldade na fala. Freud era um orador maravilhoso. Suas palavras fluíam com clareza, com simplicidade, com lógica. Aí surgiu a doença e o atingiu justo lá, no órgão da fonação! (p. 73)

5. HIGGINS, M.; RAPHAEL, C. M. (orgs.). *Reich speaks of Freud*. Nova York: Noonday Press, 1967. O livro é em forma de diálogo, mas modificamos ligeiramente o estilo e a ordem para não precisar incluir material demasiado e inoportuno.

JUNG — SEUS CLIENTES E SUAS FANTASIAS

Em Jung encontrei referências numerosas ao espírito, manifestando-se na forma de visões, de frases ou de vozes. Jung é um enamorado do espírito tanto quanto da alma, mas pouco ou nada disse sobre o corpo humano. Sua psicologia, não obstante a amplitude, equilíbrio e profundidade, sofre, como todas as psicologias dinâmicas contemporâneas, de uma acentuada ausência ou desvalorização do corpo. A alma de Jung, como a alma de Freud, é quase desencarnada.

Gostaria de demonstrar essa afirmação citando casos concretos. Nas páginas 140, 141 e 142 do 16º volume das obras completas de Jung, em inglês, lemos o relato a seguir (destaquei por minha conta os tópicos relacionados com nosso tema).

Vertigem das alturas

Certa vez fui consultado por um homem proeminente; sentia-se ansioso e inseguro. Queixava-se de tonturas, chegando por vezes à náusea, peso na cabeça e constrição do tórax, estado que poderia facilmente ser confundido com o mal das montanhas. Havia tido sucesso extraordinário em sua carreira; havia se elevado por força de sua ambição, indústria e talento nativo, partindo de origem humilde, como filho de um pobre camponês. Havia subido passo a passo, atingindo por fim posição de liderança, na qual se continham todas as promessas de um progresso social ilimitado. Agora, na verdade, havia alcançado o trampolim do qual lhe seria possível iniciar seu voo ao empíreo, não fosse a intervenção súbita de sua neurose. Nesse ponto de seu relato, o paciente não pôde impedir-se aquela expressão tão familiar começando com as palavras estereotipadas "e agora, quando tudo ia tão bem..."

O fato de ele ter todos os sintomas do mal das montanhas parecia muito apropriado como ilustração drástica de seu impasse peculiar.

Havia trazido para a consulta dois sonhos da noite anterior. O primeiro: "Estou de volta à pequena aldeia onde nasci. Algumas pessoas, provavelmente camponeses, meus antigos companheiros de escola, estão paradas na rua. Passo por elas fazendo de conta que não as conheço. Então escuto uma delas dizer, enquanto aponta para mim: 'Ele raramente volta para a nossa aldeia'".

Não é difícil ver nesse sonho uma referência ao início humilde do sonhador e entender o significado dessa referência. O sonho diz muito claramente: "Você se esqueceu completamente de onde começou".

O segundo: "Estou muito apressado, pois preciso viajar; continuo procurando as coisas para fazer as malas, mas não consigo encontrar nada. O tempo passa, o trem logo partirá. Conseguindo enfim arrumar todas as minhas coisas, corro ao longo da rua e descubro que esqueci uma maleta de mão contendo documentos importantes. Retorno correndo, quase sem fôlego, encontro a valise e procuro voltar para a estação, mas parece-me muito difícil conseguir chegar a tempo. Com um esforço final, alcanço a plataforma, apenas para ver o trem deixando a estação. O trem é muito longo e se desloca numa curva em forma de 'S', bastante curiosa. A meu ver, se o maquinista não prestar atenção e abrir muito o vapor, quando alcançar a reta, ao ganhar velocidade, os vagões traseiros, ainda fazendo curva nesse momento, serão arremessados para fora dos trilhos. E acontece exatamente assim. O maquinista dá vapor à máquina; tento gritar para avisá-lo, mas os vagões traseiros, com um ruído horroroso, descarrilam. Há uma catástrofe terrível e eu acordo apavorado".

Aqui, de novo, nenhum esforço é necessário a fim de entender a mensagem do sonho. O sonho descreve a pressa frenética do paciente em avançar cada vez mais; mas enquanto o maquinista, na frente, dá à máquina cada vez mais vapor, a neurose acontece atrás. Os últimos vagões oscilam; logo depois descarrilam. Parece claro: na presente fase da vida, o paciente alcançou o ponto mais alto de sua carreira. O esforço da longa ascensão, desde sua origem tão baixa, exauriu suas forças. Ele deveria ter-se contentado com sua realização; em vez disso, a ambição continua a empurrá-lo mais e mais, cada vez mais para cima, na direção de uma atmosfera deveras tênue para ele e à qual não está acostumado. Por isso, sua neurose lhe acontece a título de aviso.

As circunstâncias impediram-me de tratar desse paciente; além disso, meu modo de considerar seu caso não o satisfez. A verdade é que o seu destino retratado nos sonhos aconteceu na vida real.

Aí está.

Jung descreve com muita precisão clínica todos os elementos necessários para caracterizar uma forte insuficiência respiratória.

Recordo ao leitor a etiopatogenia do mal das montanhas: quanto mais subimos em relação à atmosfera, mais rarefeito é o ar e menor a quantidade de oxigênio por unidade de volume. Para aquele que sobe, cresce a sensação de asfixia em função da altura alcançada.

Em vez de verificar como era a respiração do paciente, Jung se satisfez com o valor alegórico da sintomatologia.

Podemos inclusive, com os elementos oferecidos por Jung, descrever com bastante precisão a atitude habitual do paciente — principal responsável pela própria insuficiência respiratória. Esta é devida muitas vezes, em casos como esse, a uma hipertonia dos músculos intercostais e da coluna dorsal — elementos integrantes da atitude do orgulhoso. A atitude de superioridade tem como característica não só a cabeça levantada, mas também o peito inflado, os ombros altos, para trás e para fora — posição de inspiração forçada persistente. Aliada ao desdém ou ao desprezo, constitui associação extremamente comum, que é claramente insinuada no primeiro sonho, no qual o paciente despreza os seus antigos companheiros, passando por eles como pavão diante de frangos.

Na primeira metade do segundo sonho, vemos, com igual clareza, o paciente mantendo uma atitude crônica de alerta. Parece estar sempre se preparando para algo urgente. Ponha-se o leitor na postura de quem, já atrasado, espera algo importante, capaz de acontecer a qualquer momento, e será fácil perceber o tórax mantendo-se quase imóvel durante toda a duração da espera. De novo, pois, a atitude de inspiração crônica.

Note o leitor quantas vezes se lê "pressa" na segunda metade do sonho. Recorde a seguir a etimologia de pressa (pressão, opressão, compressão...)

Na segunda metade do sonho, elemento importante é o excesso de pressão na locomotiva. Parece bastante fácil aliar esse fato a um tórax habitualmente em posição de inspiração forçada. Igualmente fácil ligar esse excesso de pressão à mesma atitude, já descrita, de espera ou de impaciência (estando sempre pronto para desabafar, isto é, sempre ansioso por não conseguir expirar).

Tivesse Jung pedido uma contagem de glóbulos vermelhos do sangue desse paciente, encontraria, muito provavelmente, uma hiperglobulia, indício de que o paciente respira habitualmente mal.

A hipóxia crônica pode acarretar um aumento do número de glóbulos vermelhos do sangue. No mal das montanhas acontece exatamente a mesma coisa. O aumento do número de glóbulos vermelhos ocorre quando a atmosfera se rarefaz, mas ocorre também na atmosfera comum, quando respiramos insuficientemente durante longo período.

Podemos dizer: essa pessoa era levada por um espírito forte, um espírito incapaz de dobrar-se, isto é, uma coluna vertebral pouco apta a fletir-se e um tórax pouco apto a expirar. O movimento de expiração é passivo e sugere entrega. Indivíduos com tal coeficiente de atividade e iniciativa, como o paciente de Jung, estão dispostos a lutar até o amargo fim; são incapazes de desistir, mesmo quando a desistência impõe-se. Nada horroriza mais essas pessoas do que o abandono e a entrega. Por isso, entre outras razões, esses pacientes respiram muito mal.

Proponho ao leitor a releitura do caso. O elemento respiratório — agora elucidado — ressaltará melhor.

Se tivesse ouvido uma explicação como essa, preliminar e genérica, teria o paciente desistido do tratamento, como de fato desistiu?

É-nos dado, por esse caminho, mostrar quanto o paciente é responsável pelos seus sintomas e, ao mesmo tempo, quanto ele não o é. Seu "gênio" ou temperamento é seu, reconhecido, e em certa medida desejado. A expressão somática (atitude) e a consequência fisiológica (insuficiência respiratória) são inconscientes e, certamente, não desejadas.

Mas se vê em ato — e se pode mostrar para o indivíduo — a relação necessária entre as duas séries de fatos.

Talvez se sinta, a vítima, ao mesmo tempo culpada e absolvida: "Eu quis, mas... não tive culpa".

É fácil perceber quanto é adequada essa abordagem, quanto ela navega entre o Cila do "Você é culpado" e o Caríbdis do "Culpada é a vida".

A voz de Deus

Na autobiografia de Jung[6] existem numerosos elementos úteis ao nosso tema, sem contar o estranho fascínio exercido pela autenticidade dessas "confissões", sua linguagem direta, seu conteúdo a um só tempo ingênuo e profundo.

Primeiro, um caso sintético:

> Certa ocasião tratei de uma esquizofrênica idosa, na qual me era dado ver, distintamente, o fundo de personalidade "normal". Essa pessoa não podia ser curada; só era possível cuidar dela. Todo médico, afinal, tem pacientes sem esperanças, em relação aos quais só lhe resta aplainar o caminho para a morte.
>
> Ela ouvia vozes distribuídas pelo seu corpo inteiro, e uma dessas vozes, situada no centro do tórax, era a "voz de Deus".
>
> "Devemos confiar nessa voz", disse-lhe — atônito ante minha própria coragem. Em regra, a voz emitia comentários bastante razoáveis, e com seu auxílio eu conseguia lidar muito bem com a paciente. Certa vez a voz disse: "Deixe-o pô-la à prova sobre a Bíblia". Ela trouxe consigo uma velha Bíblia, puída de tanto manuseio, e a cada visita cabia-me apontar-lhe um capítulo para ler. Na vez seguinte, fazia-lhe perguntas a respeito. Procedi assim durante sete anos, uma vez a cada quinze dias.
>
> De início sentia-me muito esquisito nesse papel, mas, após algum tempo, compreendi o significado dessas lições. Desse modo mantinha-se ativada sua atenção, salvando-a de mergulhar mais fundo em seu sonho desintegrador.
>
> Após seis anos, o resultado foi o seguinte: as vozes, previamente espalhadas pelo corpo todo, confinavam-se agora na metade esquerda, enquanto a direita se mostrava de todo silenciosa; além disso, o fenômeno mórbido não se duplicara à esquerda — permanecia como originalmente.
>
> Daí devemos concluir que a paciente foi curada — ao menos metade dela. Foi esse um sucesso inesperado, pois não havia imaginado que tais exercícios de memória pudessem produzir esse efeito terapêutico (p. 126-27).

6. Jaffe, A. (org.). *Memories, dreams, and reflections of C. G. Jung*. Londres: Collins and Routledge & Kegan Paul, 1963.

Nenhuma ilustração sintética melhor para nossa digressão prévia.

Não só a "voz de Deus" no centro do peito como, ainda, essa voz permitindo o diálogo entre médico e paciente; mais, dirigindo o processo terapêutico.

Não seria mesmo a voz de Deus?

Assinalemos bem a coragem de Jung em "fazer-se de louco", surpreendente para ele mesmo.

Um sonho do próprio Jung:

> *Era noite — em um lugar desconhecido —, eu avançava lenta e penosamente contra um vento poderoso. Névoa espessa ondulando por todos os lados. Minhas mãos, em taça, envolviam pequena chama, ameaçada de apagar-se a todo instante. Tudo dependia de poder eu manter viva a pequena chama. De repente, senti algo vindo atrás de mim. Voltei a cabeça e vi uma figura, negra e gigantesca, a seguir-me. Mas ao mesmo tempo sabia, a despeito do meu terror, que devia manter acesa minha chama através da noite e do vento, não importando nenhum perigo.*
> *Ao acordar descobri logo que o gigante era um "espectro de Brocken" — minha própria sombra projetada na névoa flutuante, criada pela pequena luz que eu levava. Percebi, também, que essa luz era minha consciência, minha única luz — meu próprio entendimento e meu maior e único tesouro. Mesmo sendo infinitamente pequena e frágil, comparada aos poderes das sombras, ainda assim é luz, minha única luz* (p. 92-92).

* * *

Belo sonho, certamente; gostei demais dele quando o li. E não era só apreciação estética ou orgulho do meu "pai".

Senti, ao lê-lo, o orgulho do discípulo que, em certo momento, ultrapassa o mestre.

Vento poderoso e chama de vida: respiração! É o próprio resumo deste meu livro!

Mas Jung enganou-se na interpretação — em parte.

Aproximadamente um ano antes de ler esse sonho, tive uma fantasia bastante semelhante. Era preciso cuidar da chama de uma pequena vela, levada por mim; eu temia que a chama pudesse apagar-se ou a vela terminar — seria minha morte. Não havia vento poderoso contra mim, tampouco névoa.

Meu fantasma — meu medo — era o fim da vela.

Perdurou o medo enquanto sentia a chama depender de meus cuidados, de minhas mãos.

Depois, qual aurora, a luz se fez.

— Que é essa chama? — perguntei-me.

— Minha vida.

— Eu a fiz?

— Não.

— Eu a mantenho?

— Não.

— Cuido para que ela não termine?

— Em parte, sim.

— De onde vem minha força e minha capacidade de cuidar?

— Da chama!

— Então é ela que cuida de mim! Enquanto ela arder *eu* estarei salvo, fortalecido pela sua força, aquecido pelo seu calor e iluminado pela sua luz.

Vê, leitor, quão mais sábio foi o discípulo que o mestre?

Jung, corajoso demais, era, ao mesmo tempo, fatalista e estoico. Para os corajosos é preciso que haja grandes perigos e grandes sofrimentos; ao defrontar-se com grandes perigos (fatalidade), maior se faz o herói; ao encontrar-se com grandes sofrimentos, melhor se tempera a coragem. Por isso, oscilava Jung continuamente, na vida e na clínica, na teoria e na prática, entre a sensação do valor decisivo de suas ações e a sensação de um destino gigantesco e impessoal, de todo inacessível ao controle humano.

No momento vivido, Jung era o próprio herói das decisões e dos pensamentos inesperados e salvadores; fora do tempo, ao meditar a sós, era o profeta da eternidade a repetir-se, eternamente igual — o arquétipo!

Jung, como a esquizofrênica, lutou até o fim contra o grande vento — sem muita esperança. Podemos dizer tenha sido o defensor do espírito individual contra o espírito coletivo, que é, hoje, mais forte do que nunca. Com tantos meios de comunicação e influência, pode hoje o grande espírito do coro alcançar, avivar e controlar os pequenos espíritos mais do que nunca.

Vento poderoso!

Pequena chama.

Mas não pensou Jung no poder da pequena chama; *só ela, alimentando-se do grande vento, pode aquecer e iluminar.*

Onde reina, solitário, o Vento Poderoso, só há negrume atroz e frio gélido.

Louvado seja o vento poderoso que alimenta a pequena chama!

A pequena chama não pode viver sem ele. Viver do vento é próprio da pequena chama, é sua essência.

Alegremo-nos, pois. Quanto maior o vento, maior a chama — maior a luz e maior o calor!

Começará o milênio de ouro ou explodirá a bomba H?

Quem sabe?

* * *

Conheçamos, enfim, o tesouro escondido de Jung. Os grifos são meus.

Depois de descrever — de modo tocante — seu encontro com uma pequena camponesa, seu entusiasmo e *o recolhimento subsequente*; depois de destacar o insignificante do episódio e *seu efeito interior profundo*, Jung relata uma longa fantasia de adolescência, com mil detalhes e peripécias. E, na metade do relato, declara:

> O centro nervoso e a razão de ser de todo o conjunto e do castelo eram o segredo do lugar — conhecido só por mim.
>
> O pensamento me ocorrera como um choque. *Dentro da torre mestra, estendendo-se desde as ameias, em cima, até a adega abobadada, embaixo,* havia uma coluna de cobre ou um *cabo de arame grosso, tão calibroso quanto o braço de um homem*, dividindo-se no topo em ramificações as mais finas, *como uma árvore, ou — melhor ainda — como raiz mestra com seus*

> *minúsculos filamentos inserindo-se ao contrário, isto é, voltados para cima.* Do ar, os filamentos retiravam algo inconcebível, que era levado pela coluna de cobre para baixo, até a adega. Aqui eu tinha outro aparelho inimaginável, espécie de laboratório, no qual se produzia ouro com aquela substância misteriosa, haurida do ar pelas radicelas.
> Era realmente um arcano *cuja natureza eu não podia conceber — nem desejava. Nem se preocupava minha imaginação com a natureza do processo transformador. Com tato e certo nervosismo, eu procurava permanecer de lado em relação ao que ocorria nesse laboratório. Havia uma espécie de proibição interior*: supunha-se que a ninguém fosse permitido olhar de perto, nem perguntar qual espécie de substância era extraída do ar.
> "Espírito", naturalmente, significava algo *inefável, mas, bem no fundo, não o considerava essencialmente diferente de ar muito rarefeito.* O absorvido pelas radicelas e transmitido pela coluna de cobre era uma espécie de essência espiritual a fazer-se visível, lá na adega, sob a forma de *moedas de ouro.* Não era, certamente, *nenhum artifício de conjuração*, mas sim *um segredo venerável e vitalmente importante da natureza*, chegado a mim não sei como; era preciso escondê-lo, não só *do conselho dos anciãos*, mas, em certo sentido, *de mim mesmo* (p. 86-87).

Será preciso comentar?

Valham os grifos para alertar o leitor e... pô-lo no bom caminho.

Limitar-me-ei a discutir alguns pontos obscuros ou contraditórios da fantasia, quando a consideramos, entre outras coisas, representação do pulmão e da respiração.

O pulmão está invertido: bronquíolos para cima e para fora.

As moedas de ouro, presumivelmente, representavam pensamentos e palavras preciosas, emergentes de seu "interior" e temidas por Jung, pois permaneciam como moedas de ouro, isto é, valor genérico; tais moedas nasciam "embaixo", ao invés de nascer no alto, na laringe — boca.

Uma inversão talvez explique a outra.

Adolescente ainda, seu pensamento encontrava-se em elaboração tímida, "escondido" naquela região crítica — o epigastro. Aí havia uma "boca" informe a balbuciar palavras inefáveis. Desde cedo teve Jung consciência de seu valor — as moedas de ouro.

Mas uma consciência negativa, isto é, desde cedo sabia ele *aquilo que não lhe importava*; a *sua* verdade foi-se gestando lentamente.

Se a boca está "embaixo", então o espírito sopra às avessas (o espírito da palavra real sopra do pulmão para a boca).

Pessoalmente, estranho pouco essa inversão, por dois motivos.

O primeiro é anatômico: veremos o pulmão como um enfisema fisiológico, soma de bolhas de ar contidas no tórax. Fossem *nossa árvore brônquica e os capilares alveolares (radicelas) voltados para fora*, teríamos um pulmão tão bom quanto ou melhor do que o atual (melhor para respirar). Na verdade, as brânquias são assim, e existem, em certos animais, verdadeiras brânquias externas em forma de árvore. Em segundo lugar, veremos no capítulo que trata da embriologia a marcada falta de separação entre o ar de dentro e o ar de fora.

Além desses argumentos, mais outro existe.

As pessoas (as crianças, em particular) sentem — eventualmente ouvem — o ar entrando pelo nariz, mas não percebem tão bem a sensação muscular ligada à expansão torácica (respirar é um hábito tão velho que dificilmente o percebemos de forma clara). Daí a noção, presente em crianças, adultos, desenhos e mitos, *de um espírito a soprar ar para dentro de nós.*

Este, se existisse, "viria" de cima.

A fantasia de Jung permanece no meio.

Os bronquíolos e os capilares estão "fora", mas são eles que *extraem* a substância vivificadora. São, pois, *ativos.*

Na verdade, o "pulmão" da fantasia junguiana é mais eficiente e prático do que o real. Basta uma rede capilar exposta ao ar e temos um pulmão. O restante é um trabalho ingente da natureza: para proteger essa rede capilar, ela a pôs dentro do corpo, a fim de que não secasse; depois, teve de arrumar modos para obter uma grande *atmosfera dentro do corpo.*

O pulmão oniroide de Jung é a "essência" do pulmão!

Mas esse pulmão essencial não poderia falar...

Jovem demais para saber quais fossem suas ideias próprias ou, porque jovem, temeroso das próprias ideias, opostas à montanha pétrea das verdades estabelecidas, Jung suprimia — ou gestava — o próprio pensamento.

Servia o ar para alimentar-lhe a vida mas *não podia* servir para moldar suas palavras.

Seria perigoso!

Jung também temia o próprio espírito — e ele o diz muito claramente.

Foi preciso um quase cataclismo interior para que esse espírito, rompendo a abóbada da adega, pudesse alcançar a atmosfera — fazer-se palavra.

Está muito claro no livro.

Depois, dentro de tal castelo, tão firmemente plantado na rocha, como podia Jung perceber sua respiração? Ao percebê-la, imediatamente começaria o castelo a ruir, pois suas paredes e as tensões musculares defensivas são uma coisa só.

Donde nasceu a fantasia de Jung?

Por que relata ele, um parágrafo antes, a gentil historieta da pastorinha?

Muito fechado, fechou-se Jung ao amor real de alguém — não querendo se deixar influir por outro espírito; mas seu espírito foi atingido, apesar do castelo fortificado.

Nasceu-lhe outra alma — a fantasia.

A fantasia e os sonhos de Jung foram suas amantes a vida toda; amantes exigentes, imperativas e absorventes, mas, ao mesmo tempo, mães fecundas ante esse homem viril.

Viril porque forte ao amar o que amava: as fantasias e os sonhos.

REICH

Dentro da psicanálise, encontrei em Wilhelm Reich as principais referências à respiração. Em muitas passagens de seus escritos, deparei com esta afirmação curta e incisiva: as inibições respiratórias são o elemento fundamental de toda neurose. A dissolução dessas inibições é absolutamente essencial à cura. Está implícito, mas nem sempre é afirmado explicitamente: toda e qualquer atitude crônica contém em si, inerentemente, inibições respiratórias específicas a ser descobertas e desfeitas, se possível!

Não existe repressão — no sentido freudiano do termo — sem alguma espécie de inibição respiratória.

Afora essas proposições genéricas (e tendo lido e relido praticamente todas as publicações de Reich), não sei de nenhum estudo seu dedicado especificamente à respiração. É nos relatos clínicos que melhor se vê a ideia.

De há muito, guiado por ele, passei a prestar atenção especial ao modo de respirar de meus pacientes. Hoje dou razão a Reich e confirmo plenamente o que ele atesta: a imensa maioria das pessoas respira mal, seja quanto ao ritmo, seja quanto à forma, seja quanto à suficiência.

Indiscutivelmente, as pessoas sofrem, em regra, *de uma extensa e profunda inconsciência no que se refere à sua maneira de respirar.* Como fato clínico e sintoma essencial de neurose, a inibição respiratória pode ser vista por todos aqueles dispostos a se dar ao trabalho de observar.

Outrossim, posso afirmar com segurança: Reich nunca ligou intimamente respiração e fonação, mesmo quando as estudou, percebendo, separadamente, a importância dos dois fatos.

Com ele aprendi, ainda, a reparar nas maneiras peculiares de dicção, sintaxe e fonação de meus pacientes.

Mas muito ingrato eu seria, além de cego, se não reconhecesse sua influência absolutamente fundamental sobre meu interesse relativo à respiração, e sobre este livro todo.

Muito de minha inspiração proveio de seu espírito...

O LUGAR, A ORIGEM E A FUNÇÃO DO ESPÍRITO NO CORPO

No tórax o processo vital ocorre de forma eminente.
No reino dos símbolos, sangue é vida e ar é espírito.
No peito, espírito e vida se confundem — os dois em movimento.
O peito é o lugar do mistério.
Angústia é a oposição entre o espírito e a vida.
ANGÚSTIA É INIBIÇÃO RESPIRATÓRIA.
O mundo da palavra é rico pelo que tem de anseio,
de ênfase — de MÚSICA.
É erro atribuir ao significado da palavra
o que pertence à música da voz.
A música da voz é o som da respiração.

Este é o capítulo mais importante e mais difícil do livro; difícil porque lida com fisiologia respiratória e embriologia do pulmão e da respiração. Quem tiver conhecimentos de nível universitário a respeito dessas coisas não terá grandes dificuldades.

Para mim, que sou médico e naturalista por vocação, as provas da teoria contidas neste capítulo são cruciais e decisivas. Elas sugerem com muita força que poderemos investigar experimentalmente as protoformas do ego, estudando com cuidado o aparecimento e o desenvolvimento da respiração.

As mesmas reflexões tornam muito claros certos achados da psicanálise que até hoje não podiam ser outra coisa senão suposições precárias — principalmente as afirmações de Melanie Klein sobre fases precocíssimas do desenvolvimento do eu.

Para facilitar a leitura incluímos figuras com texto próprio bastante elucidativo. Convém começar por elas.

No grande espírito há mais coisas além daquelas da natureza. Há a conversa cósmica, a conversa de cada um com os próximos, a conversa de cada um com o que lê em jornais ou revistas, com o que ouve no rádio e vê na TV, a conversa de cada um consigo mesmo — que não é exatamente um falar sozinho.

Quando falamos com nós mesmos, estamos falando com todos aqueles que influíram e influem sobre nós.

É mesmo como se houvesse um grande espírito fora de nós e um equivalente desse grande espírito dentro de nós. Jung chamava o grande espírito dentro de nós de inconsciente coletivo, ou de psique objetiva, porque de muitos modos nos transcende e na mesma medida nos governa, independentemente de nossa vontade e de nossos planos.

Há, pois, tanto palavras fora quanto dentro de nós. Além das palavras expressas e claras, muitas outras existem dentro e fora de nós, na forma de insinuações, sugestões e da expectativa de dizê-las.

Só ao se fazer palavra a coisa se faz humana — esteja ela dentro ou fora de nós. Só então ela reúne dois ou mais; só então, e por isso, ela faz humanidade. Não basta a palavra certa para que a coisa passe a existir no mundo humano; é preciso que ela soe com música adequada. Caso contrário, o dito poderá se confundir com outras coisas.

Sem a música certa a palavra é letra que mata.

A respiração é o sopro que anima a palavra e a faz viver, tornando humano tudo que é dito.

É importante recordar que todas as vísceras do organismo têm movimentos involuntários, dependentes do sistema nervoso autônomo, e realizados por fibras musculares lisas. A respiração é caso único da economia orgânica: temos uma função visceral — ou assim dita — realizada inteiramente por musculatura estriada, voluntária, e de todo operada pelo sistema nervoso central. O termo "regulação nervosa" da respiração, que se encontra em todos os textos de fisiologia, é falso; o sistema nervoso central não regula a respiração: *ele a faz* — inteira.

A. W. Ham[7], apresentando ideias recentes sobre a histogênese do pulmão, acaba concluindo *que o pulmão é um enfisema fisiológico.*

O revestimento dos alvéolos pulmonares é descontínuo, e, ao final do processo de maturação do pulmão, o que resta é *uma esponja conjuntiva ricamente vascularizada, cheia de cavidades determinadas por bolhas de ar.* O que, por contiguidade, impede o enfisema pulmonar de se expandir até as estruturas próximas e para o corpo todo são as lâminas conjuntivas densas que o limitam. O pulmão não é um órgão, nem mesmo embriologicamente. Demonstra o autor citado que o próprio crescimento do pulmão se faz apenas à custa da proliferação do tecido conjuntivo frouxo. Quanto mais abundante ele for, maior a oportunidade para a formação de bolhas alveolares. Por simples pressão do ar, essas bolhas tendem a se fazer poliédricas e a adquirir uma espécie de revestimento que não seria epitelial nem específico.

Só o epitélio do revestimento interno dos brônquios e bronquíolos se diferencia no pulmão fetal. Os alvéolos que existem no pulmão fetal não proviriam de diferenciação histológica; formar-se-iam graças ao líquido amniótico que os *movimentos respiratórios* aspiram para o pulmão fetal.

A primeira moldagem do pulmão é embriológica, ligada à divisão e diferenciação celular. A segunda moldagem é feita pelo líquido amniótico e já *depende de movimentos respiratórios*; a terceira moldagem é aquela realizada pelo neonato, a moldagem aérea propriamente dita. Nesse sentido, quem "fabrica" o pulmão é a musculatura torácica e o movimento expansivo que ela produz.

A finalidade deste capítulo é correlacionar alguns achados anatomofisiológicos referentes à respiração com sua fenomenologia consciente. Em todos os comentários tentarei ligar uma noção de fisiologia com sua provável expressão consciente, ou sua influência sobre a consciência. Não sei se estou explicando uma coisa pela outra. A meu ver, estou apenas relatando o fato em duas linguagens diferentes. Estou, ainda, tentando estabelecer uma analogia entre o somático e o

7. Ham, A. W. *Histologia*. Rio de Janeiro: Guanabara Koogan, 1967, p. 704 ss.

psicológico, analogia essa que nos permita passar reversivelmente de um para outro.

Aqui vai um exemplo do método. Vou registrar duas frases para mim sinônimas:

— *É a vontade que se relaciona ativamente com o espírito e forma em nós o seu templo.*

— *A musculatura estriada do tórax mais o centro inspiratório cerebral (vontade) criam o pulmão, a forma do tórax (templo) e a respiração (espírito).*

Com esse método, procurarei demonstrar que a primeira "fase" do desenvolvimento psicológico humano é respiratória e não oral (FREUD).

O movimento respiratório tem tudo que é necessário para se fazer "ego": ele é executado por músculos obedientes às nossas intenções e, ao realizar-se, provoca sensações tanto nessa musculatura quanto no próprio pulmão.

O movimento respiratório começa com o nascimento, ocorrendo com a consciência do mundo e se constituindo em primeira forma da consciência de si.

No neonato, a respiração é o primeiro ato intencional, ou de vontade dirigida, a primeira experiência da função reguladora da consciência e a primeira experiência de sensação significativa. Todas essas coisas, ditas em muitas palavras, constituem um ato só.

A sensação significativa é a de angústia, sempre que a insuficiência da ação respiratória ameaça levar o neonato à asfixia; nesse momento, os mecanismos neuro-humorais da regulação respiratória atuam — na certa reflexamente — sobre os músculos respiratórios, cuja atuação dissipa a sensação sobretudo penosa de asfixia (morte respiratória). Mas os músculos respiratórios são, histológica e funcionalmente, iguais aos músculos que levam ao choro, à sucção e à deglutição; logo, temos na ação respiratória a primeira "educação da vontade", entendida esta como ato intencional, de algum modo proposital — aquele que dissipa a angústia. Não digo que os músculos respiratórios são voluntários no neonato; digo que é o processo respiratório *que forma em nós a sensação de "vontade"*, e assim se estabelece o fundamento do protoego como ato, atividade ou resposta. A outra face do ego é o ser sensação, de certo modo passividade, sofrimento, desamparo.

Está implícito no que eu disse o fato de que não acredito em uma *sensação inconsciente* de asfixia no neonato.

Afirmo que os dois elementos primeiros do ego são a sensação de angústia asfíxica — de todo verdadeira! — e a reação muscular que ela provoca, e que acaba por dissipá-la. Tem-se, assim, o primeiro modelo de sistema autorregulado, sobre o qual se apoiarão todos os demais esquemas operacionais cuja soma constitui o ego. A cibernética, ciência mais recente, estuda precisamente os sistemas autorregulados, e seu arquimodelo subjetivo — o primeiro e o mais universalmente experimentado — é o da regulação respiratória.

O primeiro modelo cibernético inconsciente está aí, em todos, operando sempre e desde o começo.

Há o ato voluntário que se define e conhece, e há o ato voluntário que se experimenta. *Acreditamos que o primeiro ato voluntário experimentado por todos nós está ligado à respiração.* Ela é uma ação cuja urgência se sente e que provoca movimentos "voluntários" capazes de atenuá-la. Trata-se de uma ação complexa bem coordenada, oportuna e adequada; uma ação com comando a seu modo consciente, como é consciente no neonato o chorar quando surge a sensação de fome. Mas em relação à fome é inútil a vontade, pois o neonato nada pode fazer para atenuá-la. Restarão apenas desejo e frustração, caso ninguém o alimente.

Com a respiração é diferente.

A necessidade instintiva de oxigênio eu mesmo a satisfaço, à custa de meu próprio esforço: o espírito é autônomo.

O mesmo acontece com esse ego no ciclo dia/noite: de dia há um ego; à noite, quando dormimos sem sonhar, não há ego nenhum.

O ego é uma estrutura dinâmica e não uma coisa. Ele não existe. Ele acontece.

O conflito entre o pulmão que tende ao colapso e a musculatura torácica, operada pelo centro inspiratório, deve ser tido como o primeiro conflito do ser humano individualizado (pós-natal).

Com esses fundamentos sensoriais e motores, fica estabelecida, do nascimento até o último suspiro, nossa relação com a atmosfera, relação dinâmica, contínua, bastante variável e *sempre urgentemente necessária* (isto é, não se permite interrupção nessa relação por tempo superior a alguns *segundos*).

No neonato, o cérebro, muito mais celular do que o do adulto (menos mielinizado), consome metade do oxigênio inalado a cada instante. Por isso, entre outros fatores, a insuficiência respiratória neonatal tem efeitos incomparavelmente mais graves do que a fome, ou do que a própria falta de água.

Outro aspecto que torna a respiração *sempre* urgentemente necessária é o fato de *não haver reserva de oxigênio no corpo* (como há para todas as demais substâncias necessárias à vida). Temos cerca de 750 cc de O_2 no sangue circulante e outro tanto no pulmão. Essa quantidade de oxigênio, que serve para seis minutos de vida em repouso, mal basta para *um minuto* de marcha forçada.

Prova adicional a demonstrar quanto a respiração é incerta no neonato, *quanto ela deve ser aprendida*, nós a encontramos na frequência da respiração periódica. Para desespero de todos os pais de primeiro filho, sempre há uma noite em que um dos pais se detém, perplexo, diante da criança no berço, completamente imóvel. Depois, para o alívio do pai, a criança começa a respirar devagarinho, e, pouco a pouco, passa a respirar cada vez mais amplamente, chegando por vezes a resfolegar sonoramente, e a seguir a respiração vai diminuindo, devagar, até cessar outra vez. Parece claro que a respiração periódica é um sinal de imaturidade funcional da respiração, da sua "infantilidade"...

A expansão pulmonar e a formação do tórax são realizadas com cuidado nas primeiras horas, nos primeiros dias e nas primeiras semanas de vida. A transição da vida intrauterina, aquática, para a vida aérea é mais gradual do que usualmente se imagina.

Fator a mais nessa gradação é a hemoglobina fetal. A uma tensão de 40 mm Hg, a hemoglobina adulta sai do pulmão saturada a 70%, enquanto a hemoglobina do feto sai da placenta saturada a 90%. É essa hemoglobina a responsável pela icterícia do neonato, tanto a normal quanto a patológica. Embora uma parte importante dessa hemoglobina seja destruída *nos poucos dias que se seguem ao nascimento*, ainda podem ser encontrados vestígios dela no sangue da criança até quatro meses após o parto. A permanência dessa hemoglobina é certamente vital para o neonato. Tudo sugere que o pulmão do recém-nascido é um órgão de funcionamento precário. Não fosse a hemoglobina fetal o que é, certamente o infante humano não subsistiria. Mais do que isso, parece haver certa coincidência entre o gradual desaparecimento da hemoglobina fetal na criança de 2 ou 3 meses de idade e a gradual atenuação da hipertonia inicial da mesma criança. Só quando o tórax já foi moldado e o pulmão inteiramente expandido é que essa hemoglobina desaparece de todo.

Diante das qualidades tão peculiares e favoráveis da hemoglobina fetal, ocorre a pergunta: por que não continuamos nós, os adultos, a tê-la em nosso sangue?

O NASCIMENTO DO ESPÍRITO

Consideremos a embriogênese da respiração.

Os primeiros movimentos respiratórios do ser humano *formam* o pulmão e o tórax.

O pulmão e o tórax pré-natais não servem à respiração. Ao respirar pelas primeiras vezes, o neonato experimenta ao vivo uma formação a seu modo voluntária.

Compreenderemos melhor essa formação partindo do dispositivo nervoso que a inicia e organiza.

Segundo Samson Wright[8], o "coração" da regulação nervosa da respiração é o *centro inspiratório*, situado no bulbo. O centro

8. WRIGHT, S. *Fisiología aplicada: patología funcional*. Barcelona: M. Marín, 1956.

inspiratório, isolado de *qualquer* influência, emite *continuamente* impulsos nervosos, produzindo assim um esforço *que se mantém indefinidamente — apneusis*. Todas as demais influências, inclusive humorais, atuam de forma indireta, alterando a ação desse centro, em torno do qual organizam-se vários circuitos de influência nervosa e humoral, com base no princípio da retroalimentação (*feedback*).

O *centro expiratório*, também situado no bulbo, não emite impulsos espontaneamente; só atua por influência dos nervos vagos, quando a respiração é forçada.

O sistema vagal inibe periodicamente o centro inspiratório, por meio do reflexo de Hering-Breuer. Quanto mais o pulmão se expande, maior o número de impulsos ascendentes que percorrem o vago, os quais têm a propriedade de inibir o centro inspiratório. Basta que a ação desse centro seja inibida para que a elasticidade pulmonar, atuando sobre a musculatura agora relaxada, tenha força suficiente para fazer que o pulmão diminua de volume e o ar seja expelido de seu interior.

Além desses centros, mais um existe, o chamado *centro pneumotáxico*, situado no mesencéfalo, também capaz de emitir impulsos de modo espontâneo — *mas periódico*. O centro pneumotáxico é, em essência, um inibidor periódico do centro inspiratório, com o qual está unido em retroalimentação.

O centro inspiratório e o expiratório, ambos próximos à extremidade caudal do sistema reticular, são os únicos elementos nervosos em conexão direta com os músculos respiratórios.

Quando compreendemos bem a ação dessas várias influências, logo se propõe a pergunta: por que o centro inspiratório não é organizado, por exemplo, como o centro pneumotáxico, com a alternância entre excitação e quietude? A observação da respiração a revela como fenômeno periódico, no qual uma fase é ativa e outra passiva. Por que então o centro primário de comando emite *continuamente* impulsos nervosos?

Só a consideração das circunstâncias próximas ao nascimento nos permite compreender com clareza a organização peculiar do sistema regulador da respiração — que não vi explicada em nenhum dos textos consultados.

O centro inspirador no adulto serve apenas à inspiração. *No neonato, ele molda o tórax e forma o pulmão.* É preciso que no ser humano exista uma poderosa influência nervosa capaz de *manter o tórax continuamente ampliado* logo após o nascimento; caso contrário, *o pulmão entraria em colapso a cada expiração.* Se não existisse um centro inspiratório mantendo o tórax *sempre em expansão forçada,* a criança apenas encheria e esvaziaria a traqueia e os grandes brônquios; o ar provavelmente não chegaria aos alvéolos e ela morreria asfixiada. Na certa é por isso que a regulação nervosa da respiração obedece ao esquema descrito.

A fim de esclarecer, antecipo algumas noções que adiante detalharei. *O pulmão em colapso natural, sem que seus elementos elásticos se mostrem em tensão nem que haja ar algum dentro dele, mal enche a cavidade torácica do feto.* Os alvéolos presentes, pouco numerosos, ficam cheios de líquido amniótico. Por isso o pulmão do neonato que nunca respirou afunda na água; o pulmão que já respirou flutua.

Se, logo após nascer, a criança respirasse de modo semelhante ao do adulto, o ar inspirado mal daria para encher o sistema bronquial (que não respira). Mesmo que a criança, qual pequeno Hércules, realizasse uma inspiração superprofunda, conseguindo desse modo aspirar ar até os alvéolos, ainda assim, se ao expirar ela fosse "até o fundo" (expiração completa), *seu pulmão entraria novamente em colapso.*

Ora, uma coisa é o colapso fisiológico do feto, outra coisa é o colapso do pulmão *que já respirou.* Este segundo caso constitui uma doença aguda muito grave. Não basta inspirar fundo para encher de ar uma zona de colapso. A criança, pois, muito provavelmente morreria se assim o fizesse.

Os textos autorizados pouco dizem do valor do choro nessa situação. O grito, com cordas vocais tesas e fenda glótica reduzida, aumenta consideravelmente a pressão intrapulmonar, *criando assim numerosos alvéolos.* É possível ainda que as minúsculas bolhas de ar, assim semeadas no pulmão, não se esvaziem de todo, conservando o ar aprisionado dentro delas apesar do movimento expiratório.

Se nos fosse dado experimentar de novo o que sentimos logo após o nascimento, a experiência certamente mereceria relato, admiração e temor, e nos traria à memória, rica de significado concreto, toda a sutil etimologia que será examinada no fim do livro.

Como são fundamentais para a vida a expansão, a aspiração, a inspiração, a tensão (torácica) e tantas outras...

Na consciência do neonato, certamente obscura, deve imperar com força ímpar essa sensação de expansão forçada e mantida. É essa com certeza a raiz da ambiguidade de significado do termo "expiração". Para o neonato, expirar todo o ar é morrer. Subsiste em toda neurose, como Reich demonstrou, o temor de deixar a expiração "ir até o fundo". "Deixar ir" porque a expiração é um fenômeno passivo; ela não é *feita*, apenas *acontece*.

Mais um modo de explicar: se considerarmos vários estados funcionais do centro inspiratório e atribuirmos valor zero à sua inatividade completa e valor cem à sua atividade máxima, poderemos dizer que, no adulto, a atividade do centro inspiratório varia de zero a cem. Usando a mesma escala e aplicando-a ao neonato, teremos neste a atividade do centro inspiratório variando apenas de trinta a cem. No neonato, o centro inspiratório não pode cessar de funcionar. *Por isso*, ele tem aptidão intrínseca para produzir uma inspiração persistente.

O tônus torácico (ou respiratório) do recém-nascido existe para que o pulmão não entre em colapso. Depois de certo tempo, o tórax da criança (agora certamente com alguns meses de idade), tendo assumido consistência óssea e forma relativamente rígida, já poderá permitir que a musculatura respiratória relaxe amplamente. *A expansão torácica, que no neonato era puramente muscular, agora se faz óssea: o tórax consolidou-se na posição de expansão forçada.* Em decorrência disso, os músculos que moldavam o tórax podem repousar e o centro inspiratório também.

Conversemos um pouco com a escola psicanalítica inglesa. Diz ela que a primeira posição — ou estrutura — inconsciente do neonato humano é "esquizoparanoide"; meses depois, sobrevém a "fase depressiva" (Melanie Klein).

Da tensão muscular difusa do neonato nasceria a sensação (muscular) de "não me solto", ou seja, "não me dou", "resisto", "faço força para conservar meu modo de ser e estar". No limite, "oponho-me", "sou contra". Este, o primeiro núcleo do ego; nasce o "esquizo", o dividido, o separado.

Da segunda fonte — a respiração — nasceriam, mais elasticamente, ideias que soariam assim: "Eu *me dou* vida" ou "*Sustento* minha vida", "Meu espírito me anima". Também: "Estou em comunhão — e *governo* a comunhão — com o invisível", "Minha relação mais vital e mais minha é com o invisível". Daí o paranoide como sensação de magia, de poder maravilhoso.

A fim de penetrar um pouco mais esses significados vagos e esotéricos, acrescentemos algo sobre a disposição subjetiva que eles pretendem caracterizar, e o modo como o infante a percebe. Durante semanas ou meses o neonato respira precariamente; é de supor que ele seja vítima frequente da *sensação de asfixia* (ou falta de respiração). No pior momento da crise, algo intervém, algo "amigo" e próximo da vontade. Essa intervenção é seguida de alívio imediato. A consciência infantil — o que quer que ela seja — é continuamente banhada por essas ondas e por elas se molda — supõe-se. Daí "os pensamentos".

Mais: veja-se, no capítulo "Etimologia: as raízes do significado", o caso da paciente que resistia ao vento. Com ela poderíamos aprender bibliotecas sobre as vivências primárias. Ela vivia atenta à respiração. É assim que eu imagino o neonato. Não que ele *viva atento*; nem há ou mal há "ele". Mas algo nele está sempre "atento", e esse algo é o *senhor absoluto do palco*. Porque ele — e só ele — pode evitar ou atenuar a angústia frequente (asfixia). Na certa, "ele" é o centro do self (si mesmo) de Jung e do superego de Freud.

Quando o tórax, já moldado e firme, se mostra capaz por si só de manter constantemente certo grau de expansão torácica, então o tônus se atenua: fase depressiva. Não há depressão sem tônus pastoso ou atenuado; nesse período, o eu infantil sente pela primeira vez que cede, que se "dá", se entrega ou se desfaz (morre).

Podemos dizer ainda que o neonato está permanentemente ameaçado de asfixia e que só consegue evitá-la à custa de um esforço contínuo. Ao seguir sua tendência para a retração elástica, o próprio pulmão tende a sufocá-lo.

O neonato luta de forma ininterrupta contra seu pulmão. Com um pouco mais de realismo, pode-se dizer: a consciência bastante precária do neonato oscila repetidamente no centro da luta travada entre o pulmão — que tende continuamente à retração, por força elástica, isto é, impessoal, inanimada, cega, física — e os músculos mais os centros respiratórios — vivos, "intencionais", em atividade constante.

Haverá descrição mais perfeita para o "inimigo interior", ou o "perseguidor" implacável, postulado pela escola inglesa de psicanálise? Haverá núcleo melhor — ou mais precoce — para a cristalização das relações entre o eu e o inconsciente — e o mundo?

O inimigo interior é o pulmão, que, sendo constantemente nossa vida, pode se tornar a qualquer instante — e sempre — nossa morte.

É fácil imaginar expressões paralelas, mas agora mais próximas de nossa experiência consciente: a soma de sensações que compõe o ego é oscilante, e o protoego do neonato forma-se e se desfaz a cada movimento respiratório. As sensações mais fundamentais do ego seriam então formar-se e fundir-se, integrar-se e desagregar-se. Bem sabe o ego de sua fraqueza (!), e por isso, na certa, tanto se protege no sentido de permanecer, de se fazer estável, seguro, "sempre o mesmo".

Por isso a definição fundamental da neurose é rigidez de comportamento, reiteração inoportuna e inadequada cuja finalidade está em "dizer" a alguém (a quem?): "Você é sempre o mesmo", "Você está sempre vivo", "Você não precisa recear a aniquilação".

Nesse sentido, toda defesa psicológica é uma defesa contra a morte, contra a sensação de desaparecer, de desfazer-se, desintegrar-se.

Em termos bem positivos, que são o contrário da neurose, é possível dizer que o protoego sabe muito bem que viver é transformar-se, é oscilar entre inspiração e expiração, entre criação e destruição.

O motor primeiro da respiração, que é o centro inspiratório, deve fazer mais do que aquilo que estamos dizendo. É pouco provável que seja coincidência o fato de esse centro ser praticamente a terminação da formação reticular. Hoje em dia, atribui-se a essa formação um papel fundamental no funcionamento de todo o sistema nervoso central. É, em uma palavra, o centro da vigilância ou do alerta. Depende da atividade dessa região a excitabilidade de grande parte do córtex cerebral. É a sua excitação que põe o indivíduo desperto, presente e pronto. Ora, na cauda dessa formação, isto é, na sua região filogeneticamente mais antiga, está o centro inspiratório, com sua capacidade de excitação contínua.

"Espírito", quando não é respiração, é presença viva. "É preciso 'despertar' o espírito", dizem todos. Mais exato seria dizer: "É preciso apenas *despertar*". Estar desperto é a ação própria e a mais característica da presença ou da atuação do espírito.

Além da relação anatômica, existe com certeza a relação funcional. O centro inspiratório é aquele que primeiro funciona no neonato, e seu funcionamento se inicia de modo relativamente rápido e vigoroso, mantendo-se sua atividade intensa durante muitas semanas. *A primeira "atenção" do recém-nascido se dirige compulsoriamente à respiração.* Ou ainda: o primeiro e mais constante "objeto" da atenção é a respiração.

Com base nas relações onto e filogenéticas entre a região respiratória do bulbo e o sistema reticular, pode-se concluir, muito plausivelmente, que os distúrbios respiratórios ativam parte do ou todo o sistema reticular. Esse argumento seria um elemento a mais para aqueles que acreditam, como eu, que a angústia respiratória é a angústia fundamental, aquela que mais desencadeia *defesas*, na terminologia tradicional da psicanálise.

É aquela que mais deixa o indivíduo alerta, aquela que mais agudamente o chama para si ou o faz consciente.

Pena, realmente pena, que nossa educação nos impeça de perceber esse fato — e ao deixar de percebê-lo nos perdemos.

Sempre aflitos, buscamos a causa ou o motivo da aflição. Fazemos assim habitualmente; habitualmente é assim que se faz na maior parte dos consultórios e confessionários do mundo.

Claro que a aflição tem causas e motivos, mas se, aflitos, tentarmos antes regularizar nossa relação com a atmosfera, a ansiedade se abaterá e então poderemos pensar tranquilamente. Antes disso, não.

Digo apenas que a *causa imediata* da angústia é o distúrbio respiratório; o remédio imediato está em acertar a respiração. Depois investigaremos contextos outros. Não procedendo assim, nos perderemos e construiremos teorias vazias.

A necessidade de oxigênio do feto cresce em progressão geométrica.

Diante desse fato, pergunto: até que ponto é a necessidade de oxigênio um dos limites biológicos da gestação? Poderíamos perguntar também: até que ponto o feto, nas últimas semanas de gestação, sofre de alguma espécie de hipoxia? Até que ponto essa hipoxia favorece seus movimentos respiratórios iniciais (os que moldam o pulmão intrauterino)?

Não quero deixar nosso tema sem antes explorar certas correlações com ideias nascentes na psicanálise sobre o "psiquismo fetal" — como as li em Rascovsky.[9]

Detenho-me apenas em um aspecto da questão. Segundo os investigadores do tema, o mundo de tipo fetal é *bidimensional*, em oposição ao mundo interior maduro, que seria tridimensional. Não se iluda o leitor: Rascovsky fala com base na psicoterapia de adultos e crianças, não em investigações realizadas com fetos. Sua linguagem é, pois, alegórica.

Parece que os autores atribuem o processo de maturação aos olhos.

Em minha longa experiência com o psiquismo fetal daquela paciente que lutava contra o vento[10], colhi a seguinte intuição crua: provavelmente é do pulmão que obtemos a primeira impressão sensorial de "vazio" ou "espaço interior". Podemos argumentar objetiva ou subjetivamente.

9. Rascovsky, A. *El psiquismo fetal*, Buenos Aires: Paidós, 1960.

10. Veja o capítulo "Etimologia: as raízes do significado", no qual consta um resumo do caso. A versão completa está na *Revista de Psicologia Normal e Anormal*, n. 3/4 (jun.-dez. 1955) e n. 1 (jan./mar. 1956): "Interpretação psicofisiológica do símbolo água".

Objetivamente: quase não há "vazios" no corpo, exceto as bolhas de gases do estômago e dos intestinos e o vazio pulmonar. Tudo mais em nós é *cheio*. Os primeiros vazios, os do aparelho digestivo, nós não os sentimos senão como borborigmos (gargarejos intestinais), arrotos e emissões gasosas pelo ânus. Pode haver, nos últimos dois casos, precedendo a emissão gasosa, certa sensação de plenitude ou de avolumamento local. Mas nós — quando os sentimos — nada podemos fazer a respeito, de tanto mal os sentimos.

Já o vazio pulmonar é constante na presença, variável no volume e contido numa estrutura tal — o tórax — que nos permite *fazê-lo variar* mais ou menos à vontade, ao mesmo tempo que o sentimos; enfim, ao mesmo tempo "*sabemos*" da importância fundamental desse vazio.

Com isso passamos para a experiência subjetiva. Com a soma de sensações previamente descritas, não parece difícil elaborar a seguinte noção: o "mundo interior" é... o pulmão. Só nele existe um lugar vazio para "coisas" evanescentes, tais como ideias, imagens, afetos. Essa noção concorda demais com a ideia de *inspiração*; nesse caso, pulmão = cérebro, ou cabeça, onde "as ideias vêm" de modo misterioso, como é misteriosa a "vinda" do espírito (vento) para *dentro*.

Se o feto não respira, então seu mundo é bidimensional. Se alguém não percebe a respiração, também. O mistério está na inconsciência respiratória.

Por esse caminho talvez cheguemos a demonstrar que o espaço da *consciência* é concebido *em analogia* com o vazio pulmonar. O espaço da inconsciência corresponderia ao restante.

Claro que os alimentos, por exemplo, "entram" no corpo. Do corpo saem coisas. Mas tudo que entra e sai do corpo — pulmão excetuado — é material, é substancial.

O que entra e sai do pulmão — *como o que entra e sai da consciência* — não parece material. Daí mais uma fonte para a noção cultural de espírito — elaboração verbal da experiência concreta da respiração.

* * *

De todas as influências que se exercem sobre a respiração, a mais importante do ângulo psicológico é a da voz, seja quando falamos com o outro, seja quando "pensamos", isto é, quando "falamos sozinhos".

Nos dois casos a respiração se altera, mas não do mesmo modo.

O que influi sobre a respiração não é tanto a palavra articulada como *a música da voz*.

Em todos os casos clínicos do livro, dá-se atenção especial a esse fato, e seria ocioso repetir aqui quanto já se disse ou se dirá sobre essa influência.

Basta uma fórmula geral: todo aquele que fala sempre do mesmo modo, com o mesmo tom e sintaxe musical na voz, está manifestando desse modo um enquadramento rígido da respiração. Ele respira dentro de limites que são sempre os mesmos. Não importa a qualidade da entonação, se alta ou baixa, suave ou estridente, se melódica ou sincopada. Importa o ser sempre igual.

É difícil descrever o tom da voz e a forma da entonação (o leito musical das frases). O "como se" ajuda bastante. A pessoa fala "como se" estivesse zangada, admoestando, suplicando, ordenando etc.

O FUNCIONAMENTO DO ESPÍRITO

O pulmão não é um órgão; é um lugar, ou um vazio.

A respiração não é uma função de relação intraorgânica; é um ato de relação com o mundo, relação concreta com a atmosfera (gases respiratórios), relação sinalética com os outros (voz/palavra).

O pulmão é uma árvore oca, as folhas inclusive, inteiramente cheio de ar.

O pulmão se compõe de "galhos" ou tubos — os brônquios — e de "folhas" — os alvéolos pulmonares.

É certo que os tubos não têm função outra senão ligar a boca e o nariz às "folhas". Função estritamente de adutores de ar. Sua função fisiológica, por isso, não é fisiológica, mas física. Eles não *fazem* a função, como é o caso das artérias; estas, musculoelásticas, intervêm ativamente na função de manter a pressão arterial e distribuir o sangue desigualmente pelas várias parte do corpo, conforme a necessidade do momento.

Muito menos se pode comparar brônquios com intestino, por exemplo, que atua vivamente sobre seu conteúdo, alterando-o quimicamente, ao mesmo tempo que o agita e conduz segundo o gradiente digestivo (lise-seleção-absorção-eliminação).

Pode-se atribuir à árvore brônquica, por causa da presença abundante de tecido elástico em suas paredes, uma importante função respiratória: a de produzir a expiração por retração elástica.

Mas aqui também é fácil ver que a função não é fisiológica nem ativa, mas física e passiva. Com a diferenciação histológica e uma vez produzidas as fibras elásticas e as cartilagens, estas atuam de acordo com suas propriedades físicas apenas.

Restam os músculos dos brônquios. Estes podem representar um papel ativo e fisiológico na respiração, no sentido de *regular a quantidade de ar que chega aos alvéolos ou sai deles*, mas isso é só preâmbulo à respiração.

* * *

Por que existem os brônquios?

Por que o pulmão não é uma simples bexiga abrindo-se na traqueia?

A resposta é unívoca: o pulmão é uma árvore para conciliar a necessidade de oxigênio do organismo (que é grande) com a área de absorção de oxigênio.

Nos pulmões cabem de seis a oito litros de ar. Se eles fossem simples garrafões lisos, teríamos uma árvore respiratória com superfície de mais ou menos um quinto de metro quadrado. São mais de 300 milhões de alvéolos.

Ora, estimativas atribuem ao pulmão uma superfície respiratória (alveolar) de setenta a cem metros quadrados. São 300 milhões de alvéolos.

Se o pulmão fosse um garrafão liso, nós teríamos de respirar, em vez de vinte vezes, cerca de seis mil vezes por minuto.

Que são os alvéolos histologicamente? Uma delgada membrana constituída de células achatadas, em mosaico, mantidas no lugar por finas fibras elásticas e reticulares.

A membrana alveolar é delgada e permeável a gases, e todas as trocas gasosas da respiração externa admitem uma explicação *física*, com base nas leis conhecidas e em coeficientes de difusão de gases.

O alvéolo pulmonar não funciona como uma cápsula de Bowman ou um túbulo renal, tampouco como as glândulas e vilosidades intestinais, muito menos como um lóbulo hepático. Todos esses orgânulos elementares *fazem ativamente* alguma coisa, secretam, excretam, absorvem, compõem ou decompõem substâncias.

O alvéolo nada mais faz senão existir como membrana limitante de um "lugar" do corpo, onde o ar pode existir sem se confundir ou "misturar" com esse corpo. As células do parênquima pulmonar agem passivamente como as lamelas ósseas: agem por existir no lugar onde estão, pela forma e pela consistência que têm.

Há quem pense hoje que o pulmão é um enfisema fisiológico — igual ao que poderíamos obter injetando ar sob a pele.

O pulmão seria uma esponja de vasos sanguíneos semeada de bolhas de ar, mais nada. Seu parênquima seria o tecido conjuntivo.

Esclareçamos o fato morfológico com uma experiência: coloquemos determinado indivíduo numa atmosfera pobre em oxigênio, digamos, com oxigênio a 10% (normal: 21%). O passo seguinte é injetar lentamente numa veia do seu braço oxigênio puro. Desse modo, o sangue que passa pela veia se arterializa completamente. Esse sangue, ao chegar aos alvéolos pulmonares, tem mais oxigênio em comparação com o oxigênio existente nos alvéolos. Nesse caso, *de acordo com tudo que sabemos até hoje sobre a respiração, o oxigênio passaria dos capilares para os alvéolos*, e em seguida seria eliminado na expiração. *O pulmão estaria servindo para eliminar o oxigênio do corpo.*

Com esse pequeno exemplo, fica bem claro o que nós poderíamos chamar de indiferença dos alvéolos pulmonares aos gases que atravessam suas paredes.

Se a respiração é uma função de relação, fácil se torna admitir que essa relação — como as demais relações ditas "objetais" pelo psicanalista — possa ser perturbada mais ou menos e de vários modos. Fácil se faz passar dessa afirmação para a noção de complexo respiratório ou fase respiratória no desenvolvimento da personalidade.

Dado que o pulmão é um lugar, os sintomas neuróticos referentes a espaço — agorafobia e claustrofobia — podem ser mais bem compreendidos. Se o pulmão é um lugar, a amplitude desse lugar é absoluta, contínua e vitalmente importante. Daí com certeza, e de novo, a sutileza da etimologia. Angústia é "estreito". O único lugar do corpo onde a "restrição" pode significar a morte é o pulmão. Ao respirar pouco — mesmo que não o perceba claramente —, o indivíduo sabe, com aquele conhecimento instintivo que orienta os animais, que está vitalmente ameaçado. Ele teme morrer e o fato de ele temer ficar louco não me surpreende. Dada a relação entre a taxa de oxigênio do sangue (oxemia) e as funções cerebrais, qualquer alteração na primeira se reflete em alterações bastante graves na segunda; essas alterações corticais podem e devem ser sentidas, subjetivamente, como um começo de loucura.

A respiração não é necessariamente automática. Se alguém estivesse interessado nisso, poderia fazer da sua respiração uma função pura e continuamente voluntária. Fina e continuamente presente a si mesmo — a cada período lhe seria dado captar *a sensação aflitiva de vontade inibida de respirar*; no instante seguinte, ele respiraria o suficiente, "matando" essa vontade — até sua ressurreição alguns segundos depois. A consciência se faria um elo entre a sensação de asfixia e a movimentação respiratória: seria uma *regressão voluntária ao neonato*.

Mas é preciso convir que nós respiramos, a maior parte do tempo, sem perceber que respiramos. É preciso convir que habitualmente a respiração é uma função automática e inconsciente.

Sabemos também que ninguém consegue suicidar-se inibindo voluntariamente a respiração. Esse fato, junto com o anterior, demonstra que a respiração, não sendo automática, é extremamente compulsiva, por estar em correspondência com uma *necessidade* permanente e contínua.

Quero dizer o seguinte: os reflexos visceroviscerais que governam, por exemplo, as pulsações cardíacas ou os movimentos intestinais e outros se fazem à custa de circuitos nervosos amplamente exteriores à consciência e à vontade. Quando funcionando a contento, esses reflexos ou não emitem sinais sensoriais para a consciência, ou emitem sinais cuja percepção exige um treino apurado. Mas os reflexos pneumomusculares que intervêm na respiração, mais os reflexos que poderíamos chamar hemomusculares, passam pela consciência necessariamente como sensação de *"vontade consciente" de respiração*, ou como consciência de *falta de respiração* (e não falta de ar). Não há, nem pode haver, "consciência de falta de ar" em sentido próprio. Dado que a musculatura respiratória é estriada, podemos de outra parte garantir que ela emita continuamente sinais para a consciência, sinais de natureza proprioceptiva; podemos acreditar com segurança no fato de que a consciência da movimentação do tórax entrelaça-se e confunde-se continuamente com a da movimentação das demais partes do corpo. Por esses dois caminhos, a respiração pode chegar à consciência, e frequentemente chega.

Esses reparos tornam muito plausível a proposição de uma fase respiratória no desenvolvimento instintivo do ser humano.

Mais um ângulo bem importante deve ser assinalado. A única substância necessária à vida que o corpo *não consegue armazenar* é o oxigênio, e o único metabólito endógeno de que o corpo tem de livrar-se *depressa* é o gás carbônico. Por isso a respiração é sempre *urgentemente necessária*. Não pode haver na respiração atrasos ou deficiências funcionais por mais de alguns segundos. Ocorrida a disfunção, em poucos segundos não conseguimos pensar em mais nada, pois a necessidade de regularizar a respiração se impõe com uma força realmente ímpar no mundo das exigências biológicas.

Enfim, todas as células do corpo consomem oxigênio e produzem gás carbônico continuamente. Portanto, as variações funcionais da respiração ocorrem, elas também, continuamente, havendo a todo instante deficiências ou excessos respiratórios ligeiros.

Por tudo isso cabe a criação do termo "fase respiratória". E ainda por um elemento, o mais decisivo: nenhuma vontade visceral é sentida como algo tão nosso quanto a vontade de respirar.

Quanto às "vontades" de evacuar, urinar, comer, manter relações sexuais, dormir, posso dizer facilmente que *não são minhas*; sou impelido por elas, obrigado, levado. Há uma proposta à espera de uma decisão; sinto de forma simples que "aquilo" — a vontade — está em mim, mas a rigor não é "meu".

Com a respiração é diferente. Podemos exprimir o mesmo fato dizendo que a urgência respiratória ocupa, sempre que surge, o centro do "eu", ou que o "eu" se identifica fácil e totalmente com ela; as demais são remotas — claro, por serem vitalmente menos urgentes.

Os casos clínicos mostram que a respiração pode sofrer alterações consideráveis por força de experiências infelizes. Essas experiências podem "perverter" o "instinto" respiratório tanto quanto pervertem os demais. As disfunções respiratórias crônicas são muito comuns e têm essa base. Pode-se e deve-se falar em repressão respiratória. Tenho para mim — concordando com Reich — que não existe angústia sem alguma espécie de distúrbio respiratório.

Para aqueles que creem que seja necessário basear a conduta presente do ser humano na sua infância e na sua constituição biológica a fim de compreendê-la, aí estão elementos mais do que suficientes.

Além dos fundamentos anatomofisiológicos propostos, com um pouco de imaginação poderemos ir além. Tão velha como a necessidade de comer, ou mais velha do que ela, existe no ser humano a necessidade de acreditar no espírito, em algo que nos anime e vivifique. Parece tão fácil, mas tão fácil, passar de uma fase respiratória precocíssima para a noção de espírito nascendo naturalmente... em seu espírito. O espírito é o invisível que nos anima. Nosso medo é medo de que nos falte o espírito; de que nos falte o oxigênio, "aquele que alimenta a chama"...

Por que a esse espírito sempre se chamou "grande espírito" e por que reside ele sempre "no alto"?

É a própria descrição da atmosfera.

Por que sempre invisível?

É o próprio ar.

Por que sempre senhor da vida e da morte?

É a respiração. Sem ela morremos.

Provavelmente toda a magia — tão importante na história da humanidade — tem seu fundamento na respiração.

O que a magia sempre pretendeu?

Relacionar-se com, e influir sobre, os espíritos — todos invisíveis (daí, erroneamente, todos imateriais).

Não teria Freud deixado de ver a fase respiratória no desenvolvimento humano por causa de suas graúdas prenoções e preconceitos em relação ao espírito humano? Muito do seu trabalho não mostra que Freud, de algum modo, abominava o espírito? O espírito que Freud abominava não se mostrou a Freud, e na sua teorização falta... — vejo-me tentado a dizê-lo — falta o principal, falta a respiração. De há muito me surpreende, em todos os esquemas freudianos, a referência exclusiva ao aparelho digestivo e ao aparelho sexual. Eu estava começando a perceber, e não foi fácil, que o ser humano freudiano não tinha tórax. Aliás, parece que o ser humano freudiano tampouco tem cabeça. Apesar de tudo, tem voz. Não sei como pode nascer voz em tal ser humano sem tórax e sem cabeça!

A voz que fala no ser humano freudiano é muito mais espírito do que qualquer espírito conhecido ou primitivo: do vazio nasce um som e um sentido!

Vejamos um pouco de fisiologia respiratória nos sonhos.

A BOLA MÁGICA (SONHO)

Havia uma bola de plástico fino, cúbica, cheia de ar, com bordas levemente arredondadas; uma criança a segurava.

Depois a bola subiu com uma força desproporcionada levando a criança, parando no alto. De algum modo a bola estava próxima de mim, e eu devia esvaziá-la a fim de que a criança descesse.

Não havia medo.

Não há nenhum outro "cubo gasoso" em nosso corpo a não ser o pulmão. Aliás, nem fora de nós existem cubos gasosos. Dada a propriedade que têm os gases de se expandir igualmente em todas as direções, sempre que haja gás em um recipiente de paredes facilmente deformáveis e de resistência uniforme, o recipiente tende a assumir a forma esférica.

O pulmão pode deformar-se com facilidade, mas, pelo fato de manter com a cavidade torácica uma relação de colagem deslizante, praticamente não se deforma durante a respiração. É verdade que sua forma não é, como no sonho, cúbica. Mas nem no sonho havia cubo. Ao descrever a forma da "bola", a paciente a modelou no ar com as mãos. Na impossibilidade de dar nome a essa forma, em virtude de sua irregularidade, usei a expressão "cúbica" a fim de introduzir a ideia. Mais exatamente, a pessoa sonhou com uma bola elástica de conteúdo gasoso e *formada* (não esférica).

Eis os motivos que me levaram a ver no sonho a figura do pulmão.

Um vazio modelado e limitado.

Outras características existem, confirmadoras.

O volume não apenas subiu (inspiração); permanecendo no alto, "de algum modo a bola estava próxima de mim" e "eu devia esvaziá-la a fim de que a criança descesse".

Se o volume for o *pulmão*, essas afirmações, *em qualquer outro contexto absurdas*, tornam-se compreensíveis.

Pessoalmente, dou grande valor a esse tipo de explicação, que torna plausível o que antes parecia impossível, com uma ideia reunindo todos os elementos do sonho (ou grande número deles).

Dirá esse sonho algo sobre a personalidade que o sonhou?

Esse sonho retrata um modo de ser muito evidente e frequente da sonhadora. Ela é "levada" por suas "inspirações" de modo muito ostensivo, não raro incômodo.

Quero dizer que se trata de uma personalidade marcadamente intuitiva; inúmeras vezes eu a vi "subir" de repente, olhos fixos, tórax imóvel, e permanecer "lá no alto". Ao voltar, trazia consigo uma nova compreensão disso ou daquilo.

Ao esvaziar a bola, a criança, o novo, "descia".

Há a bola, a criança e ela. A bola é sua respiração; a criança, sua capacidade infantil — bendita seja a infância! — de compreender o velho de *outro modo e sem palavras* (infante: aquele que ainda não fala); ela, enfim, seu "eu", estava no sonho e, na realidade, principalmente na direção do olhar que, durante a história, "subia" acompanhando a bola.

Era característica da pessoa essa posição de olhar para cima e para a direita. Ela se punha assim sempre que algo diante dela não a agradava.

E só descia após ter recebido a "inspiração", isto é, uma ideia nova ante o contexto previamente desagradável.

Foi o *movimento do olhar* — ocorrido durante o sonho — que a fez ver a bola subir "com uma força desproporcionada".

Para essa explicação, as experiências de Nathaniel Kleitman com pessoas adormecidas oferecem prova direta. Acordando-as quando nelas ocorriam *movimentos oculares* (verificados eletromiograficamente), Kleitman ouviu a descrição de sonhos nos quais havia movimentos da cena em correspondência com os movimentos dos olhos — como esses que descrevi.

Como o leitor pode verificar, só usei, para compreender o sonho, *elementos sensoriais*, viscerais (pulmão) e musculares (movimentos e posições típicos). O esquema assim obtido foi depois *descrito em termos de consciência* ou de *personalidade* (modos de ser).

O PALETÓ ASSASSINADO (SONHO)

1. Havia assassinado alguém. Vejo a vítima: é um paletó cuidadosamente arrumado sobre o encosto de uma cadeira, abotoado e com a frente voltada para cima. Eu e mamãe nos preocupamos em nos desfazer do cadáver. Mas sei que é inútil disfarçar. Quando vier a polícia, confessarei.

2. Numa sala, muita gente que vai e vem como que esperando algo sério. Entra minha namorada. Só a vejo da cintura para cima. Veste apenas uma blusa leve, aberta de todo, expondo os seios. Está muito à vontade.

Tento avisá-la. Ela parece não estar percebendo.

Esses dois sonhos foram sonhados numa mesma noite por um homem jovem; antes de deitar, fez alguns exercícios de presença à respiração, recomendados por mim.

Creio que esses reparos já sejam suficientes para colocar o leitor na pista do "crime".

Parece difícil fugir à conclusão de que o paletó representa o tórax.

O paciente era um *poseur* nato, mantendo continuamente sua bela figura "dentro" de uma postura impecável — de oficial nazista.

Com isso completamos a imagem onírica tão exótica e, ao mesmo tempo, tão hábil.

Não raro ouvimos descrições semelhantes: fulano está sempre "de casaca". Na verdade, basta pôr-se de peito inflado e coluna ereta para *sentir* o paletó do sonho — soma de tensões musculares que mantém o tórax armado.

Se fosse necessária uma confirmação (para nós nem tanto, mas para o paciente era), bastaria recorrer ao segundo sonho, com tripla reiteração da ideia.

— *"Só a vejo da cintura para cima."*

— Blusa leve.

— Os seios descobertos.

Reparemos num fato a mais: um exercício muscular inusitado, no caso, respiratório, tende a provocar nos músculos interessados uma congestão e certa sensação que mistura dor e fadiga, capaz de se prolongar por várias horas. Faz-se plausível pensar que o exercício solicitado tenha tido muito que ver com o sonho.

Com isso, a tese principal para mim está demonstrada.

Mas vale a pena ir além; o material que se oferece é demasiado sugestivo para ser sacrificado a bem de uma teoria.

Qual o "crime" que se pode cometer contra o tórax?

Impedi-lo de respirar livremente. Assim se mata o espírito. Inútil disfarçar o crime; a vítima é invisível, mas está em todo lugar.

Será tão difícil assim esconder um paletó? Não parece, mas é. O paletó que o paciente *sempre* usava era permanentemente visível (para observador externo). Mas ele não percebia (era "meu jeito, ora")

"Eu e mamãe nos preocupamos em nos desfazer do cadáver." Entre o paciente e a mãe existia havia muito uma relação inteiramente formal, muito educada, polida ao extremo e completamente morta.

O problema desse rapaz era a variação de velho tema.

Não tendo encontrado substância, ele vivia de formas.

De formas [*ô*].

Vazias.

Fazia sempre o que se deve fazer e jamais o que é preciso fazer. Por isso falava e só disso falava. Vivia justificando-se por tudo que não fazia, à custa de tudo que *devia fazer*. Muito infeliz. Não fui capaz de ajudá-lo. Ele vivia preso ao grande espírito das leis e normas sociais, às mil e uma fórmulas que ouvimos a cada instante. Vivia escravo das... aspirações e... dos anseios coletivos.

Um filho deve...

Um rapaz deve...

O namorado deve...

Mas os outros devem...

Mas a namorada deve...

Esse o seu crime.

"Quando vier a polícia, confessarei." Estava mesmo disposto a confessar; muito, mas de forma errada. Quando lhe sobrava um pouco de fôlego na sua ladainha, ele logo o aproveitava para confessar o "muito" que "devia" ter feito e não fizera.

Era só uma fôrma vazia.

Um paletó.

Agora aparece melhor o assassinato do espírito. A inibição respiratória também aparece melhor. Nunca era ele que falava. Nele, ou por meio dele falava o grande espírito de todos.

"Você deve."

O único remédio para esse rapaz era assassinar o grande espírito.

Difícil tarefa.

No segundo sonho parece que "algo sério está para acontecer" — essa é a... atmosfera.

Logo acontece algo que não parece lá muito sério.

Entra sua namorada com os seios à mostra. Ele se preocupa (não é grande novidade, o rapaz vivia preocupado); ela não.

Seria a hora do psicanalista.

É o "seio mau" que só tem forma e não tem leite, que ilude quanto à substância e logo frustra porque vazio. Por isso o rapaz, não amado, se fez difícil de amar.

Parece plausível... É razoável. Digo apenas que talvez não seja a história toda.

O psicanalista esqueceu-se de que sob os seios estão os pulmões. Difícil separá-los, certamente. Afinal, o neonato não sabe anatomia. Mas, sabendo ou não, ele, assim como a mãe, tem pulmões, simplesmente por ter vivido, mesmo sem ter mamado no seio, como poderia ter vivido minha mãe, mesmo sem ter-me amamentado.

Mas nem eu nem ela teríamos vivido sem respirar.

Depois, um paletó não tem mamas.

Sejamos fiéis a Freud. Disse ele que os sonhos de uma mesma noite costumam se referir ao mesmo tema, e, com o progredir da noite e do sonho, o tema mais e mais se expõe.

Kleitman também pensa assim e o demonstra com técnicas objetivas. Retenhamos, pois, o que Freud e Kleitman nos legaram.

Como ligar o paletó ao seio mau (ou bom, tanto faz)?

Mas seio-blusa-tórax ("Só a vejo da cintura para cima") e paletó ligam-se assaz satisfatoriamente. Talvez a namorada estivesse dizendo para o nosso amigo: "Você não sabe que tem peito; veja em mim primeiro, veja bem; é fácil ver. É *preciso* que seja *evidente*, senão você vai achar que *não deve* ver e não verá". (O rapaz no sonho queria levá-la a esconder os seios.)

Convenhamos: quem representa a percepção do próprio tórax na forma de paletó vítima de um assassinato não pode ter nenhuma consciência da própria respiração.

E que significa, afinal, tomar consciência da própria respiração? E por que seria tão importante esse fato?

No caso, *a respiração servia quase exclusivamente à palavra, e a palavra não era sua.*

E, no caso, não só falando comigo ou com outros, como também durante o tempo que o rapaz passava falando mentalmente consigo mesmo (provavelmente o dia todo); durante todo esse tempo, as palavras que lhe passavam pela mente não consideravam nem sua pessoa nem sua vida. Eram essas vozes as vozes dos outros, continuamente julgando, criticando, condenando, vingando, solicitando, suplicando, impondo. Tomado pela voz de muitos, sempre presentes à sua mente, o rapaz não conseguia ouvir *sua própria voz.*

Aí estava seu espírito assassinado.

Espírito assassinado e não assassino. Porque ele, o criminoso, não era alguém. Quem é todos não é ninguém.

Continuamente assassinado, não de uma vez só.

Por isso o rapaz sentiu no sonho — e sentia o dia todo e todos os dias — o famoso "temor persecutório" de que tanto nos falou Melanie Klein.

Vivia ele não só assassinando de modo contínuo seu espírito, como também, mais concretamente, sua respiração,

Vejamos como, por meio de uma analogia.

Suponhamos seja eu soprador de vidro. Passo horas governando minha respiração em função da forma e do volume a insuflar na massa pastosa. Pouco ou nunca posso me dar ao "luxo" de respirar *como é preciso*, como me convém.

Assim acontece com as vítimas do grande espírito do coro. Passam a vida toda buscando um momento de respiração livre. *Passam a vida toda com a contínua e penosa sensação de que "algo" as sufoca.* Passam a vida toda com o anseio de expandir-se e com medo de fazê-lo; respirar fundo seria abandonar o grande espírito — e ficar só. Ficam falando, falando, falando... (Para falar, basta respirar... 20% do que seria necessário... para sentir-se vivo.)

Deixemos este lugar onde só há choro e ranger de dentes. Vamos para outro pior. Trata-se agora de uma mulher madura, casada, mãe. São dois sonhos ocorridos em noites diferentes. Nenhum exercício foi aconselhado.

GASES ASFIXIANTES (SONHO)

Fui à cozinha verificar algo no fogo. Havia uma panela queimando; a cozinha foi-se enchendo de fumaça e fui ficando sufocada.

Já bem mal, algo em mim diz com força: "Reaja! Reaja!" Fui movendo os braços e acordei.

A própria paciente comenta:

— Acho que esse sonho foi influenciado pela posição de bruços em que eu estava. Acordei ainda aflita e, ao virar para cima, melhorei. Já aconteceu outras vezes; eu me ponho de bruços e me sinto aflita, não posso dormir.

— Por que se põe assim se é tão desagradável?

— Para evitar de me encostar em meu marido, ou ele em mim. Basta encostar para que ele se inflame, e tenho verdadeiro horror dele e de relações sexuais com ele.

— Sei... Como você fica exatamente?

— De bruços quase, braços bem fechados junto ao corpo, bem encolhida, com medo. Com medo até de respirar, para não encostar nele.

Aí está, leitor. Não é pior que o outro?

Mas deixemos a compaixão e examinemos o caso de perto.

Cozinha — panela queimando.

Somos cozinhas ambulantes, pois em todas as nossas células estão sendo queimadas coisas. Combustões orgânicas. Calor animal... Lembra-se do livro do ensino médio?

Mas não era tanto a queima que incomodava a paciente; a queima só a alertou, pelo cheiro.

Como Luís, que veremos mais adiante, a paciente só sabia que respirava às vezes, quando havia algum cheiro no ar. Faro.

Não existiria olfato nem faro se não houvesse respiração. Mas cheiro sufoca apenas alegoricamente (salvo a situação — de todo excluída — de um tóxico malcheiroso e volátil).

No caso, era a fumaça. O cheiro de queimado, quando vem da cozinha, até que não costuma ser desagradável.

Não era, pois, o cheiro que sufocava, mas, sim, a fumaça.

Qual é a "fumaça" das combustões humanas?

O gás carbônico.

Está claro agora?

Sem respirar, nos incomoda mais depressa o acúmulo de gás carbônico do que a falta de oxigênio (isto é fisiologia).

A paciente estava se sentindo *fortemente estimulada a respirar*, pois esse é o efeito específico e precoce de qualquer acúmulo de gás carbônico no sangue. Resistindo a esse estímulo, ela foi ficando cada vez mais aflita. (Mesmo dormindo, temia respirar.)

Veja-se o famoso *deslocamento* de Freud em ação.

O sonho começa pelo *cheiro* que leva a paciente à cozinha (nariz). A paciente vai *ver* o que há (olhos); logo começa a fumaça (início de asfixia), que progride até o anseio incontrolável. Então se reanima a respiração, primeiro sob a forma de voz — "Reaja! Reaja!" —, depois, com o oxigênio assim inalado, "acorda-se" o córtex cerebral (reação de alerta).

O corpo, ao precisar da consciência, "vai buscá-la" e a "desloca" até onde for necessário.

Parece muito? Então vejamos o segundo sonho da mesma pessoa.

> Estou em um quarto de minha casa (não parecia), com meus dois filhos. Uma névoa de gases tóxicos invade a habitação. Havia um tubo pelo qual entrava ar puro, mas ele não era suficiente para os três. Tentamos fugir, mas estávamos a uma altura muito grande.
>
> De telhado a telhado, há uma escada de pedreiro, posta horizontalmente. Nem a fuga adiantaria porque o gás nos persegue. Acordo angustiada.

Esclareço à paciente a provável origem respiratória desse sonho e, em seguida, ajudo-a a respirar sete ou oito vezes. Recostada, inspira ao máximo; digo-lhe que solte o ar e, com a mão espalmada sobre seu esterno, ajudo-a a esvaziar o tórax o mais possível. Logo após, ela se senta. Agora está bem relaxada e bem mais presente do que de hábito — não a mim, mas a si mesma.

Com participação profunda que antes não havia (preponderava então a pergunta da escolar ante o professor), passa a falar bem mais para si do que para mim, bem do fundo, de dois temas que lhe importavam demais, numa bela linguagem, misto de poesia e contemplação. Ficou visivelmente inspirada. Isso ocorreu com a paciente. Quanto a nós, temos mais por aprender.

Um sonho de *suspense* duplo: os gases e a altura.

Durante o *suspense* ficamos todos parados em posição de inspiração; esse era um modo frequente e ostensivo da paciente. Só o tórax ficava em *suspense*, o rosto não. Este era notavelmente desdenhoso. A paciente sempre olhava e sempre sorria para o interlocutor *de cima para baixo*. Poucas vezes na vida me senti tão humilhado como me senti em algumas ocasiões ao lado dessa pessoa. Ela era francamente superior.

Quanto a seu sonho, direi antes de mais nada: bem feito! (Também para ela eu disse.)

Poucas dúvidas quanto ao gás tóxico. Não podia ser outro senão o gás carbônico. O tubo de ar puro, adivinhem:

— A traqueia!

— Muito bem!

Os lugares altos? Inspiração mantida que oscila um pouco (*ar*, no tubo, *insuficiente mas presente*), mas inspiração que não cede (no sonho, lugares altos, *suspense* e gás tóxico que *continua* perseguindo; portanto, renovação precária do ar). Na consulta, eu, e não ela, fiz a expiração completar-se.

Como pode uma pessoa perceber esses fatos enquanto dorme? O "gás tóxico" é uma dedução; o que existe realmente é a *vontade de respirar* (esta sente-se diretamente).

O tubo (traqueia, faringe, nariz) pode ser sentido por meio das diferenças de temperatura entre o ar que entra (frio) e o que sai (quente). Com atenção podemos todos perceber essas sensações. Dormindo, muito melhor.

Agora precisamos adiantar alguns pormenores sobre o gás carbônico a fim de completar a plausibilidade da interpretação.

O gás carbônico é *o mais pesado* dos gases respiratórios. Portanto, é maior sua tendência a *permanecer* nos alvéolos pulmonares quando os fluxos respiratórios são de baixa velocidade, quando a pessoa respira pouco por vez e devagar. É pior quando se respira com o pulmão bastante cheio do que quando se respira com o pulmão de meio cheio a quase vazio.

O gás carbônico é o gás respiratório de maior coeficiente de difusão. Esse fato milita contra a nossa tese. O gás carbônico "sai sozinho", e facilmente, do sangue e do pulmão. Mas, se a pessoa estiver de boca fechada ou de bruços e respirando pouco, é improvável que essa eliminação seja fácil. A diferença de volume entre o gás venoso e o alveolar é de 58 para mais ou menos 5,5 ml (por 100 ml de sangue). Portanto, a tendência do gás é sair rapidamente do sangue.

Mas a diferença homóloga entre ar alveolar e ar atmosférico é praticamente igual a 5,5; dez vezes menor, portanto. (Números arredondados; os dois variam bastante, mesmo em condições fisiológicas.)

Só a experiência poderá determinar o valor relativo dessas duas grandezas (peso específico e coeficiente de difusão).

Permanece verdade, contudo, que em um pulmão mal ventilado o acúmulo de gás carbônico ocorre fácil e rapidamente.

Certas respirações aconselhadas pelos hindus, cuja característica é a expiração rápida e intensa, provavelmente visam ao arrastamento de gás carbônico muito mais que à inalação de oxigênio.

EXERCÍCIOS RESPIRATÓRIOS

Se pretendêssemos recordar muitos dos exercícios respiratórios até hoje propostos, de tantas origens, faríamos deste o nosso maior capítulo.

Todos são bons como meios de ampliar a consciência e o controle respiratório. Deve-se lembrar sempre que os movimentos respiratórios são ou podem se fazer voluntários. A respiração é nosso hábito mais antigo e, por isso mesmo, o mais inconsciente; daí a impotência das pessoas quando ansiosas. Elas nem sequer percebem que a dificuldade básica está na respiração e, se percebem, têm poucos recursos para corrigir a restrição dos movimentos do tórax e do diafragma.

Por isso, todos os exercícios são bons.

De minha parte, limitar-me-ei aos que me parecem básicos.

Idealmente eles devem ser feitos primeiro com a pessoa deitada, em decúbito dorsal, posição na qual a atenção pode se concentrar melhor na respiração. Uma vez bem percebidos, deverão ser feitos, depois, em várias outras posições; a cada posição varia a estrutura dos esforços necessários para a execução do "mesmo" movimento (isto é, o movimento que produz o mesmo *resultado respiratório* e não é o mesmo *movimento muscular*).

Serão feitos, então, com o indivíduo *sentado* no chão, mantendo a coluna bem ereta; sentado em uma cadeira, com as costas bem apoiadas; sentado no chão com o tronco bem inclinado para a frente (a 45°); sentado e com o tronco ligeiramente inclinado para trás; enfim, sentado e debruçado até tocar o chão com a cabeça.

Em seguida, *deitado de lado* (de um e depois do outro lado), pernas semifletidas e cabeça apoiada na mão ou no braço.

Enfim, *deitado de bruços*, com as duas mãos fazendo um "travesseiro", e com uma face (e depois a outra) apoiada nesse travesseiro (são *duas* séries de exercícios).

Como se imagina, todos os exercícios devem ser feitos várias vezes, até se tornarem fáceis.

- **Primeiro exercício:** detenha completamente a respiração e aguarde com atenção a vontade ou necessidade crescente de respirar; aguente até o limite do tolerável e então "solte" a respiração, seguindo de maneira cuidadosa o que acontece logo depois. Atenção: imaginamos que, nessas condições, ao soltar a respiração a faremos muito ampla, mas isso não é verdade. Insistimos: siga o que acontece *espontaneamente* quando se desfaz a retenção respiratória. Nenhum exercício melhor do que esse para sentirmos — com força — o que é a "vontade" (necessidade) involuntária de respirar. Respiramos mesmo sem querer e mesmo contra a nossa vontade. A vida é mais poderosa do que o querer.
- **Segundo exercício:** os limites da respiração. Lentamente, encha os pulmões de ar ao máximo, sem forçar demais; pare um instante e depois os esvazie também lentamente, "até o fundo", "espremendo" o tronco no final do movimento. A amplitude máxima da inspiração é mais fácil de ser atingida com as mãos trançadas e postas sob a nuca, a modo de travesseiro; mãos ao lado do corpo para a expiração total.
- **Terceiro exercício:** como sentir com clareza o esforço inspiratório. Estreite a via aérea, seja tapando uma narina e parte da outra, seja usando um canudinho para inspirar por meio dele, seja fazendo um orifício mínimo com os lábios. Qualquer que seja o meio, ele será adequado se, ao inspirar, se fizer bem sensível o *esforço* da inspiração.
- **Quarto exercício:** como sentir com clareza o esforço expiratório. Usando um dos dispositivos do exercício anterior, encha o pulmão e depois "sopre o ar" para fora, pelo orifício estreito. Sopre até o fundo.

- **Quinto exercício:** como separar a expiração forçada (a do exercício anterior) da expiração passiva. Proceda como no exercício anterior, mas, em vez de "soprar" o ar, apenas *deixe-o sair*.

Estes dois últimos exercícios, melhor fazê-los acoplados ou em alternância, a fim de melhor captar as diferenças.

Ao fazer a expiração forçada, se ela se prolongar demasiadamente (orifício muito estreito), tornar-se-á fácil perceber a congestão no pescoço e na cabeça.

É indicado, também, alternar inspiração forçada e expiração forçada. Com a inspiração forçada aspira-se muito sangue para o tórax, e, na expiração forçada, esse volume sanguíneo aumentado fica parcialmente retido no pulmão; o aumento da pressão intrapulmonar pode dificultar consideravelmente a circulação no pulmão.

Depois de fazer os exercícios várias vezes, seria oportuno e agradável fazer mais um, que poderíamos chamar de respiração espontânea.

O resultado se torna melhor ao acoplar-se a respiração a uma imagem visual de voo. Em inúmeros grupos de estudo e trabalho, essa imagem mostrou-se eficaz — e agradável.

Imagine que você é uma ave e sincronize seus movimentos respiratórios com o movimento de suas asas, tendo em mente a imagem da ave quando voa. Essa imagem é tão natural — se posso dizê-lo — que a identificação se torna muito fácil para quase todos.

Note, porém, que há dois modos de sincronizar a respiração com o voo. Na ave de verdade, o tempo de esforço é a remada *para baixo*, e o movimento passivo é o da asa *para cima*. Na respiração é o contrário: fazemos força para *encher* o peito e deixamos de fazer força a fim de que ele se *esvazie*. (Para muitos, a sincronização mais convincente é a inversa: eles acreditam "elevar a asa" quando inspiram — quando fazem força! O ideal é não insistir muito com as pessoas para que façam de um modo ou de outro, esclarecendo a dinâmica antes de iniciar o exercício.)

Outra imagem útil, nesse contexto, é a de uma montanha-russa de elevações e descidas regulares, senoidais.

Enfim, realizar dois ou três minutos de corrida, mesmo sem sair do lugar, deitando-se logo após, é também um bom modo de sentir a espontaneidade da respiração — depois dos exercícios de concentração sobre ela.

Exercício de Feldenkrais para facilitar a percepção do diafragma: começando na posição deitada, como nos demais. Instrução: "Respirem um pouco mais amplamente do que de costume. Agora, detenham a respiração no alto e *fechem a garganta*. Logo depois, em um momento, estufem a barriga e deprimam o peito; no instante seguinte, estufem o peito e 'chupem' a barriga. Façam essa alternância várias vezes, até começarem a sentir falta de ar; então, respirem várias vezes amplamente e depois repitam o exercício".

Note-se que, seguindo as instruções, a pessoa não respira (garganta fechada — como na evacuação forçada).

Fazer várias vezes, abrandando o esforço e "arredondando" os movimentos — como uma onda que vem e vai dentro de uma banheira; a banheira seria o tronco. Ao falar de "renascimento", descreveremos outro modo específico de respirar.

No exercício para perceber o diafragma, é importante checar se as pessoas sabem/sentem o que significa "garganta fechada". É o que acontece com a maior parte das pessoas quando têm de *fazer muita força* — e isso explica o ruído característico dessas pessoas quando cessa o esforço.

O exercício primeiro é muito importante para que as pessoas percebam quanto a ansiedade está ligada à contenção respiratória. Importante, também, perceber quanto, ao manter parada a respiração, opõem-se duas vontades: a da substância viva que "quer" respirar e a da "força de vontade" que pretende impedir a respiração. Temos nessa situação um modelo perfeito de *conflito*, de duas tendências contrárias, uma instintiva e uma voluntária, ou uma força inconsciente e uma consciente.

Vamos repetir: essa sequência simples, se for feita em várias posições, será de grande valia para que as pessoas ganhem consciência e controle da respiração, para perceberem rapidamente quando a respiração se reduz ou se detém e o que fazer para que ela se regularize.

No capítulo sobre renascimento estão bem descritas as circunstâncias em que e por que a respiração é tolhida.

IMAGENS

FELICIDADE E ANGÚSTIA

Antes de mais nada, leitor, olhe para o quadro *Belo mundo* (figura 1), de René Magritte. Nele temos duas cortinas mágicas, isto é, suspensas "no ar"; entre elas, uma forma semelhante a uma cortina, um recorte de ar, um "pedaço" ou uma superfície de atmosfera — algo inimaginável, mas lógico: pode ser o ar contido no pulmão. Este sim tem forma, a forma do pulmão que o contém. Temos então dois pulmões — cortinas são símbolos respiratórios — e o ar contido neles, mais o ar circundante, a atmosfera.

Figura 1 - *Belo mundo*, 1962

Por que cortinas são símbolos respiratórios? Porque elas também indicam a passagem do invisível; quando uma brisa perpassa pelas cortinas, elas se agitam, denunciando assim a passagem do ar.

Ao pé do ar configurado, uma maçã.

Só pode ser símbolo de desejo e de pecado: o coração.

É nele que nascem um e outro. O mais fino indicador de emoção é o coração, ao mudar seu ritmo, ao palpitar mais vivo do que quando vivemos seguros, estáveis, sem emoções.

O contrário dessa felicidade seria alguém sufocado dentro de suas limitações preconceituosas, obediente aos ditames de todos e insensível às próprias emoções.

Um sufocado crônico, imobilizado por todo o esforço que faz a fim de conter seus desejos, até seus medos. Um angustiado crônico, ou apenas um ser humano civilizado. Normal!

A RESPIRAÇÃO E SUAS PERTURBAÇÕES

Identificação quer dizer que a pessoa mostra em seus modos, expressões e comportamentos semelhanças evidentes com outras pessoas ou, até, com tipos ideais, como o cético, o machão, o herói, a ingênua etc.

Toda identificação é uma imitação, em regra inconsciente. É assim que aprendemos a maioria de nossos modos e comportamentos, de nossas expressões *não verbais*.

Cada identificação — com mãe, pai, irmão, professor, herói, amigo, ator de cinema — deixa sua marca ou sua forma na postura da pessoa.

Mostrar que alguém é "feito" de vários personagens não é tarefa muito fácil, principalmente porque em cada situação podem aparecer várias identificações. Além disso, a ideia de que somos constituídos de muitas "personalidades" distintas é pouco familiar, o que perturba a observação das pessoas.

Mas os casos clássicos de semelhança com o pai ou a mãe são fáceis de reconhecer; com base neles torna-se possível compreender melhor o problema muito geral e importante das identificações.

O que pode acontecer com a *respiração* ao se considerar que as várias identificações são "partes" de uma só pessoa?

A respiração se faz desarmônica, mal coordenada, heterogênea, se posso dizer assim. Afirmo que esse modo respiratório complexo e desarmônico existe em quase todos na forma de *tendência*.

Aparelhos de precisão podem evidenciar esse fato, bastante inusitado diante do pensamento usual sobre a respiração. Recordo aqui apenas um exemplo de comprovação laboratorial: John V. Basmajian, um dos papas da eletromiografia, em seu texto básico *Muscles alive* (1962), dedica um longo capítulo ao estudo da eletromiografia dos músculos respiratórios e acaba concluindo, melancolicamente, que não sabemos definir a famosa "respiração normal".

Ele busca, como a maior parte dos cientistas, uma média que represente adequadamente certo conjunto de fatos. Em matéria de respiração, porém, o melhor que se pode dizer é que cada um respira a seu modo — ao modo, precisamente, permitido pelas suas identificações.

Lembre-se de que a primeira, a mais rápida e mais clara manifestação de emoção é a variação na frequência cardíaca, com mudança do padrão respiratório. Por isso se diz que sentimos as emoções no peito.

OS PULMÕES E AS PLEURAS

A figura 2 mostra, de forma meio esquemática, como os pulmões estão colados à face interna do tórax e à face superior do diafragma. O esquemático dos desenhos está na grossa linha que separa a pleura visceral (que reveste os pulmões) e a pleura parietal (que reveste a cavidade torácica por dentro e o diafragma por cima); na realidade esse espaço não existe, as duas pleuras ficam perfeitamente justapostas, sendo, porém, capazes de deslizar uma em relação à outra. Podemos comparar essa disposição com a de duas lâminas de vidro entre as quais pingamos algumas gotas de água. Se quisermos afastar as placas com esforços perpendiculares a elas, será muito difícil; no entanto, as duas deslizam facilmente uma "colada" à outra.

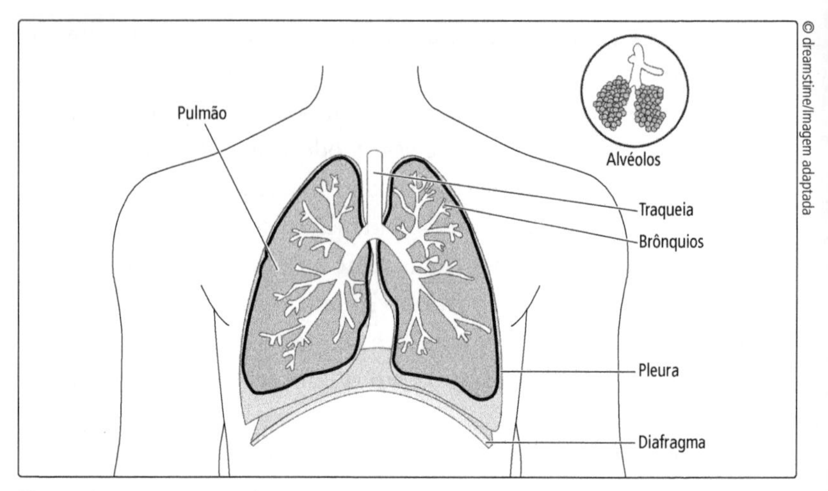

Figura 2

Assim, as duas pleuras são mantidas coladas pela pressão atmosférica que se exerce no pulmão, de dentro para fora, e sobre o tórax, de fora para dentro.

Dada essa disposição, *qualquer movimento e qualquer posição do tronco deformarão os pulmões e vice-versa: qualquer movimento respiratório deformará o tronco.*

AS FORÇAS MUSCULARES QUE FAZEM A RESPIRAÇÃO

São vários os músculos que podem intervir na respiração, seja ampliando-a ao máximo, seja reduzindo-a a suas menores dimensões. Sabemos que em condições habituais basta inalar meio litro de ar a cada respiração para suprir o necessário. Mas, em condições de esforço máximo, podemos inalar três ou mais litros de ar a cada respiração e, além disso, "espremer" o tronco, expelindo mais ar. Nessas circunstâncias entram em jogo os músculos inspiradores auxiliares e os músculos expiradores (expirações forçadas). Por isso os músculos respiratórios são tantos — quase todos os músculos do tronco.

Em condições de esforço moderado, porém, bastam ligeiras contrações dos intercostais e uma ligeira contração (descida) do diafragma.

Nessas mesmas condições de pequeno esforço, a expiração é inteiramente passiva; ao inspirar, tensionamos tanto os pulmões quanto a arcada costal — duas estruturas bem elásticas. Mas basta cessar o esforço que as deforma e elas tendem a voltar para suas dimensões em repouso. O pulmão se esvazia como um balão de borracha quando se abre o bico.

O PULMÃO É UM VAZIO

O pulmão pode ser comparado a um cacho de uvas inteiramente oco (detalhe da figura 2).

As uvas, porém, são milhões e muito pequenas, com cerca de um décimo de milímetro de diâmetro. Como os grãos estão todos comprimidos uns contra os outros e todos em um espaço restrito, eles assumem a forma de poliedros. São os alvéolos pulmonares, único lugar dos pulmões onde ocorrem as trocas gasosas essenciais da respiração.

Há numerosos pontos escuros situados nas paredes dos alvéolos; são capilares sanguíneos, cerca de mil deles para cada alvéolo. São tantos que podemos dizer: os pulmões (mais especificamente os alvéolos) estão literalmente mergulhados em sangue.

A pressão parcial aproximada (em milímetros de mercúrio) no ar inspirado, no ar expirado, no ar alveolar, no sangue arterial e no sangue venoso corresponde à pressão atmosférica de 760 mm Hg — *hidrargirium*, mercúrio, em latim (veja a tabela a seguir).

		36,5 °C	37 °C		
	ar inspirado	ar expirado	ar alveolar	sangue arterial	sangue venoso
Oxigênio	158,3	116	105	96	40
Gás carbônico	0,3	30	40	40	46
Nitrogênio	596,4	575	568	547	570
Vapor d'água	5	39	47	47	47
Pressão total	760	760	760	730	703

A pressão total dos gases no sangue é menor do que a do ar atmosférico.

As paredes alveolares e as paredes dos capilares, delgadíssimas, não opõem resistência mensurável à passagem dos gases; por isso, eles se difundem livre e rapidamente para lá e para cá, em função das pressões relativas.

OS OPRESSORES

Quem quer controlar os demais tem de exercer forte controle sobre si mesmo; quem sufoca vive, também, sufocado... Por isso quer sempre mais. "Se eu tivesse mais *isso* (a próxima conquista), eu poderia voltar a respirar."

Impossível, para o poderoso, entregar-se ao prazer ou à alegria, soltar-se, rir, cantar... Tudo isso são fraquezas inadmissíveis para poderosos. Toda a sua energia vital se concentra no controle e na dominação, de si e dos outros.

Em *O balcão de Manet*, de Magritte (figura 3) — inspirado em pintura de Édouard Manet de 1869 —, vemos as humildes mas já poderosas forças da repressão e da opressão — na família. Poder absoluto dos pais sobre os filhos, em nome da educação. Opressão do pai que

Figura 3 - *O balcão de Manet*, 1950

tudo pode, tudo sabe e tem sempre razão; da mãe que sempre faz, e só faz e só ensina o que é certo e o que se deve fazer. Em primeiro plano, sentada, a mãe; em pé, atrás dela, o pai; à sua esquerda, o filho favorito; e ao fundo, indistinto, o filho perseguido... A Sagrada Família é a primeira pirâmide de poder absoluto, em que os filhos, finalidade primeira da instituição, não têm direito algum.

Após vinte anos obedecendo, passamos a mandar, e a pirâmide de poder e os costumes de dominação absoluta se eternizam. Invertem-se, mas continuam iguais.

AS INSPIRAÇÕES DE MAGRITTE

Começamos com *A vitória* (figura 4), que traz uma porta "sem função", já que não separa nada nem comunica nada com nada. Uma porta sem parede. Portanto, a representação de um movimento e não de uma coisa — de um movimento respiratório, muito semelhante, perante uma percepção subjetiva, a um "abrir-se", podendo, porém, "fechar-se" no momento seguinte. Confirmando a proposta interpretativa, temos uma nuvenzinha "entrando" pela porta (ou saindo...). Uma inspiração.

Figura 4 - *A vitória*, 1939

Figura 5 - *A vingança*, 1938

Depois entramos na... traqueia! A inspiração entra em um bem definido interior, seguindo, logo após (*A vingança* — figura 5), na direção do pulmão (a tela no cavalete), até ser contida de todo. Aí, o cavalete deve ter muito que ver com a postura, a "armação", que contém e ao mesmo tempo movimenta o pulmão. A moldura deve, pois, estar em correspondência com sensações provenientes da caixa torácica, e o céu da tela, enfim, com o ar intrapulmonar, que chega ao pulmão após uma inspiração deveras prolongada.

Por que, ao longo de vários anos, Magritte pinta essas coisas?

Toda pintura — sabemos — é um autorretrato de um momento ou de um período de vida, cujas sensações e emoções vão alcançando forma visual. A fluência interior — a famosa "corrente da consciência", de William James — é por demais contínua e sutil para que se possa percebê-la com clareza. Fixada, porém, em uma imagem — como acontece nos sonhos —, ela se torna muito mais precisa, e assim pode ser "estudada" e eventualmente resolvida.

Magritte estuda sua inspiração, da qual brotam suas imagens interiores, e ao mesmo tempo pinta um ciclo respiratório e tudo que possa ajudá-lo ou interferir nele. Em caso de ajuda, teremos sensações de expansão, de satisfação; em caso de perturbação, sensação de angústia (sendo "angústia" igual a "aperto").

O conhecimento (figura 6). Atente bem, leitor: não há parede na... parede. A parede na qual parece estar incluída a porta também está cheia de nuvens; é céu também. Logo, essa porta é de todo equivalente à de *A vitória* (figura 4).

Não há parede, mas há chão, assoalho. Vinte e dois anos separam um quadro do outro. A inspiração — visual — começa a se fazer musical: a porta está repleta de notas musicais. Nova confirmação de que o batente dessas portas tem que ver com a caixa torácica e seu espaço livre tem que ver com o pulmão — e a bandeira da porta, com o movimento respiratório. Porque é no tórax que nasce a voz — a música das palavras.

Figura 6 - *O conhecimento*, 1961

O peito está aberto, mas o diafragma está preso, isto é, as emoções não podem fluir pelo corpo todo.

Se repararmos em uma criança que mal fala, veremos que ela "canta" entonações vocais antes de começar a dizer palavras. Se observarmos em nós mesmos quando pretendemos aprender a cantar certa música, chegaremos à mesma conclusão: primeiro se aprende a música das palavras e só depois a letra é colocada em seu leito musical.

Magritte começa a conhecer — ou a reconhecer-se. A reconhecer seu espírito, o qual só bem tarde se revela nas pessoas; seu espírito próprio, emergindo aos poucos das ordens, das proibições, dos preconceitos e dos costumes que todos nós fomos obrigados a aceitar — os quais nos desnaturam.

VARIAÇÕES SOBRE O TEMA DE SEMPRE

Àquele amontoado de casas, Magritte chamou *O peito* (figura 7) — representação de que guardamos no peito mil e uma recordações de emoções passadas, de personagens, de situações vividas; de amores, de mágoas e de raivas. Nada mais natural do que representar cada época ou episódio com uma casa — o Lar.

"Moramos" em todas as nossas emoções, presentes e passadas. Identificados com elas, sentimos o ímpeto ou a freada que cada uma proporcionou à nossa respiração, ao permitirmos à emoção que fluísse ou contendo-a — sempre no peito, a casa do nosso espírito e de nossa alma, de nossos sentimentos.

Depois, o curioso palco onde Magritte pinta céu e mar, em um cenário que quase se fecha sobre si mesmo (figura 8).

Figura 7 - *O peito*, 1961

Figura 8 - *As memórias de um santo*, 1960

Um clima interior, certamente, contido no pulmão (as duas cortinas); sentimentos íntimos, aqueles que guardo para mim (mas os outros podem vê-los se estiverem interessados). Sem respiração não há emoção; sem respiração a emoção fica presa no peito.

E O VERBO SE FEZ IMAGEM...

Vamos estudar a função social da respiração: a palavra (mais o tom da voz). É fundamental, é evidente, mas não muito fácil, separar a letra e a música da voz. Percebe-se facilmente que certa frase, dita em vários tons de voz, pode apresentar sentidos bem diferentes. A dificuldade está em perceber como claramente independentes a frase e seu leito musical. Ao ouvirmos as pessoas, o sentido do que está sendo dito é tão absorvente que a música da voz fica em segundo plano, sendo percebida indistintamente.

Hoje — diga-se de passagem — temos várias demonstrações experimentais de que a articulação da palavra é feita pelo hemisfério esquerdo do cérebro, ao passo que a música da voz é modulada pelo hemisfério direito. Isso posto, passemos à nossa história em quadrinhos — de Magritte.

Figura 9 - *O domínio encantado VIII*, 1953

Figura invertida a pedido do autor

Figura 10 - *Momento musical*, 1961

Figura cortada a pedido do autor

Figura 11 - *O domínio encantado VI*, 1953

Leitor, corra os olhos pelos quadros mostrados nas figuras 9, 10 e 11. Creio que já nesse exame se consiga colher certa impressão de unidade, organizada em torno da pomba, presente em todos os quadros.

Isolada, seria difícil ligar essa imagem à palavra; mas, no conjunto, começamos logo a suspeitar que está associada a palavras germinando no peito. Pensamentos, sim, mas também sentimentos, emoções. A pomba simboliza a palavra — é a sabedoria da Santíssima

Trindade... Mas a pomba, pela sua monogamia, pelos arrulhos suaves, pelo namoro elaborado, é também símbolo de amor, de ternura.

É tão claro que esses sentimentos nascem no íntimo... do peito! No coração!

O domínio encantado VIII simboliza a clareza total: o sentimento/ pensamento amoroso criou a imagem completa do pombo e situou esse complexo inteiro no lugar que lhe cabe: o peito.

Entretanto, ao mesmo tempo que se define, a imagem espontânea ressalta os obstáculos que se opõem a esse mesmo complexo: as fortes grades (inibição respiratória) da jaula torácica (mais jaula do que gaiola). Pesadas barras tendem a conter os pombos. Paradoxalmente, a jaula pesada está aberta, enquanto o conjunto da jaula nos fala em fechamento, contenção — apertar o peito...

Podemos acreditar que o manto represente os pulmões. Como podem os pulmões estar fora do tronco? Só em um caso: quando meu alento, meus anseios, minha inspiração e minha vida são sentidos como provindos de outra pessoa. Minha vida está — nesse caso — fora de mim (estava na esposa de Magritte).

Por que, se o peito está fechado, a portinhola da jaula foi deixada aberta? Porque talvez a pessoa a quem as pombas se dirigem não seja capaz de — ou não esteja interessada em — perceber o amor que se mostra...

Fotos numerosas de Magritte e sua mulher, alguns dados biográficos e o testemunho de muitos outros quadros nos sugerem que a ligação entre o pintor e a esposa era muito forte, mas pouco viva. Em numerosos quadros, Magritte pinta sua mulher como um belo e pouco vivo corpo. Mas, invariavelmente, os olhos e o aspecto global de uma estátua.

Depois de gerada no peito, que é onde são produzidos os sentimentos, e de ter gerado palavras, suspiros e gemidos, a palavra é dita. E voa (*Momento musical*). Que outra coisa pode representar esse quadro senão uma palavra/suspiro em busca de ouvidos amorosos?

É claramente nossa pomba, toda feita de uma página com pautas musicais, em pleno voo. As palavras "voam" pelo ar — tão invisíveis quanto o próprio veículo que as transporta.

E, como se não bastasse o que já se disse, temos, no mesmo quadro, um cachimbo — tão "musical" quanto a pomba.

Esquisitices de pintor surrealista? Ou coerência simbólica?

Imagine, leitor, alguém fumando um cachimbo. Qual o momento mais característico da cachimbada? Não é a longa e prazenteira expiração de fumaça, após uma concentrada inalação? Não se parece com a postura de alguém que vai fazer um pronunciamento solene? Não estamos, aqui também, lidando com respiração/suspiro/aspiração?

Enfim, temos a mensagem recém-chegada a seu destino: os ouvidos da mulher amada, metade espírito (a de cima, toda azul) e metade carne (a de baixo...).

Eis a estátua impassível. Pode uma estátua ouvir palavras/suspiros amorosos?

Magritte — conforme declarou — viveu esperando o momento de um amor profundo que desse sentido à sua vida. Não sei se não apareceu a mulher certa, ou se o ceticismo intelectual afastou para sempre da vida de Magritte essa flor hoje quase murcha do romantismo.

É bem capaz. Nada mata mais ou nada impede mais que apareçam sentimentos amorosos genuínos do que as atitudes e poses intelectuais — críticas, céticas —, verdadeiros bisturis a cortar qualquer broto afetivo.

GRITO PRIMAL

Magritte pintou mais de uma dezena de quadros no estilo de dois aqui reproduzidos: *A câmara de escuta* e *O aniversário*. O exame detido dos quartos ou aposentos dessa série pode nos persuadir de que eles representem o peito do pintor. Sempre fechados (angústia), frequentemente vermelhos (sangue?), com variados conteúdos.

De minha parte — e adiantando minha tese —, chamo o primeiro de *Desejo verde*, porque desde a Bíblia a maçã se fez símbolo do desejo (e do pecado...); porque a maçã ocupa o aposento inteiro — como uma onda emocional prestes a invadir o corpo todo. Quem não sentiu essa sensação tão peculiar de "peito cheio" quando tomado de um forte anseio? Mas por que Magritte chamou seu peito (e até seu coração,

Figura 12 - *A câmara de escuta*, 1953

Figura 13 - *O aniversário*, 1959

que é a maçã) de "câmara de escuta"? Porque ele ouvia seu desejo, mas não o seguia (o quarto está fechado).

Sete anos depois ele pintaria *O aniversário*, nome mais do que estranho, para um quadro evidentemente opressivo, pesado, com uma enorme pedra ocupando todo o aposento. Triste aniversário!

Magritte odiava qualquer tentativa de interpretação de seus quadros, e talvez por isso optasse por dar-lhes os nomes mais exóticos e surpreendentes. Aniversário... algo que se repete, sempre igual e sempre um pouco mais...

O nome que dou a esse quadro é *Opressão torácica*. Parece-me esse nome simples descrição do que se sente ao olhar ingenuamente para a pintura. Um enorme peso — sobre o coração. Prenúncio de infarto...

Mas é preciso dizer mais e esclarecer mais a ligação do quadro com o pintor e com todos nós. A opressão torácica ocorre sempre que sufocamos nossos desejos. Basta desejar e o coração já acelera, antecipando e preparando a ação de busca, o desfrute, possivelmente a luta... Ao coração não podemos dizer "calma!" Não adianta. Mas a respiração podemos conter, e assim matamos o desejo. Todo desejo vivo que não se realiza morre de asfixia, que é o processo fisiológico da repressão emocional. Mas, depois de contrariar muitas vezes os nossos desejos, o coração vai ficando — segundo a expressão clássica — empedernido, isto é, empedrado!

Magritte, introvertido e tímido, na certa sufocou ao longo de sua vida a maior parte de seus desejos, contrariando o coração e contendo a respiração (seus... anseios). Aniversário, sim: sempre igual, mas cada vez um pouco pior.

No mesmo ano (1959) ele pintou *O castelo dos Pireneus* (figura 14), uma rocha gigantesca em pleno ar e, mais, com um castelo sobre ela! Como pode pairar na atmosfera algo tão pesado? Pode, se, em vez de na coisa "pedra", pensarmos na palavra *pedra*. Na Renascença era comum que se produzissem quadros com mil figuras no ar, desde anjos e santos até deuses olímpicos, por vezes com armaduras de metal — e até carros e cavalos. Logo, representavam pensamentos ou fantasias. Por que falamos em "castelos no ar"?

Magritte pintou, pois, uma fantasia.

Porém, se juntarmos *O aniversário* com esse castelo, poderemos concluir: esse quadro representa, por quanto se disse, um grito primal, uma explosão de mil desejos contidos, um grito de liberdade, de

Figura 14 – *O castelo dos Pireneus*, 1959

desabafo, de protesto, de rebeldia contra toda a opressão que sofremos — nós todos e não apenas o pintor.

Mas Magritte se sentiria muito melhor se, em vez de pintar a fantasia de um grito, o artista de fato gritasse aos quatro ventos até não poder mais.

Gostaríamos de lembrar, fazendo um paralelo entre o quadro e nosso mundo presente, que todo o Leste Europeu está gritando, que o grito das massas, há algum tempo, depôs quatro tiranos, destruiu o Muro de Berlim e chegou até a se manifestar — no Dia do Trabalho — contra seu libertador.

A VOZ

Basta correr os olhos pelos desenhos e logo se adivinha: eles tentam representar visualmente a produção da voz.

Em *Um pouco da fama dos bandidos*, de Magritte, temos um simples violino — parece; mas ei-lo apoiado em um colarinho alto, o que já é enigmático. O esboço que Magritte fez desse quadro mostra o violino dentro do tórax. Agora não há dúvida: trata-se de pintar a voz.

O colarinho duro e o incômodo que ele produz nos permitem pensar que Magritte hesita em falar — ou sente o famoso "nó na garganta", que ele sufoca seu protesto ("a fama dos bandidos").

Figura 15 – *Um pouco da fama dos bandidos*, 1960

CASOS CLÍNICOS

Este é um dos capítulos mais agradáveis de ler. Vários casos clínicos são descritos em linguagem quase literária, com muitos pormenores de diálogos, descrições precisas de atitudes e gestos, técnicas psicoterápicas (em ação).

Em todos eles se salientam o valor e a importância da respiração na compreensão da vida, dos sintomas e das técnicas curativas.

Sintomas, sonhos e desenhos são os principais elementos estudados.

A MULHER QUE NÃO QUERIA PERDER A CABEÇA

A seguir examinaremos com vagar e profundidade alguns sonhos de uma mulher a quem conheci de perto. São muito singulares e sugestivos para o nosso tema.

> Sonhei que eu era cirurgiã e operava uma menina. Amputava gradualmente seus membros, um a um, pedaço por pedaço. A menina, inteiramente consciente e tranquila, mostrava confiança total em mim, submetia-se totalmente ao meu juízo e às minhas ações. Já muito mutilada, a menina se dispôs a sofrer a amputação final: a da cabeça. Ao longo do sonho, horrorizo-me cada vez mais e, no fim, acordo muito angustiada. Por muitos dias esse sonho ficou na minha mente, e cada vez que me lembrava dele me sentia muito mal.

A sonhadora é mulher madura, impulsiva, imperativa e violenta. Com frequência emite julgamentos sumários, incisivos e definitivos, que lhe “vêm à mente” sem que ela saiba como nem por quê. Mas ai de quem lhe disser que é assim! Há algum tempo essa mulher vem trabalhando duramente consigo mesma; na verdade, contra si mesma, contra esse seu modo de ser espontâneo mas descontrolado, natural mas irrefletido, eventualmente perigoso.

"Amputava gradualmente seus membros, um a um, pedaço por pedaço."

Aqui está, no sonho, o trabalho da pessoa consigo mesma. Para alguém tão instintivo e de certo modo tão primitivo, o trabalho de reflexão e controle de si mesmo aparece, aos olhos da própria consciência, como algo acentuadamente mutilante. Personagem da natureza, qualquer ação feita à custa de pensamento e deliberação lhe parece altamente artificial, ou "técnica": uma intervenção cirúrgica.

Além das opiniões definitivas, a mulher imperativa, quando desocupada, fala frases miúdas e numerosas, despertadas em sua mente por este ou aquele objeto visto, esta ou aquela frase ouvida, cabeçalho de jornal lido, reparo sobre a empregada... Nada de extraordinário; frases que todos dizem a toda hora e que nada significam. Mas, mesmo sendo inconsequentes, essas pequenas frases não pertencem à mulher, tampouco nascem de seu espírito. Apenas "passam pela sua cabeça".

Conversa fiada telúrica...

Quando apreensiva, *vê-se que sua fronte e seus olhos ficam "olhando" pensamentos*: ela fica obcecada por ideias que desfilam diante ou dentro de sua mente, movidas por força própria, sendo absolutamente impossível detê-las. Mesmo de olhos fechados, *suas pálpebras "piscam" como se eles estivessem abertos*. Nessas horas, *pode ficar longos segundos sem respirar*. Ela parece, então, alguém absorvido por um espetáculo fascinante: concentra-se por inteiro nos olhos e esquece todo o resto. Enquanto "a cabeça que não é sua" fia pensamentos, a mulher olha para esses pensamentos e se esquece de respirar.

Não sei se olha. É bem mais o caso de estar fascinada. É bem mais o caso de não conseguir deixar de pensar.

Afinal, quem não conhece estados assim — ocorrendo vez por outra? Em todos os casos — das frases veementes, das frases inconsequentes, do pensamento que se pensa sozinho — é fácil constatar a completa dissociação entre cabeça e tórax. A cabeça da mulher pensa pensamentos que não são dela; a cabeça da mulher pensa pensamentos que não são animados pelo seu espírito — pelo seu sopro. Quando a cabeça da mulher não é dela, sua respiração para. Seu espírito não quer, não consegue ou não pode animar as palavras que lhe vêm à mente. E o silêncio cheio de palavras que não são suas a sufoca.

Portanto, no sonho, não se trata, na verdade, de amputar a cabeça; trata-se principalmente de reconhecer que a cabeça *não está ligada ao corpo.*

Trata-se, dizendo de outra forma, de perceber que pensamentos tidos como próprios não o são, e que o próprio espírito não anima os pensamentos da cabeça.

Era bem o caso de perceber-se regida e levada pelos pensamentos dos outros. No sonho parece bem claro que a cabeça significa pensamento. A comparação é tradicional e clássica porque, de acordo com o testemunho de quase todos, os nossos pensamentos parecem estar na cabeça. Já não reparamos tanto no fato de que na cabeça estão os órgãos da fonação e da articulação da palavra — estão a garganta e a boca. O sonho propõe, segundo parece, que se separe a cabeça do tórax, isto é, os pensamentos do espírito, isto é, as palavras do sopro que as anima; enfim, os pensamentos da cabeça da inspiração respiratória.

Como vimos na descrição, é exatamente assim o que sucede com a pessoa.

Por que então o sonho propõe que seja feita uma operação já existente há tanto tempo — como estado permanente?

Não seria o caso de pensarmos na hipótese de que o sonho quisesse comunicar à sonhadora justamente esse seu estado? Não estaria o sonho apenas *mostrando a ela* o seu modo de funcionamento?

Para completarmos a interpretação desse sonho, resta-nos acrescentar alguns detalhes sobre a respiração da personagem e sobre alguns de seus sintomas.

A mulher sofre de inibições respiratórias ostensivas, intensas e antigas. Muitas vezes ficou literalmente sufocada em razão de completa incoordenação de movimentos respiratórios; levou anos para conseguir algum controle desses movimentos. Sufoca-se quando muito apreensiva, quando muito enraivecida ou quando muito preocupada. Para quem já a tenha visto, torna-se fácil compreender a seguinte descrição: sempre que lhe vêm à mente pensamentos particularmente violentos, horríveis ou torturantes, a primeira coisa que esses pensamentos fazem é tolher-lhe a respiração. Creio que essa reação, certamente inconsciente, seja um movimento de defesa benéfico. Se ela dissesse — na verdade, gritasse — tudo que lhe vem à mente nessas horas, seria tomada por todos como uma pessoa extremamente desagradável e perigosa. Creio que essa mulher, grandemente instintiva, tolha a respiração no momento preciso em que o pensamento seria gritado, ato que a comprometeria seriamente.

Muito difícil saber, nessas horas, se o pensamento é seu ou não. Como todo personagem impulsivo, a mulher sofre de um controle também forte, cru e primário.

Esse controle adota, para exprimir-se, as normas sociais aceitas, igualmente fortes, cruas e primárias (a adúltera apedrejada, a virgem expulsa, o ladrão enforcado). Não que a mulher acredite nessas normas. É demasiado realista — a pesar seu — para chegar a tal estultícia. Mas, em horas críticas, agarra-se espasmodicamente a essas fórmulas a fim de não explodir de fúria.

Ante essa elucidação, nossa pergunta de há pouco encontra resposta: os pensamentos que lhe vêm à mente são seus (impulsos); a inibição respiratória não é sua e se faz por medo, ou em nome das convenções estabelecidas.

Para completarmos o caso da cabeça que não era da pessoa, assinalemos um fato e um sintoma sobremodo significativos em relação ao sonho.

A mulher descreve, por conta própria, a "maquininha de pensar" que existe em sua cabeça, muito ativa em noites de insônia, muito incômoda às vezes e de todo independente de sua vontade. Além disso, a mulher sofre, periodicamente, de enxaquecas violentas, que a inutilizam durante um ou dois dias. Nessas horas, sua cabeça é tida por ela mesma como seu maior inimigo.

Vendo-a desesperada na vigência dessa síndrome dolorosa, torna-se clara para mim — de modo trágico — a profunda verdade do sonho: "Minha cabeça não é minha". Nessa hora da cabeça que dói violentamente, e que continua a doer ante qualquer espécie de cuidado ou tratamento, nessa hora se faz real a cena sombria do sonho.

Nesses momentos difíceis, a mulher reconhece que sua cabeça, não sendo sua, está de todo separada, seja do corpo, seja da vida, seja de tudo mais. Nesses momentos horríveis sua cabeça existe — e só ela — como dor pura.

Já nos outros momentos dos maus pensamentos, muitas vezes a mulher não consegue reconhecer que eles não são seus. Tampouco reconhece como alheios aqueles pensamentos inconsequentes e volúveis de todo instante.

Como se vê, a mulher ainda tem de avançar bastante a fim de perceber quão pouco sua cabeça é sua. Quando ela se dispuser a perder a cabeça, certamente a encontrará.

E aqui surge em nós, muito naturalmente, um pensamento que por certo não é nosso, mas é bonito: "Quem quiser salvar a própria alma, perdê-la-á; mas quem se dispuser a perder a própria alma, encontrá-la-á" (Lucas, 17:33).

Para encontrar a cabeça é preciso perder a cabeça — os que compreendem essa insensatez são bem-aventurados; os que não a compreendem... são acéfalos.

Com alguma facilidade poderíamos entender o restante do sonho traçando linhas paralelas. A mulher é extremamente diligente, trabalhadora incansável, pessoa incapaz de ficar cinco minutos sem fazer nada. Poderíamos pensar, diante dessa descrição, que seus membros também não fossem seus, movendo-se continuamente por ordem tirânica, intransigente e intolerante de uma cabeça impessoal — que é multidão!

Chegaríamos então a este retrato algo tétrico da pessoa: uma substância viva contida dentro de uma armadura quase mecânica, dirigida por um cérebro automático. Quase nada do que a pessoa pensa, assim como quase nada do que faz, vem realmente dela.

Mas se eu não sou os pensamentos de minha cabeça, nem as ações de meus braços, nem os passos de minhas pernas, então quem sou eu?

Se me dispo de tudo aquilo que me foi proposto, imposto, insinuado e incutido, se abandono todas as obrigações do fazer e do estar, o que resta de mim?

* * *

O que resta ninguém sabe — não tem nome. Tudo mais em nós tem nome. Tudo mais em nós não é nosso.

Eu sou um anônimo. Eu sou único. Não há ninguém igual a mim, acima de mim, abaixo de mim, ao meu lado.

Só eu.

Na verdade eu, o mundo e os outros. Mas, entre nós, nada certo, nada determinado, nada garantido. Tudo a ser feito, definido, conquistado e perdido, a cada passo, a cada instante, a cada gesto, a cada sopro.

Compreendamos bem a hesitação da mulher: é muito difícil amputar a própria cabeça.

Em verdade vos digo: é muito difícil.

* * *

"A protodepressão [...] decorre do sentimento de uma situação ligada com a não existência, isto é, a redução ao nada. É a experiência do aniquilamento ou extinção, cuja representação psíquica se relaciona com a ideia de morte" (Durval Marcondes, *Revista Brasileira de Psicanálise*, v. 1, n. 1, p. 7, 1967).

A melancolia, segundo fórmula feliz do mesmo autor, decorre da destruição imperfeita de objetos interiores, e dessa imperfeição nasce a impossibilidade de assimilá-los.

Perder a cabeça bem pode ser a expressão onírica desse inexistir.

Após as enxaquecas, a sonhadora acusa dor ou sensação dolorida na musculatura respiratória. Proviria tal dor do esforço persistente de não deixar o tórax esvaziar-se? Essa cessação do esforço respiratório não traria consigo, inerente, a noção de "vou deixar que meu espírito morra"?

Ou, fazendo um paralelo com a frase de Cristo: "Não quero perder minha alma".

Na verdade, aquilo que a paciente mais sente como sendo a própria alma é exatamente o contrário disso: é aquilo dentro dela que não é ela nem é dela. Mas quem viveu quarenta anos com alma alheia já não sabe mais o que é seu em si.

O PULMÃO E O CORAÇÃO (SONHO)

Da mesma pessoa ouvi também este sonho:

> Sonhei que estava em minha casa — uma casa que era só minha. Tinha dois andares; o de baixo era maior e nele havia dois quartos; em cima, havia dois quartos menores e ao lado deles mais dois, bem pequenos. Minha casa não tinha cantos nem arestas; era tudo curvo e arredondado. Todas as janelas estavam abertas e eu tinha uma viva sensação de tempo. Precisava fechar todas as janelas para que não entrassem meus inimigos e para que, ao mesmo tempo, não saíssem meus amigos.

A sonhadora é uma mulher, médica, a mesma que não queria perder a cabeça.

— Penso que sua casa é seu pulmão.

— Não pensei nisso. Pensei que era o coração — porque é tudo redondo e as acomodações são iguais às do coração: embaixo dois ventrículos, em cima dois átrios com as auriculetas.

— Pela forma, não tão esquematicamente, poderia ser também o pulmão.

— Talvez. Mas na noite em que tive esse sonho havia adormecido apreensiva com meu coração, que sentia muito apertado. Como eu estava com flebite, receava muito ter uma trombose coronária.

(Pausa)

— Fechar a casa, fechar o coração... Coração fechado igual a casa fechada, só com você dentro e mais ninguém. Coração fechado quer dizer distanciamento de todos, não aceitação de quem quer que seja. Quer dizer sozinha. Talvez queira dizer morta. Se não há ninguém em nosso coração, de que e para que viveremos nós?

— Mas havia amigos dentro.

— Havia. Mas era importante — e a meu ver difícil — separar amigos de inimigos. Sabemos bem que você, com receio de ser explorada, enganada ou traída, costuma excluir de seu convívio todos aqueles que fazem alguma coisa contra você. Mas, com sua intransigência, você exclui pessoas demais e corre o risco de ficar sem ninguém. Você sabe que não há nem pode haver ninguém tão perfeito — ou inofensivo — que não consiga nos ferir de algum modo; isso ocorre mesmo sem querer e mesmo contra a vontade.

Ela silencia, teimosa. Continua disposta a encontrar o amigo perfeito... ou aquele tão desprotegido e frágil a ponto de não se animar nem mesmo a olhar para os outros...

— Naqueles dias estive muito preocupada. Sabe, quando surge uma flebite sem causa aparente — trauma, infecção, gravidez —, a suspeita é sempre de metástase cancerosa. Eu estava com medo...

— O aperto de coração seria por causa da trombose ou desse medo? Nunca se sabe...

— Depois, tenho tido reais dificuldades e estou muito desanimada em relação a pessoas que possam fazer parte de meu mundo. É difícil encontrar e conservar pessoas com quem a gente se entenda. O lugar onde me sinto melhor é no trabalho, mas mesmo lá vivem me dando "conselhos" contra minha espontaneidade com as pessoas, e me "avisando" de que eu me deixo explorar muito facilmente. Meu marido também vai seguindo seu caminho e me deixando de lado; sinto por ele admiração — quando está longe — e rancor — quando está perto. Não sei se nossos mundos voltarão a se sobrepor algum dia.

(Pausa)

— Janelas todas abertas... Você se considera uma pessoa aberta ou fechada?

— Depende. Em meu trabalho sinto-me espontânea e sou tida como tal. Com minha família, com minha mãe e com meu marido — que vivem comigo — acho que não sou. Minha mãe é muito amargurada e não gosto de contar coisas para ela.

— Pessoalmente, acho que você é muito aberta, se considerarmos "aberta" como impulsiva, incapaz de esconder emoções súbitas — às quais você me parece muito sujeita. Principalmente indignação, cólera, compaixão, despeito... Seu coração está aberto, isto é, dele saem facilmente todos os seus sentimentos — seus amigos?

— Não sei se meus sentimentos são meus amigos.

— Mas ainda defendo a ideia de que o sonho também se refere à respiração. Nesse contexto, "viva sensação de tempo" significaria tempo de respirar. Você já percebeu bem suas paradas respiratórias, quantas vezes elas ocorrem e durante quanto tempo você permanece sem respirar — indo cada vez mais longe e ficando cada vez mais aflita.

— Mas por que amigos e inimigos?

— Pensamentos. Você se lembra de quanto já dissemos sobre suas enxaquecas? Elas parecem estar ligadas a um violento esforço seu no sentido de conter "maus pensamentos", os quais, uma vez claramente expressos, se mostrariam catastróficos para você e para todo o seu esquema atual de vida. Pensamentos de violência final contra os outros ou contra si. Sabe?

— Sei.

— São os inimigos que "não podem entrar em sua casa" — no caso, em sua mente, em sua consciência.

— E o que isso tem que ver com a respiração?

— Impedindo a respiração, impedimos que a palavra soe com clareza. Você sabe que sem o sopro respiratório nós não emitiríamos som algum.

— Mas no caso trata-se de falar "para dentro".

— Sim. Eu sei. Mas é muito provável que exista uma correlação bem estreita, talvez uma espécie de identidade, entre pensar para si — falar sozinho — e falar para outrem. É bem provável. E mais: o coração não tem "janelas", a não ser alegoricamente; já o pulmão é uma janela, um órgão que nos põe em contato com o ar e pelo qual este entra e sai. Mais importante do que isso, é com o ar da respiração e pelo ar da respiração que nós falamos, "abrindo" assim nossa alma para os outros, comunicando para eles nossos pensamentos; é por ele que deixamos "entrar ou sair amigos e inimigos". Ainda: de que adianta ter uma "viva sensação de tempo" em relação ao coração se nós não temos nenhuma influência sobre o ritmo cardíaco? Já quanto ao pulmão, é de todo possível e até fácil controlar seu tempo — seu ritmo. Já falamos também da música da voz e vimos quanto ela faz parte de nosso *pensamento* e quanto essa música é respiratória.

— É... falamos, mas não me persuade.

— Pense nisso — em todo caso. Mas quase concordo com você quanto à ideia de o sonho referir-se ao coração ser mais verdadeira no momento.

Há uma pausa longa entre nós. Do silêncio emerge, quase autônomo, meu pensamento em voz alta: para aqueles que têm o coração parado — vazio ou cheio, tanto faz —, a morte está próxima, a morte dos sentimentos e das relações afetivas com as pessoas e o mundo — talvez a morte mesmo. Ele foi feito para encher-se e esvaziar-se ritmicamente, de sangue, que é vida — do primeiro ao último instante. Há muitas amarguras que nos levam a fechar o coração e há muitas felicidades que nos levam a abrir o coração (a fim de guardarmos para nós e *para sempre* aquele momento e aquela pessoa); são os dois mortíferos, ambos fazem parar a vida — parar o coração, vazio ou cheio, tanto faz.

Ao reler este caso, o trecho muito enigmático sobre amigos e inimigos se fez de súbito claro. A mulher tem *uma música vocal* bastante nítida e em regra muito "inimiga", isto é, capaz de exprimir, com enorme clareza, ressentimento, ódio, desconfiança, ciúme, inveja. E o tom de voz, nessas horas, tem pouco ou nada que ver com o assunto da frase! *Qualquer* frase sai "inimiga". De outra parte, em raros momentos de abandono, a mulher exprime-se com voz de doçura e maciez inigualáveis, voz "amiga". O que *saía*, pois, da casa *era a voz*.

FUMAÇA: FORMA DO ESPÍRITO

Sob esse título quero propor e discutir alguns problemas clínicos relativos a cigarros — principalmente.

Primeiro alguns sonhos.

De uma paciente madura, excepcionalmente apreensiva e preocupada com quase tudo e quase todos, ouvi certa vez curioso relato:

> Doutor, de vez em quando tenho um sonho repetido. Em noites tranquilas, sonho que estou fumando; dou grandes baforadas com muita satisfação! Esse meu jeito de fumar, no sonho, traz à minha mente a figura de papai, que fumava muito e gostosamente.
>
> Como o senhor sabe, eu não fumo, nunca fumei e não gosto de fumar.

Esse sonho quase dispensa comentários. Evidentemente o cigarro, nele, é simples alegoria, ou maneira de representá-la, da respiração desimpedida e fácil.

Próximo deste, mas evoluindo em outra direção, encontramos o sonho de um adolescente de 12 anos de idade:

> Tinha nas mãos um maço de cigarros e tentava fumá-los um após outro. Embora não gostasse de forma alguma dos ensaios, continuava tentando; as tentativas, inclusive, deixavam-me bastante enjoado — sempre no sonho.

Na vida acordada, esse rapaz nunca tentou fumar nem parece interessar-se pelo fumo; na realidade, parece desgostar dele — positivamente.

Esse mocinho é meu filho mais velho.

Vez por outra queixa-se ele das famosas "dores de barriga", tão frequentes na infância e na primeira adolescência.

Tenho poucas dúvidas de que esse sonho esteja relacionado com tais dores de barriga, durante as quais ele se queixa de estado nauseoso.

Muitas vezes, na vigência desse estado, recomendei-lhe que fizesse respiração diafragmática; segundo parece, esse modo de respirar traz algum alívio ao seu mal-estar.

Mas tentemos uma compreensão mais aprofundada do sonho. Podemos dizer, transpondo apenas o seu conteúdo: "Quero inalar um espírito não meu; quero tornar minha uma inspiração não minha, e nesse trabalho provoco intensa reação minha contra esse outro espírito".

Qual seria a aspiração imprópria que o mocinho, a meias, pretende fazer sua?

Eu fumo bastante, há muito tempo, e o fumo tem sido muito importante para mim. Com frequência comento com meu filho esse meu vício, desgostoso, convicto de estar prejudicando-me ao dar-me a esse hábito, e dialogamos lucidamente a respeito. É certamente por influência minha que se formou e persiste nele uma atitude entre negativa e indiferente em relação ao fumo. Daí seu esforço por adquirir o hábito — pelo menos no sonho.

Sobre muitas outras coisas conversamos; de muitos modos exerço influência intelectual sobre ele, nem tanto — quero crer — pela intenção direta de moldá-lo, mas por certa semelhança ou afinidade de temperamento entre nós dois.

Nesse sentido, seu enjoo no sonho é muito salutar: embora haja entre nós dois semelhanças mais ou menos evidentes, não quer isso dizer que ele deva aceitar e fazer suas todas as minhas ideias e inclinações.

Aliás, na maioria das vezes, durante nosso diálogo, sua atitude é crítica, e não de aceitação indiscriminada.

Provavelmente sinta-se o rapaz dentro desse problema comum. Se lhe fosse dado "inalar" inteiro o meu espírito, as coisas ficariam bem mais fáceis para ele; ter-se-ia identificado com o espírito paterno, evitando assim o problema sempre difícil de criar, reconhecer e seguir a própria individualidade. Felizmente nele, como em todos os demais, opera também a inclinação inversa, precisamente aquela tendente a fazer de alguém ele mesmo. Daí, de forma plausível, o enjoo, isto é, um primeiro movimento destinado à rejeição daquela aspiração imprópria.

Após o filho, consideremos o pai.

O seguinte sonho é meu:

Tinha nas mãos um maço de cigarros — novo; abri o maço e levei um dos cigarros aos lábios, acendendo-o. No instante seguinte, movido pela certeza de que dentro do cigarro havia uma bombinha, arremessei-o longe para, de fato, vê-lo explodir logo após, ainda no ar. Em seguida, a cena se repetiu inteira, com novo cigarro. De algum modo eu acreditava — não sei por que — que estivessem os restantes cigarros isentos de bombinhas.

Esse sonho é quase uma demonstração experimental das ligações entre as figuras referentes a fumar, nos sonhos, e a respiração.

Tive esse sonho cinco noites após uma intervenção cirúrgica — herniorrafia bilateral —, à qual me submeti ainda com alguns resquícios de bronquite gripal, alimentada pelo hábito de fumar. No pós-operatório, ocorreram surtos de tosse, ligeiros, mas extremamente desagradáveis. O brusco aumento da pressão intra-abdominal produzido pelo abalo da tosse refletia-se na região operada na forma de dor aguda e "explosiva".

Muito rapidamente se estabeleceu em mim um conflito neurológico bem definido, uma concorrência entre excitação e inibição. O reflexo da tosse, incoercivelmente ativado pela presença de catarro nos brônquios, via-se, de outra parte, inibido pelo sistema nociceptivo. De forma mais simples: dada a dor violenta provocada pela tosse, tendiam essas sensações dolorosas a inibi-la.

Mas o processo, nesse caso, foi inteiramente aprendido, isto é, não se tratava de uma associação "natural" entre tosse e dor, mas sim de uma associação acidental.

Depois de sofrer durante algum tempo com as alternativas desse processo neurológico, vencendo por vezes a tosse e outras vezes a dor, o resultado final foi mais ou menos o seguinte: despertada a tendência à tosse, muitas vezes ela era inibida de todo, mas, depois de se propor várias vezes, conseguia se realizar de forma atenuada.

A fim de bem apreender o valor do sonho, é importante sublinhar o caráter definidamente explosivo da dor.

Mesmo o fato de no sonho serem apenas dois os cigarros com bombinhas talvez encontre explicação na descrição anterior; não só um pequeno surto de tosse ocorrido após reiteradas tentativas frustradas (o maço de cigarros), como também a própria realização de um ou no máximo dois acessos de tosse, estimulavam fortemente a inibição do reflexo. O restante dos cigarros do maço, sem bombinhas, provavelmente representa as várias tentativas de tossir inibidas pela previsão da dor explosiva. Aliás, vai aqui um detalhe de certo interesse: não bastava eu saber ou recordar a dor — só por isso a tosse não era inibida. Fazia-se necessário tossir um pouco ou fracamente e com isso despertar a dor de forma efetiva; esta mostrava-se, então, assaz poderosa em inibir o reflexo da tosse.

Após a operação mencionada, deixei de fumar. Oito meses depois, sonho o seguinte:

> Enquanto converso com um amigo, fumo cigarro após cigarro.
> Durante todo esse fumar desordenado, penso: "À noite vou sentir meu pulmão em mísero estado".

O estímulo imediato para esse sonho foi uma bronquite gripal que se manifestava, durante o dia, apenas por expectorações raras e pobres, sem nenhum constrangimento torácico; entretanto, era bem sentida durante o sono, tendo gerado, além do sonho citado, um pesadelo bastante penoso, sem imagem, pura sensação de apreensão e opressão torácica.

Espírito oprimido...

Consideremos a seguir um exemplo de fundamentação psicológica mais ampla.

FOI UM SONHO FELIZ

> Antônio, meu ex-marido, voltara! Voltara sorridente, agradável, amoroso, como nunca foi na realidade.
> Levou-me para uma casa sombria mas gostosa, cheia de recantos acolhedores. Ao entrar na casa, meu filho, alegre, também surgiu. Fiquei mais feliz ainda. Tudo voltava... e voltava diferente.

> Alguém me disse que a "outra" tinha acabado de ir embora. Pensei então que agora eu teria capacidade para ser uma boa mulher. Repentinamente, fiquei triste, pois lembrei-me de que teria de deixar o cigarro, pois Antônio não lhe suportava o cheiro. (Redação da sonhadora.)

Margarida, a sonhadora, é uma mulher madura. Divorciou-se há três anos; em seu matrimônio, sempre representou papel marcadamente passivo, sempre resignada, enquanto o marido mostrava-se autoritário, arbitrário e indiferente. Esse matrimônio gerou um filho, agora adolescente.

Nos meses seguintes à separação efetiva, Margarida aprofundou-se na depressão. Nessa época nos conhecemos. Após psicoterapia individual muito breve, aceitou ser incluída num grupo meu, constituído por pessoas casadas; então fez progressos extraordinários. Há pouco tempo, após numerosos ensaios, não muito bem-sucedidos, Margarida encontrou uma oportunidade de trabalho que viria a lhe garantir razoável independência econômica, de muitos modos bem-vinda.

O sonho ocorreu precisamente no dia seguinte à visita ao seu lugar de trabalho, onde conhecera o futuro patrão e demais companheiros de serviço.

Há muito Margarida se mantém distante tanto de seu marido quanto de seu filho; a presença de ambos no sonho não pode, portanto, ligar-se à presença atual deles em sua vida.

O sonho, então, deve ser posto em paralelo com seu ambiente de trabalho, no qual Margarida sentiu-se bem acolhida. Sua casa própria, seu marido e seu filho, no sonho, representam um novo lugar e novas pessoas, em relação aos quais poderá desenvolver novas raízes.

Toda a sua alegria do sonho — "Sonho feliz!" — liga-se, assim, à conquista de um novo lugar e de novas relações pessoais, preludiadas pela visita do dia anterior e prometidas para o futuro próximo.

Quanto custam novas raízes?

"É preciso deixar de fumar!"

Na verdade, em seu ambiente de trabalho, nada lhe foi exigido quanto ao fumo.

Entretanto, Margarida, sempre muito dócil e necessitada da aceitação dos outros, dispunha-se, desde a véspera, a aceitar bem demais tudo quanto viessem a exigir dela; na sua ânsia de convívio humano, ela estava pronta a pagar quanto lhe fosse cobrado. Sentindo as possibilidades e a promessa de se ver integrada a um novo grupo, desde o começo dispõe-se a respirar em uníssono com ele. Não mais lhe será permitido respirar por conta própria e pensar seus próprios pensamentos! A fim de sentir em si o espírito do grupo, Margarida precisa deixar de fumar! Ao fumar tenho que assumir a *minha* respiração.

MEU FAUSTO

Nosso exemplo seguinte refere-se à fumaça; é o mais difícil de todos. O personagem em questão é o mais elaborado dentre os que examinamos até agora.

> Sonhei que se realizava uma cerimônia em homenagem a mim, cerimônia bastante peculiar. Sobre uma mesa, coberta por uma toalha, havia várias coisas que eu não sabia o que fossem. Tiro a toalha e, em vez de comida, como esperava, vejo pessoas indefinidas e desconhecidas, todas elas em posições muito naturais. Em seguida, devo retribuir a atenção dada a mim. Deito-me na mesa, de costas, e prometo terminar um cigarro com uma só inalação. Consigo fazê-lo, e, depois, sopro longamente a fumaça sobre os presentes; essa seria a minha resposta cerimonial.

A fim de melhor insinuar o rico tipo a ser examinado, registro mais um sonho do mesmo personagem, muito curto e anterior ao precedente:

> Sonhei que me via soprando sobre moscas; meu hálito as matava.

Sem a menor sombra de dúvida, um espírito envenenado!
Ou venenoso.

Na verdade, ambos.

À luz da classificação funcional de Jung, esse personagem de alto nível seria qualificado, indiscutivelmente, como introvertido de grande profundidade, com o predomínio de uma intuição completamente tirânica e arbitrária, capaz de manter ocupada sua inteligência e a de outros dez gênios iguais a ele, durante dez séculos.

Totalmente incapaz de dominar sua intuição ao mesmo tempo inquieta, profunda e caprichosa, via-se Fausto — chamemo-lo assim — obrigado a pensar e a falar o dia inteiro consigo mesmo; a refinar, polir, elaborar e afinar todo um fabuloso vocabulário e toda uma peculiar sintaxe, a fim de conseguir pôr em palavras, para si e para os outros, quanto lhe era dado experimentar diante das coisas. Fausto sofria de uma inspiração profundíssima — como aparece no sonho. Inalava um cigarro com uma só aspiração!

A seguir, exalava sobre os outros o produto dessa inspiração profunda. Fausto fazia poemas muito peculiares e estranhos.

Seu linguajar habitual era bastante elaborado e fino. Mesmo assim, sua aptidão para captar a situação e o momento ia além de toda a sua capacidade de compreender e de verbalizar.

Daí talvez a pequena multidão de pessoas cobertas por um pano — no sonho.

Abafadas!

Abafado vivia Fausto com sua própria inspiração — garantido!

Fausto, como Paulo — o das epístolas —, certamente sentia em si o gemido das coisas em busca de redenção.

Certamente sentia, e sofria com o estado de abafamento de tantos em torno de si.

De tantos!

Certamente desejava Fausto desabafá-los — descobri-los, levá-los a descobrirem-se, levá-los a uma melhor expressão e maior expansão de si mesmos.

E dele ao mesmo tempo — de Fausto.

Por isso, na segunda parte do sonho, ao retribuir a homenagem, Fausto inala o espírito do fogo — um cigarro. Em um instante e de uma só vez, absorve toda a fumaça — figura do espírito nascida do fogo, que é luz e calor.

No instante seguinte, Fausto sopra sobre tantos Adões de barro, postos em torno de si, essa mesma fumaça — espírito agora visível!

Grato — a pesar seu e contra sua vontade — por poder participar do sofrimento de todos, Fausto retribui dando algo de si para todos.

Belo destino, certamente.

Pena não fosse ele muito verdadeiro — nem o destino nem Fausto.

O meu Fausto, como o outro Fausto, não queria saber da pobre humanidade, para a qual olhava com grande superioridade e marcado desprezo. Não lhe faltava, contudo, amor por essa humanidade desprezada. Mas Fausto não queria cumprir sua missão nem viver seu destino. Por isso mesmo, em vez de cercar-se da luz e do calor do próprio espírito, Fausto soprava sobre os demais o calor e a luz... do seu cigarro.

É bem verdade: onde há fumaça há fogo. Mas quão pequeno é o fogo de um cigarro — e quanta fumaça!

Como o de Goethe, o meu Fausto acreditava muito pouco em si mesmo. Na verdade, tinha de si noção lamentável; aliás, a noção expressa naquele pequeno sonho das moscas: "Meu espírito é veneno". Fausto certamente temia envenenar os demais com o próprio espírito.

Então, seguia um atalho: participava filosófica e poeticamente do sofrimento dos demais e devolvia seu consolo, seu espanto e sua solidariedade em... poemas enigmáticos.

Fumaça de cigarro!

Quando o conheci, Fausto — o meu — ainda estava longe do Fausto, o outro. Não acreditava que sua substância pudesse alimentar seus irmãos. Pior: temia que ela os envenenasse.

Bem pensadas as coisas, é possível concluir que naquela época provavelmente a razão o assistia.

Eu o conheci azedo e amargo em relação ao mundo, não obstante todo o seu imenso orgulho.

Inflado de fumaça de cigarro, Fausto participava de um cerimonial de brincadeira, que continha, não obstante, um pressentimento de futuro — ao qual eu assisti.

Depois dos sonhos, recordemos, de novo, Freud: o velho mestre fumava vinte charutos por dia!

O ADVOGADO (SONHO)

> Sonhei que me prendiam por um crime. Eu não havia cometido nenhum. Junto com vários companheiros mal-encarados, consigo fugir da prisão. Volto para minha terra e para minha casa. Meu pai diz que a fuga não adianta; faz-se preciso regularizar a situação, e passamos a combinar coisas com um velho advogado. Entre a casa dele e a minha havia um túnel e, assim, eu evitava ser visto. Minha fuga foi tosca.

O advogado do sonho era uma pessoa conhecida, extremamente tediosa e conservadora, além de todos os limites. Um velho. Apesar disso, sua relação com o paciente era, dentro das circunstâncias, a melhor possível. Manifestava por Antônio — chamemos assim o meu paciente — muita admiração e bastante afeição.

Analiso o sonho acompanhando o paciente e acompanhado por ele, que é assaz sensível para essas coisas e bastante inteligente. Nada encontramos de novo na história. Ele vive sempre assim, sentindo-se um misto de prisioneiro, criminoso e fugitivo.

É vítima sobretudo de sua razão. Sempre encontra motivos para não assumir nenhuma iniciativa renovadora. Quando está parado, sempre pensa em iniciar uma nova linha. É mestre em fazer e desfazer hipoteticamente. O velho advogado do sonho é exatamente a figura adequada para representar este seu modo de ser — uma inexistência trabalhosa, como a de todo conservador.

Aos poucos, aprofundando nossa análise, apuramos semelhanças outras entre sonho, de um lado, e, de outro, a voz e o dizer do sonhador.

A música de sua voz é grave, monótona, misto de sermão e lamúria (juiz e vítima). Seu modo de falar — sua sintaxe — mostra claramente a construção típica de peça advocatícia. Tudo que ele diz é bem dito e baseia-se em fatos bem observados. Mas nunca há constatação simples, e sim um uso contínuo da verdade para justificar-se ou para provar inocência ante coisas da vida que *não aconteceram*. (Crime não cometido, diz o sonho — tão merecedor de prisão como um crime efetivo.)

Antônio queixa-se amargamente — e acusa-se — de tudo quanto não fez e não faz a fim de romper com sua vida enfadonha e sem sentido. No entanto, sua vida, vista por fora, é não apenas satisfatória como até bem-sucedida.

Nenhum prazer maior nessa vida do que julgar a si mesmo — nem que seja para condenar-se, aprisionar-se e fugir depois — para recomeçar tudo outra vez em breve.

É dramático.

Nada como inventar engenhosas não razões para explicar lindamente fascinantes não ações.

É vertiginoso manipular o nada.

CONCATENAÇÃO (SONHO)

Sonhei com uma casa na obscuridade. Paredes e teto — sem chão. Uma escada erguida no ar. Uma escada que em nada se apoia e em nada termina.

Sentada nos degraus da escada, vejo com muita nitidez pessoas suspensas no teto por finíssimas linhas. São todas conhecidas; parecem mortas, bonecos, fantoches.

Há uma imobilidade total em cada face e em cada corpo. Há um silêncio de vácuo, como se no ambiente não houvesse nem mesmo ar. Somente eu me movo, e flutuo até os fios. Procuro algo cortante, não encontro. Então, num esforço sobrenatural, quebro com as mãos as linhas, de aparência frágil, mas na verdade extremamente resistentes.

Em mim não existe nenhum sentimento, nenhum medo. Ao vê-las caindo experimento uma imensa sensação de volúpia.

Da escada observo as quedas até desaparecerem, num espaço infinito.

Esse é o sonho, conforme registrado pela própria paciente. Basta seu relato para caracterizar a personagem, finamente viva, agudamente intuitiva, completamente desligada das concepções comuns e convenções. Totalmente fora do mundo habitual.

Contra esse fundo de personalidade, pode-se compreender imediatamente o sonho seguinte:

> Retirava da minha boca algo que me incomodava; era uma corrente de ferro, pesada, que eu puxava com custo, elo por elo. Era longa.

Aí temos uma demonstração de como a palavra é sentida pelo personagem vivo.

Concatenar ideias e encadear palavras. *Catena* significa "corrente". A personagem, tão capaz de perceber os inumeráveis significados das coisas, das situações e das próprias palavras, sente-se oprimida e presa ao ter de... encadear palavras apenas no sentido consagrado pelo uso e pela gramática.

As palavras lhe pesam...

As palavras a prendem...

As palavras lhe dão engulhos, nojo.

As palavras a fazem vomitar... Da boca saía a corrente.

Um sonho nos permite esclarecer o outro. O que se mantém no ar sem chão, preso por fios? Palavras — e suas ligações lógicas ou gramaticais. O que pode ser uma escada que em nada se apoia e em nada termina? Não seria a própria figura da argumentação? Não seria a concatenação rígida? De outra parte, não seria a própria representação do momento intuitivo, que nunca parece ter base nem propósito, mas vale enquanto está presente, enquanto capta aquele momento e a verdade que naquele momento importa?

O grande espaço e o grande vazio que cercam todas as cenas do sonho só podem ser a atmosfera e o vazio pulmonar.

Uma casa sem chão — só paredes e teto. Significado: inconsciência em relação ao diafragma, que é o chão do tórax. Bem verdadeira é essa interpretação. A paciente sofria de momentos de pasmo extremamente angustiosos, durante os quais seu diafragma permanecia de todo imóvel — a fim de que ela pudesse *não perceber* suas vísceras, a fim de que a força das emoções primeiras e densas não perturbasse a sutileza de sua captação intuitiva das coisas. Mas ao permanecer assim, imóvel, sua intuição apenas captava o pavor da morte por asfixia, e o mundo era sentido como um imenso lugar de perigo e ameaça — em vez de ser percebido como um lugar cheio de sentido e profundidade.

LUCI

> Sonhei que chegava perto de uma casa e depois entrava. Dentro havia uma mulher pobre; parecia muito preocupada com o filho doente, às portas da morte. Sabia que eu podia curar o menino; assim o disse à mãe e, em seguida, me acheguei à cama onde ele estava, sentando-me na borda do leito. Com as duas mãos, eu fazia um movimento rítmico sobre seu tórax, e ele revivia. Após algum tempo, comecei a me dar conta de que aquela situação não poderia durar muito: ainda que eu o fizesse viver daquele modo, não poderia continuar fazendo assim para sempre. Entra então um homem desconhecido; ele também diz que vai salvar o menino. Dirige-se para um piano e começa a tocá-lo, afirmando que a música vivificará a criança. De fato, pouco depois de iniciada a música, a criança levanta-se, perfeitamente bem, e dançamos, eu e ela. No meio da dança, quero mostrar-lhe um passo especial de samba, que ninguém sabia fazer igual, mas, ao tentar fazê-lo, fico toda atrapalhada.

Esse foi o sonho. É preciso estabelecer a situação de Luci na época, a fim de colocar o sonho na devida perspectiva.

Luci estava no que poderíamos chamar "o fim da linha". Um longo trabalho prévio, de vários anos, fora relativamente bem-sucedido, no sentido de atenuar consideravelmente todas as maneiras, de muitos modos falsificadas, com as quais Luci chegara pela primeira vez ao consultório. Mas, em vez de sentir-se livre, ela sentia-se, agora, apenas desalentada. Após o enfraquecimento dos velhos motivos que, certos ou errados, a mantinham em pé e em movimento, não havia nada capaz de substituí-los, nada capaz de sustentá-la ou inspirá-la.

Não havia um estado depressivo em sentido próprio, nem se faziam notar grandes ou pequenas acusações contra si ou contra os outros. Havia, apenas, um enorme desalento. Para mim, que a conhecia de longa data, esse desalento não era nada novo, mas Luci não o percebera até então, movida que estivera por ideais, desejos ou temores relativamente superficiais que a haviam mantido distraída. Agora ela defrontava com o desinteresse básico, situado bem no fundo de seu íntimo.

Eu poderia dizer, alegoricamente, a fim de me aproximar desde já do sonho, que Luci estava sofrendo, no momento em questão, de uma profunda falta de espírito. A situação preocupava-me um pouco, porque ainda via, *na fronte da paciente*, uma *apreensão perplexa* que, no passado, constituíra um verdadeiro cacoete seu. Embora atenuada, a expressão ainda estava lá. Também *em seus lábios havia uma velha expressão má, certo muxoxo de pouco-caso, situado sobre certa falta de desenho e definição*. Luci era de temperamento bastante arredio, sofrendo de sensação crônica de solidão e isolamento, sentindo dificuldade muito marcada de entrar em contato vivo com as pessoas. Embora tivesse amizades e em seu passado existissem alguns namoros, inclusive mais próximos, parece que Luci jamais permitira que seu espírito sofresse influência de outro espírito.

Ao longo de um trabalho paciente, minucioso e de certo modo agradável, havia se estabelecido entre mim e Luci uma relação pessoal bastante favorável, com elementos de simpatia, de respeito mútuo, de mútua admiração. Em razão dessa relação, tanto seu presente quanto seu futuro não me inspiravam grandes cuidados.

Resumi para ela o que foi descrito e em seguida acrescentei:

— Quando se atenuam em nós os velhos hábitos, quando de algum modo perdemos o velho espírito, temos a clara consciência de que perdemos tudo. Na verdade, tendo perdido o que conhecíamos de nós, aparentemente nada mais resta. No entanto, essa hora, que é o fim, pode ser o começo. Veja bem, *pode* ser. Vezes outras, mais infelizes, é o fim mesmo.

Nesse momento me detive, pensando um pouco no que Luci havia feito um mês e meio antes, quando ingerira uma dose crítica de um neuroléptico. Ela sabia que a dose não era mortal. Havia tomado o medicamento com a intenção explícita de "sumir temporariamente", isto é, de ficar ausente do mundo o maior tempo possível. Na verdade, ficara adormecida quase 36 horas a fio. Apesar disso, ninguém veio a saber do fato, senão ela e eu!

Prossegui:

— Uma nova vida, ou um outro espírito, nós não podemos fazer ideia do que seja. Estamos esperando e não sabemos o quê. Podemos sentir premência, mas não sabemos quando ele virá. É difícil viver assim.

Detive-me novamente, e novamente consultei os meus botões. Pareceu-me que o menino doente do sonho, às portas da morte, correspondia justamente à atitude emergente, ainda não percebida por Luci. Essa atitude nova, comprometida pela sua descrença desamparada (talvez representada pela mulher pobre do sonho), poderia morrer antes de ter vivido. Se essa ideia tivesse algum fundamento, então a paciente, no sonho, seria eu. Posso dizer que muitas e muitas vezes eu mantive vivo o espírito de Luci. Posso dizer, na linguagem alegórica e ao mesmo tempo concreta do corpo, que eu fui sua respiração, que eu tentei insuflar-lhe um novo espírito. Mas ainda que essa ideia pudesse ser aceita pela paciente, eu sabia que sua descrença e sua apreensão retirariam desse pensamento muito da sua força. Luci não conseguia *acreditar* — talvez não o quisesse — em um novo espírito; na verdade, ela não acreditava em nenhum espírito. Era preciso, se possível, um modelo concreto para que essas coisas, atravessando as atitudes de descrença e de apreensão, tocassem diretamente seus elementos mais primitivos, ao mesmo tempo mais infantis e mais vigorosos. Era preciso atingir diretamente o menino doente. A mamãe pobre (explicações já tantas vezes feitas — figura de sua descrença), antes atrapalharia.

Pensando assim, convidei Luci a representar comigo a cena do sonho. Primeiro, durante algum tempo, fiz eu o papel do menino, e ela me fez respirar. Não havia grande força nem muito jeito no seu gesto. Depois trocamos de posição e, durante dois ou três minutos, fiz com ela uma espécie de respiração artificial modificada, consistindo na compressão periódica do tórax. Era minha intenção, num ato só, vivificar o menino e proporcionar à paciente a impressão concreta de um novo espírito animando o seu — um novo modelo respiratório.

No intervalo desses ensaios, fazia-se evidente que a respiração de Luci era ampla, mas extremamente lenta e cautelosa; respirava como se cada movimento, caso fosse ligeiramente desviado de sua norma, pudesse desencadear uma catástrofe.

Eu usara com Luci, minutos antes, uma comparação clássica. Dissera-lhe que ela devia estar se sentindo, em parte, como Adão ao despertar. Dada a atenuação dos velhos hábitos, ela devia estar se sentindo no mundo como uma alienígena recém-chegada, desconhecedora de tudo e incerta sobre tudo. Mas acrescentara que era possível ver o mundo com grande encantamento também, se não houvesse apreensão (*em seus olhos*) e descrença (*em seus lábios*). Ao ouvir seu sonho, logo me pareceu que Luci, assim como o homem da cena seguinte, associava-se a um elemento divino, já que era capaz de curar doenças e ressuscitar um quase morto. Era natural, então, que se combinassem em minha mente a figura de Adão e a ideia de um poder divino. Surgia de forma clara, em consequência, o nascimento de Adão. Não o formar do seu corpo, mas sim o início da sua vida. "E formou o Senhor Deus o homem do pó da terra, e soprou em suas narinas o fôlego da vida; e o homem foi feito alma vivente" (Gênesis, 2:7).

Esquematizei esses fatos, sugerindo que fizéssemos respiração boca a boca. Havia entre nós confiança suficiente para que o gesto fosse compreendido exatamente com seu sentido atual; Luci aceitou e começamos. Logo de início, a sua língua fechava completamente a garganta e eu não conseguia vencer a resistência. Preveni-a do fato; ela conseguiu afrouxar essa primeira constrição e o ar entrou sibilando em seu pulmão. Quatro ou cinco movimentos assim me mostraram imediatamente que o ar penetrava com facilidade no peito, mas, na respiração subsequente — a cargo da paciente e com bocas separadas —, o *ar era expelido com muita lentidão*, por causa do movimento expiratório cuidadosamente dosado. Sem dizer nada, repito mais cinco ou seis respirações e detemo-nos de novo. Logo diz:

— É ruim. É horrível! Tenho a impressão de que estou aspirando o seu ar e que o senhor pode morrer com isso. Que eu estou aspirando a sua vida.

Consigo mostrar-lhe que sua impressão não equivale ao que está acontecendo.

— Que estamos fazendo exatamente? Eu faço sua inspiração e você resiste um pouco — "não quer o meu espírito" ou o teme. Logo depois, você o "elimina" cuidadosa e completamente.

Como se vê, essa frase inverte o sentido do sentimento: de "temo prejudicar" para "temo ser prejudicada".

Fazemos então mais dez ou doze respirações, agora mais desimpedidas, tanto na inspiração como na expiração; detemo-nos.

Luci parece tranquila; está séria, bastante à vontade. De minha parte, tenho a sensação de ter realizado algo importante. Devo ter me sentido um pouco Jeová!

Há um detalhe do sonho merecedor de melhor exame. Quando imitei o menino, e a paciente fez comigo aquilo que fizera com ele, Luci me mostrou que este se achava deitado sobre o lado esquerdo; ela comprimia apenas a metade direita inferior de seu tórax, ou seja, a região correspondente às seis últimas costelas. Isso me levou a pensar na possibilidade de Luci apresentar uma assimetria nos movimentos respiratórios das duas metades do tórax. Não posso dizer que eu tenha confirmado clinicamente essa representação do sonho. Na verdade, nem me ocorreu fazê-lo, mas em outros casos já pude observar fatos semelhantes, não só com outros pacientes como inclusive comigo mesmo. Ou de hábito, ou transitoriamente, respiramos com movimentos desiguais nas duas metades do tórax. Essa deformação, ou forma respiratória assimétrica, eu a acredito comum, mas não é fácil comprová-la com os olhos, porque a diferença, em regra, é pequena. Comprová-la com as mãos se faz suspeito, pois o contato das mãos com o tórax muitas vezes altera a forma respiratória.

Não estou me referindo primariamente a assimetrias respiratórias de causa orgânica, como seriam um pleuris unilateral ou uma pneumonia lobar; tampouco àquelas devidas a causas fisiológicas, como uma dor intercostal ou uma irritação pleural. Essas que apontei, assim como as que podem aparecer com a tuberculose, tumores de pulmão e em outras circunstâncias patológicas, não nos importam aqui. Das muitas vezes em que observei o fato, não me era dado atribuí-lo a nenhuma dessas causas evidentes e grosseiras. Tratava-se de uma diversidade de amplitude respiratória estritamente funcional e, na definição dos antigos patologistas, *sine materia*. Como disse, esse modo respiratório pode ser ocasional, como também pode ser um verdadeiro hábito. Falamos então com propriedade, ainda que de modo inusitado, em uma má postura torácica, com a consequente respiração desigual nos dois hemitórax.

Mas isso nos adianta tão pouco como o conceito geral de má postura, tido apenas como um vício ou mau hábito. Tenho para mim que a má postura em geral e a torácica em particular devem ser compreendidas à luz da noção de atitude, que tanto se refere à posição do corpo como à posição mental, interior ou psicológica (Wilhelm Reich). Se observarmos com cuidado as pessoas, notaremos que, em regra, os ombros não estão ao mesmo nível; se pudermos contemplar o tórax da pessoa contra um fundo quadriculado, veremos que uma metade do tórax é, geralmente, mais ampla do que a outra. Excluo evidentemente os casos nos quais a assimetria torácica se deve apenas a uma hipertrofia muscular, como acontece com os esportistas que praticam exercícios de predomínio unilateral, como o tênis. Levo em conta exclusivamente as assimetrias toracorrespiratórias posturais ou funcionais — claro.

O exemplo a seguir nos esclarecerá a respeito de como se formam essas disfunções. Consideremos a forma particular de desprezo denominada usualmente "pouco-caso". *A expressão característica do pouco-caso alcança as sobrancelhas, que sobem um pouco; os olhos, que habitualmente olham de cima para baixo e de modo oblíquo; os lábios, com o muxoxo característico do enjoo; a cabeça, que se inclina e gira de leve para um lado; os ombros, que se elevam e abaixam num só movimento rápido (dar de ombros). Pode existir um gesto de pouco-caso, como pode existir uma expressão crônica de pouco-caso.* Essa expressão é habitualmente assimétrica, isto é, uma sobrancelha se eleva mais do que a outra; um dos cantos do lábio se abaixa mais do que o outro; um dos ombros se agita mais do que o outro. É possível, inclusive, que apenas um ombro se mova. A pessoa que dezenas, centenas ou milhares de vezes reagir dessa forma pode, ao cabo de alguns anos, ter essa maneira cronicamente estampada no corpo. O ombro mais alto costuma condicionar alguma assimetria postural e respiratória.

Escolhi deliberadamente um exemplo bastante esquemático; na realidade, as coisas costumam ser mais complicadas do que isso, mas, para o que importa de momento, basta esse exemplo. Com um pequeno esforço de imaginação, pode-se ver a expressão crônica de pouco-caso como muito semelhante à atitude básica de descrença, ou desinteresse diante da vida. Pouco-caso quer dizer "não me importa", "não me interessa", "não vale nada"; depois de alguns anos podemos chegar, se a atitude se fizer preponderante, ao "nada vale nada" — nada tem sentido —, o "espírito" não existe.

Admitida a correlação pouco-caso/descrença, passemos do exemplo genérico para Luci.

Na verdade, Luci não era apenas descrente, era também assustada e acanhada. *Um dos elementos da expressão de susto é também um movimento de ombros, que se espremem. Não raro o acanhado move os ombros como se eles fossem os dois extremos de uma manivela: enquanto um sobe, o outro desce; enquanto um avança, o outro recua.* Se admitirmos que também os movimentos expressivos típicos do susto e da vergonha, depois de se repetirem milhares de vezes, se transformam em atitude, já determinaremos três das atitudes mais importantes de Luci: *pouco-caso* (e/ou descrença), *medo* (apreensão) e *vergonha*. Como se vê, várias de suas atitudes habituais convergem no sentido de dar à posição dos ombros e do tórax uma forma assimétrica. Mas meu propósito, nessa digressão, não era tanto estabelecer as possíveis causas das assimetrias respiratórias, mas, sim, estimar a influência dessa assimetria sobre a pessoa e seus processos mentais, isto é, o modo como se poderia retratar na consciência essa assimetria respiratória.

A respiração desencadeia, continuamente, sensações das quais usualmente não nos damos conta. Dentre elas, destaco a de "ar frio" no fundo das fossas nasais, faringe e terço superior da traqueia;

o ruído respiratório do ar que entra e sai pelo nariz; a sensação de movimento da laringe e das cordas vocais, que mudam ligeiramente de posição com o ritmo respiratório; e, em especial, as numerosas sensações musculares (proprioceptivas) ligadas a todos os músculos envolvidos sobretudo no movimento de expansão torácica, pois em geral o movimento expiratório é bastante passivo, dependendo da constituição elástica do pulmão e da caixa torácica. Mas também o movimento expiratório desencadeia sensações musculares; os órgãos sensoriais responsáveis pela propriocepção respondem tanto às contrações ativas dos músculos quanto às suas distensões passivas.

Desse grupo de sensações, as mais facilmente percebidas são as musculares. Para perceber as diferenças de temperatura e os ruídos respiratórios, é preciso concentrar-se bastante neles; para sentir os movimentos respiratórios do tórax, basta que alguém nos chame a atenção para o fato, ou basta darmo-nos ao trabalho de prestarmos um pouco de atenção nisso.

Uma última sensação deve ser apontada, e eu a ponho fora da lista pelo seu cunho peculiar. É a sensação de "vontade involuntária" — passe o paradoxo. Se nos detivermos alguns instantes para sentir os próprios movimentos respiratórios, logo nos daremos conta de que eles se fazem sozinhos, mas, positivamente, não são contrários à nossa vontade. Nós afinamos ou sintonizamos com eles muito facilmente, da mesma forma como sintonizamos, por exemplo, com os movimentos da marcha. É enorme o grau de automatismo no funcionamento desses músculos, mas é também muito forte a sensação de que nós "queremos" fazê-los, ou "queremos" que eles se façam, ou, simplesmente, a de que estamos de acordo com que eles se façam. Basta tomar consciência da respiração para logo sentir certa superposição entre o automatismo e a vontade, o inconsciente e a consciência, o visceral e o ego. Confirmando essa sensação peculiar do conjunto dos movimentos respiratórios, temos outro fato, extremamente característico. Basta um pequeno esforço de vontade para alterarmos bastante o ritmo, a profundidade ou a própria forma da respiração.

Inclusive, com um pouco de treino, podemos respirar apenas com meio tórax, ou pelo menos mais de um lado que do outro. Com treino um pouco mais apurado, podemos respirar não só com a metade do tórax como mais com a metade inferior do que com a superior, e vice-versa. A vontade, pois, tem ampla influência sobre a forma da respiração, e não só sobre seu volume.

Pergunto, invertendo a frase, se a respiração não teria influência sobre a vontade. É evidente que tem.

Se nos concentrarmos por 15, 20 ou 25 segundos na respiração, e se, durante esse tempo, trabalharmos para que ela não se realize, logo começaremos a sentir uma vontade diferente da nossa, que cresce muito rapidamente e acaba superando todo o nosso querer consciente. *Nenhuma expressão mais clara, mais convincente, da vontade de viver. Nenhuma sensação mais imediata de que em nós reside outra vontade — outro espírito — muito superior ao nosso em força.* Na verdade, um espírito categórico, com o qual podemos brincar até certo ponto, estritamente determinado, e nunca além desse ponto. Ultrapassando-o, essa outra vontade que reside em mim apaga a luz da consciência com a facilidade de uma criança que apaga a chama de uma vela.

Vence o espírito inconsciente e a vida continua, mesmo contra a nossa vontade, mesmo na completa ausência do famoso "eu".

Esse espírito, pois, perdura além daquilo que nos apraz chamar de "nosso espírito"; mantém-se sempre, desde o primeiro grito, com o qual prenuncia sua entrada no mundo, até o último suspiro, com o qual se despede dele. Esse espírito não "morre" em nenhum instante da vida. Passa-se por fome, sede, sono — ele sempre permanece. Cessa a alegria, a tristeza passa, o amor termina, desaparece o entusiasmo, surge a descrença e também ela passa; passam as convicções, os costumes, as ideias e os ideais — morrem todos os espíritos, mas esse não.

Usamo-lo quando falamos. Então, novamente, ele permite que o usemos de mil maneiras diferentes. Ele se deixa formar, deformar, transformar. Ele nos deixa inclusive a ilusão de que é nosso o espírito a animar nossas palavras, nossos são a vontade e o querer.

Esse espírito não se importa com as nossas ilusões; ele está sempre preocupado com uma tarefa muito mais importante — que é manter viva a vida.

Mas voltemos ao tórax que respira desigualmente. É bem provável que nossa respiração tenha, habitualmente, características mais ou menos constantes, comparáveis às de nossa marcha, por exemplo. É bem provável que as transformações do modo respiratório, que ocorrem ao longo da vida, tenham um desenvolvimento lento. Não duvido que um espirograma cuidadoso possa ser tão característico do indivíduo quanto sua maneira peculiar de distribuir o peso do corpo sobre os pés, ao caminhar. Seriam características funcionais da personalidade.

Não é fácil imaginar como pode agir sobre a consciência, e de que modo age sobre ela esse conjunto de sensações rítmicas, frequentemente muito constantes. Ocorre-me desde já a comparação entre ritmo e melodia. A respiração é um dos ritmos fundamentais a que se subordinam todos os fenômenos da consciência; a respiração, ou, mais exatamente, a quantidade de oxigênio inalado a cada instante, é uma medida global bastante precisa de todos os fenômenos celulares que ocorrem em nosso corpo; um retrato da soma de nossas necessidades energéticas a cada instante. Dessa perspectiva, torna-se fácil admitir que esse ritmo primário deva influir sobre os fenômenos da consciência. Quando algumas de nossas atitudes características, por qualquer razão, afrouxam, e quando outras começam a moldar nosso corpo, esse ritmo de fundo se altera. Muda o compasso da dança. Deve mudar a melodia, isto é, os fatos da consciência, todo esse conjunto de pensamentos, mais ou menos fragmentários — ideias vagas, intenções, desejos e temores —, que estão conosco sempre que estamos sozinhos, sempre que conversamos ao léu, sempre que fazemos coisas vagamente intencionais (como a maioria das que fazemos). Devemos sentir então que outro espírito — outra forma dinâmica — ensaia tomar posse de nós; é bem possível que, em seguida, o velho espírito lute contra o novo. *Como temos tão pouca consciência de nossas atitudes quanto da respiração, pouco ou nada percebemos acerca das relações entre ambas.* Torna-se muito provável, então, que as mudanças de atitude sejam percebidas por nós, obscuramente, apenas na forma de mudança de ritmo. Um pouco mais compreensivamente, podem elas ser sentidas como mudança de espírito. A pessoa dirá a si mesma: "Não me reconheço mais"; "Não sei mais quem sou"; "Não sou o que eu era"; "Não sou mais a mesma". Aquilo que era ela passa a sentir-se ameaçado de morte ou muito doente, como a mãe pobre do sonho. Morrendo estava o menino — não a mãe; mas pode viver a mãe enquanto seu filho agoniza?

A mãe pobre e a casa pobre bem podiam representar a velha atitude moribunda. Luci, como figura do próprio sonho, quase taumatúrgica, certa de poder ressuscitar o menino, representava nesse sonho o meu papel, isto é, a influência que eu havia tido sobre ela, ocasionando mudanças. Digamos que Luci me imitava no sonho. Melhor diríamos afirmando que Luci imitava minha atitude. Sei bem quanto me dediquei a ajudar Luci a viver. Sei bem até que ponto fui, durante muito tempo, um outro espírito ao lado do de Luci, que era um espírito de receio, apreensão e descrença. Sei até que ponto meu espírito despertou, no de Luci, uma nova forma de viver. Mas Luci não sabia disso tão bem quanto eu. Por não sabê-lo, *em vez de reconhecer meu papel e aceitar minha influência, Luci imitava minha pessoa.*

Eu poderia dizer que Luci havia tentado roubar meu espírito. Talvez por isso, ao respirarmos juntos, temera estar roubando minha vida. Luci não havia percebido ainda o mistério mais profundo: *estava roubando a vida do seu próprio espírito com a sua apreensão e sua descrença. Seu cuidado na expiração mostrava o esforço para dominar seu íntimo.* Isto é, para levar seu espírito a agir de acordo com propósitos conscientes, em vez de procurar ouvi-lo e deixar-se influir por ele na realização de suas aspirações mais profundas.

Mas o sonho logo corrige esse erro. A fim de manter a vida da criança, Luci não poderia fazer mais nada. *Tendo assumido uma atitude que não lhe era própria*, ela apenas repetiu mais uma vez o que havia feito muitas vezes ao longo de sua vida. As atitudes que assumimos — defensivas diante do mundo — quase sempre são caracterizadas pela imitação de alguém que nos cerca. Essas atitudes imitadas nos aprisionam.

Não sendo próprias, não estando organicamente ligadas ao núcleo vivo de nossa personalidade, mostram-se praticamente incapazes de desenvolvimento. O suporte da videira não cresce com ela. Na verdade, tais atitudes mudam, mas apenas no sentido de sofrerem reforço e confirmação cada vez maiores. A pessoa se faz cada vez mais estereotipada, mais monótona e mais rígida. Luci, imitando-me, assumiu uma atitude que também não lhe era própria; daí o ver-se condenada a fazer pouco mais do que manter-se viva, isto é, a proporcionar à criança uma respiração artificial — mais nada.

Logo depois, surge no sonho um homem não identificado por Luci, que eu chamo de Taumaturgo, por sua ação francamente miraculosa. A criança, animada pela sua música, não precisaria de ninguém que a fizesse respirar continuamente. Luci invejou essa figura e a ela se opôs, mas não teve meios para contrariá-la. Pergunto agora, depois de minha digressão, se o que animou a criança foi a música, ou se foi o ritmo, isto é, o novo ritmo respiratório, o novo espírito. Sinto que essa questão se justifica porque a criança não apenas se animou ao ouvir a música como também começou a dançar.

Agora os papéis se invertem: a vida recém-chegada à criança por intermédio da música alcançou Luci também — a qual dança com ela. De novo, Luci quer roubar, quer tornar próprio o que não foi feito para ela, nem com ela. Mais do que isso: bastante pretensiosa, ela julgou poder ensinar a criança a dançar. Mas ao ensaiar um velho ritmo primário — samba —, Luci atrapalhou-se. Ao invés de ensinar, Luci deveria aprender, com a criança, a participar daquela dança que nascera com a música.

Gostaria de persuadir o leitor em relação a quanto é verdadeira essa interpretação. *Muitas vezes eu vi Luci olhando para mim como se eu fosse um menino.* Muitas vezes ela disse, bastante claramente, que a vida vivida por ela no consultório, por ser boa, era uma coisa impossível, porque o mundo lá fora era muito diferente. Mesmo *experimentando*, no convívio comigo, uma vida preferível à que experimentara até então, Luci teimava em dizer para si mesma que essa vida seria impossível, que esse viver seria um sonho de criança; Luci queria se fazer de professora diante de mim.

Por que era boa a vida no consultório? Porque ali havíamos conseguido um nível de sinceridade, de simplicidade e de espontaneidade que raras vezes se consegue na vida. Diante de mim, Luci alternava o papel de mãe triste, cujo filho está à morte ("Não adianta fazer nada"), com o papel de professora capaz de ensinar como é a realidade para o aluno, de mostrar-lhe que seu viver é um sonho.

Curiosa situação, certamente. Seu modo de estar e sentir-se comigo evidentemente era real, era uma experiência. O esforço de Luci, portanto, era o de *negar para si mesma* que fosse possível uma vida melhor — precisamente aquela que ela estava experimentando. Temia mudar. E, por temer mudar, não acreditava em nada.

Pecado contra o Espírito Santo — que é espírito ele também!

Se o leitor se recorda, retornamos ao sonho a fim de examinar o possível significado da assimetria respiratória. Se nos ativermos estritamente às figuras do sonho e se admitirmos que essas figuras se baseiam em sensações, principalmente musculares, provenientes do arcabouço torácico durante a respiração, então concluiremos que Luci estava respirando principalmente com a metade direita do tórax, e que a metade esquerda estava relativamente imóvel, como acontecia com a do menino do sonho. Todas as pessoas que dormem deitadas sobre o lado esquerdo do tórax respiram dessa maneira. Vigoraria tal disposição também durante a vida acordada de Luci? Como já disse, tendo como base a observação direta, não posso afirmá-lo, porém, durante a maior parte do tempo em que Luci esteve diante de mim, eu a vi encolhida, ostentando uma posição preponderante: *com o ombro direito sempre mais alto, mais para trás e mais "espremido" que o esquerdo.* Posso admitir, portanto, que sua posição de dormir não era acidental, mas obedecia à sua posição favorita durante a vida acordada — ou vice-versa e tanto faz. O sonho e a vida poderiam ter relação mais constante do que se imaginaria, a nos basearmos apenas no sonho relatado.

FOLLOW-UP

O leitor, como eu, deve estar interessado nos efeitos dessa entrevista sobre a paciente. Vejamos então a entrevista seguinte, ocorrida seis dias depois.

Luci entrou, sentou-se e permaneceu silenciosa. Parecia tranquila; havia em seu rosto *certa expressão de procura viva e atenta; procura, talvez, do modo de contar o que experimentara*. Não tentei esconder minha expectativa:

— Como vai?

— Vou bem, passei bem esta semana toda; aquele mal-estar da última vez parece ter desaparecido, quase.

Novo silêncio longo e maior impaciência minha. Pergunto:

— A respiração que fizemos aqui teve alguma influência sobre você?

— Acho que sim. Desde a hora em que saí daqui e durante todo esse tempo, muitas vezes me dei conta de minha respiração; parecia que eu tinha dentro de mim alguma coisa do senhor. Foi uma experiência peculiar, um pouco inquietante, e aquilo de seu existente dentro de mim parecia conter certa força, não sei se de luta, de rebeldia, ou alguma coisa assim.

De novo um longo silêncio e aquela expressão de concentração no rosto. Visivelmente, ela não estava nem distraída nem desinteressada. Parecia, antes, muito disposta a vir ao encontro da minha impaciência; *mas certamente encontrava dificuldade para exprimir algumas das coisas pelas quais havia passado.*

— Dois dias depois da consulta, eu estava deitada e tive uma espécie de sonho, mas permanecia bem acordada. No entanto, as figuras que apareceram denotavam muita força.

> Havia uma fábrica e dela saíam, em filas longas, todos os operários, vestidos de preto. Eu sabia que eles estavam saindo para fazer greve. Depois apareceu outro operário, também de preto; parecia mais agitado em comparação com os demais, *visto que logo organizou em torno de si um círculo de ouvintes* e começou a fazer um longo discurso de justificativa para a greve; falava continuamente, com veemência, expondo ideias de esquerda. Eu ouvia e sabia que esse homem era eu; o

que ele dizia era eu que estava dizendo — só que ele era homem. Seu discurso me incomodava e eu me esforçava para fazê-lo parar, mas ele não parava.

Curioso o seguinte fato: quando Luci falou da minha presença virtual em seu tórax, eu quis representar sua descrição num desenho, a fim de encontrar uma forma gráfica a respeito da qual pudéssemos concordar. No quadro-negro, esbocei os dois pulmões e, aproximadamente no centro da figura, tracei um círculo. Perguntei, em seguida, se era mais ou menos assim seu sentir, e ela confirmou. Como se pode ver facilmente, esse desenho representa, na forma de esquema anatômico, figura análoga à presente no sonho: o círculo de homens com o agitador no centro.

Quase não é preciso mostrar o paralelo perfeito entre o agitador no centro e a sensação inicial que a paciente descreveu — aquela referente a algo meu situado em seu peito, podendo ser tida como rebeldia. Tão importantes, ou mais do que isso, são o próprio personagem e o seu falar. A paciente foi muito clara a respeito: a voz, o dizer, era ela e era dela, mas estava evidentemente na figura de um homem e não obedecia à sua vontade. A relação entre respiração e palavra aparece agora com toda a sua força, e sugere algo mais. Não só eu "inspirara" a paciente como *a obrigara a pensar pensamentos, na certa seus, mas que ela, sozinha, provavelmente nunca teria pensado.*

Essa havia sido definitivamente minha posição ao longo de todo o tratamento, desde a primeira entrevista.

Lembro-me bem dela. A paciente havia chegado às minhas mãos enviada por um amigo comum que me fizera comentários sobre sua vida. Após poucos minutos de entrevista, disse a Luci mais ou menos o seguinte:

— Sinto que estou do seu lado. Você tem vivido parcialmente à margem da sociedade, não conformada com o *statu quo*. Gosto de pessoas assim. Você é naturalmente uma revolucionária, e eu afino bem com revolucionários.

Precisei de muitos meses de trabalho para compreender algo fundamental: Luci evidenciava uma *conduta revolucionária*; apesar disso, seu pensamento era *extremamente conservador*. Posso dizer, portanto, não que infundi meu espírito em Luci, mas, antes, que emprestei voz e dei palavras ao seu próprio espírito revolucionário. O sonho retrata esse fato com absoluta perfeição: a voz era sua, mas quem falava era o "agitador" — vozes em uníssono! Aproximando Luci de Luís (veja adiante), podemos dizer: Luci tampouco desejava ouvir *seus próprios* pensamentos. Precisou ouvi-los de mim antes de aceitá-los. Foi preciso que *minha voz* falasse os seus pensamentos!

Também é importante recordar que o espírito de rebelião é o contrário perfeito da descrença global. A pessoa temerosa e descrente só pode sair dessa posição paralítica à custa de um movimento de revolta ou de reação. O rebelde acredita em algo que não existe — tem fé. Parece que o modelo ingênuo da respiração imposta por outrem havia liberado na paciente suas forças de reação, as quais continham um duplo significado. Primeiro, o significado comum da rebeldia: Luci estava *começando a entender a posição segundo a qual sempre havia vivido* e estava começando a se fazer uma revolucionária consciente. Em segundo lugar, estava reagindo contra sua descrença e sua apreensão. Luci estava começando a fazer-se corajosa. Desse modo, a rebelião contra si e a rebelião contra as coisas tornavam-se um movimento só, suficientemente forte para começar a arrancar Luci do pântano de inatividade quase pastosa no qual vivera anos sem conta.

Em casa, Luci parecia conformar-se com tudo, muito além de todos os limites, e de repente entrava em irritação difusa ou num emburramento solene. Tinha mesmo a fama de briguenta em casa, mas não o era. Era mestra na tática de "luta passiva"; naquele tipo de luta em que uma pessoa mantém-se calada, diante da outra, com uma tremenda expressão de injustiçada. Luci não era muito de palavras violentas, muito menos de gestos decididos ou ações definitivas; apenas se irritava ou emburrava. Essas duas são as formas mais elementares de hostilidade, as mais toscas e menos diferenciadas. Já o sonho nos mostra um tipo de luta bastante organizada: temos uma greve industrial, temos um agitador servindo de chefe, um chefe orientado por uma ideologia bem definida. *Vê-se, pois, que a hostilidade de Luci, ou sua capacidade de reação, havia sofrido considerável moldagem ou diferenciação em relação ao seu estado original.*

Além da primeira consulta, assumi inúmeras vezes a posição de revolucionário, falando, com força, de ideias novas, tentando persuadir Luci, mas não no sentido de trazê-la para o meu partido, e sim para *fazê-la compreender aquilo que fazia.* Repito: Luci tinha um modo de vida bastante livre para seu sexo, sua idade e seu nível social, mas não vivia esse comportamento de modo deliberado e decidido; ela sofria com ele. Todas as minhas arengas tinham como intenção precípua mostrar que as ideias tradicionais positivamente não concordavam com sua conduta; se ela quisesse, de algum modo, unificar-se, seria preciso mudar seu modo de pensar. Mas um observador ingênuo facilmente poderia imaginar que meu trabalho fosse uma tentativa frequente de insuflar meu espírito em Luci, de respirar por ela, de fazê-la dançar de acordo com minha música. Na entrevista, comentei ligeiramente com Luci a questão da hostilidade, do seu emburramento e da sua irritação. Ela não apreciou muito ser chamada de emburrada crônica, mas seu desgosto não chegou a perturbar nossa amizade.

— Além dessa fantasia, tive um sonho também. Este era sonho mesmo.

> Estávamos eu, o senhor e minha mãe. O senhor perguntou se ela gostava de ler de bruços, apoiada nos cotovelos; ela disse que sim. O senhor perguntou, a seguir, se, enquanto lia, ela gostava de ouvir música também; de novo ela disse que sim, que gostava de ligar o rádio quando lia. O senhor prosseguiu perguntando se, ao ouvir a música, ela sentia que dançava. Nessa hora mamãe pensou bem e disse: "Não, eu apenas ouço a música; não tenho vontade de dançar". Então, o senhor concluiu: "Sendo assim, não tendo vontade de dançar, caso perdido". Nesse momento entra em cena uma colega minha que eu acho horrorosa. Queria levá-la até o senhor, ela precisava muito. Enquanto nos preparávamos para ir, ela perguntava o que era preciso fazer; eu disse que bastava soltar-se. Ela achou que, então, seria inútil procurar auxílio, porque não conseguiria soltar-se.

A leitura é o passatempo favorito de Luci. Sente-se compelida a ler — por vezes sem prazer algum — esse gênero de literatura moderna dedicado a dilacerações interiores infindas, de personagens que vivem em desacordo com os padrões tradicionais. Sempre que a sós e à vontade, Luci gosta de ler de bruços, com os cotovelos apoiados na cama. *Essa posição nos lembra, de imediato, a tensão dos ombros, já insinuada no sonho do menino e agora desabrochada.* Se nos pusermos nessa posição — bastante familiar —, logo teremos os ombros para cima, para trás e espremidos. (Mas essa posição é simétrica; a do menino não era.)

Dada sua conduta, dir-se-ia que a leitura desses livros pudesse, de algum modo, esclarecê-la ou animá-la. Mas tal não acontecia. Havia muitos anos Luci percorria esses livros sem encontrar repouso. Talvez por serem, em sua maior parte, desesperadores.

Mas a razão pode ser outra: o livro também tem voz, mas sua voz é impessoal; é uma pura sequência de sinais gráficos sem o sopro vital que anima, sem respiração, sem espírito. É letra sem música. O livro nos fala de si mesmo, com a mais absoluta monotonia, com a mais completa regularidade. *Naturalmente, quando lemos, emprestamos nossa voz ao pensamento escrito.* Mas receio que, ao fazê-lo, possa a música da minha voz alterar o sentido do pensamento que leio; então, a influência do livro se reduz. Talvez se anule. Quando novas sequências de palavras são postas dentro de uma velha pauta musical, feita pelos nossos velhos sentimentos e hábitos, as novas palavras perdem muito de sua força e de sua originalidade. Parece que, para Luci, se fazia necessário que encontrasse o pensamento morto dos livros vivendo num personagem vivo. Parece que ela precisava de alguém para lhe dizer de viva voz, com espírito, o saber procurado e não encontrado nos livros. Não só emprestamos às frases do livro nossa entonação vocal como também, ao lê-lo, bem sub-repticiamente, selecionamos aquilo que lemos, detendo-nos diante de pensamentos familiares e passando, quase sempre de forma rápida, por outros pensamentos com os quais não afinamos. Por isso, uma leitura corrida pouca ou nenhuma influência tem sobre a pessoa, a não ser a de reforçar o que ela já pensa. Mas quando alguém nos fala de viva voz, com algum calor e convicção, faz-se mais difícil a seleção tendenciosa. Podemos ainda omitir um pouco daquilo que não nos interessa, mas o outro dará às coisas ênfase própria, e então ocorre um cruzamento, uma combinação ou uma oposição mais viva de intenções. Se salto uma frase distraidamente, o livro não pode me chamar a atenção; mas se estou falando com alguém, esse alguém pode protestar e me fazer recuar.

Luci, ao ler, muito frequentemente ligava o rádio, ouvindo música ao mesmo tempo que lia. Ela me informou com muita clareza a respeito. Eu lhe perguntei, seguindo o sonho, se ao ouvir música ela sentia que dançava; ela disse que sim. Mostrei um pouco de estranheza diante do fato de alguém ler um livro e ter certa sensação de presença musical e de dança. Mas Luci limitou-se a afirmar que ela fazia não as três, mas as duas coisas ao mesmo tempo: ler e sentir que dançava. Se acreditarmos no diálogo do sonho, então concluiremos que Luci tem salvação, porque sente a dança. Sua mãe não sentia.

Fiquei contente com o sonho e com os reparos de Luci, porque eles vieram ao encontro de uma comparação já feita por mim ao examinar o sonho do menino. Naquela ocasião, por minha conta, havia distinguido na música o ritmo e a melodia. Agora, ao interrogar Luci sobre o sonho, perguntei-lhe se "dançar" podia significar sensação de ritmo, e se "ouvir música" se identificava com aprender a melodia. Ela confirmou muito naturalmente o fato. Via-se que ela não havia usado esses termos simplesmente porque não lhe haviam ocorrido.

Não compreendo bem como conseguia realizar essas duas atividades ao mesmo tempo; mas, aceitando sua declaração, nela encontramos mais um elemento comprobatório de que os livros não podiam influir muito sobre Luci.

Não parece difícil estabelecer uma correlação entre o sonho do menino e o posterior. Mas este último dá um passo avante. No sonho do menino havia a respiração induzida e depois, bem depois, música a inspirar-lhe vida; no sonho seguinte vê-se a respiração (particularmente fácil na posição de bruços, apoiando-se nos cotovelos) e vê-se a respiração na leitura (se lembrarmos, como sempre, que a palavra é fruto da respiração). Mas, dessa vez, *o ritmo aparece juntamente* (na dança). Dir-se-ia que o ritmo vem animar a leitura da escrita. Pode-se ver, nessa conexão curiosa, *uma verdadeira vivificação* do pensamento, ou, se preferirmos uma interpretação menos alegórica, observar, nessa fusão, *a simples aquisição da capacidade de falar em voz alta aquilo que pensamos*. Com o empréstimo de ritmo e melodia ao pensamento escrito, evidentemente ele se transforma em voz falada. Contraprova: na cena seguinte, Luci tenta *persuadir* sua companheira a cuidar de si mesma. Estava implícita no relato de Luci a ocorrência, entre ela e a companheira, de um diálogo vivo e enfático.

Supõe-se que esse sonho marque a morte da descrença de Luci. O agitador político do sonho anterior, com sua força de reação, marcou o fim da depressão desalentada. Nova confirmação desse modo de entender vemo-la no entusiasmo de Luci em cuidar de sua companheira. O fato de trazê-la até mim me põe na posição do taumaturgo do sonho do menino: eu dou vida.

A mãe de Luci era, no sonho, caso perdido, porque não sentia a dança, apenas lia e ouvia música. Faltava-lhe o ritmo. Essa figura provém certamente da mãe pobre do sonho anterior, a contemplar o filho sem ritmo respiratório. A mãe triste não dançou (não reviveu com a música); dias depois, se fez um caso perdido — ela caminhava para a morte, não o menino (na vida do sonho).

A descrença apreensiva de Luci, em vez de ser tida, como o fora até então, ao modo de uma filosofia de vida "justificada" pelos fatos, passa a ser sentida como doença a ser curada (a companheira). *A descrença apreensiva de Luci era uma defesa contra a incerteza do viver e a responsabilidade de comprometer-se.*

Que nos diz Luci a respeito dessa amiga do sonho?

— É minha companheira de trabalho e mal consigo trabalhar a seu lado. Tem maneiras tão constrangidas que basta tê-la diante dos olhos para a gente se sentir mal. Está sempre ansiosa, queixa-se continuamente de falta de ar e tonturas, diz a todo instante que vai desmaiar ou que alguma coisa feia vai lhe acontecer, tem os olhos espantados e é muito tesa.

Não compreendo de todo essa figura do sonho. Luci não causa habitualmente a impressão de muita rigidez; parece, antes, estar imersa continuamente em piche, mas não dá a sensação de estar solidificada. Ela não transmite a impressão imediata de ansiedade respiratória; o apreensivo em Luci está principalmente no sobrecenho. Dele se colhe a impressão de que respira muito pouco, muito devagar e só de vez em quando. No entanto, isso não produz no observador sensação aflitiva. De acordo com os relatos de Luci, porém, eu sei: tanto em momentos de exasperação ou de indignação como em momentos de medo intenso, assim como naqueles de troca de agrados sensuais ou sexuais, aí sim, ela se faz muito dura e reconhece muito bem o fato. Ela se endurece e se alheia consideravelmente. Mesmo tendo trabalhado bastante essa sua maneira de reagir, Luci não tem conseguido soltar-se. Podemos dizer, então: a companheira de Luci no sonho representava a sua reação ante sentimentos veementes ou momentos de abandono.

Como se vê, o sonho é plenamente realista. A amiga concluía ser-lhe impossível soltar-se, e isso acontecia realmente com Luci.

Despida de seu manto, quiçá atraente, de desencanto amargurado, aquela incerteza e desamparo que residem em seu porão ameaçam invadi-la. A amiga "vem" — não se sabe de onde.

Luci teme descontrolar-se.

A arenga do agitador a deixou agitada. Fala com veemência e responde à outra com veemência — duas vozes. Luci logo mais se queixará, como a outra, de falta de ar...

Luci tem classe. Dançar talvez sim, com ritmo e harmonia. Agitar-se, não — não fica bem. Agitada é a *amiga* — insuportável!

Quinze dias após a última entrevista, Luci trouxe mais alguns fatos elucidativos. Por uma coincidência feliz, havia sido convidada a fazer parte de um grupo de teatro amador e representar um papel numa peça em projeto!

— Senti durante o ensaio uma completa incapacidade de controlar minha voz; percebia perfeitamente como devia estar sendo horrível o meu modo de pronunciar as frases; a voz subia e descia quando queria; por mais que eu me esforçasse mentalmente a fim de imprimir à voz certa entonação ou inflexão, ela saía igual e monótona, ou desviava-se por completo. Escapava-me também a altura da voz: às vezes eu me surpreendia gritando sem querer, outras vezes entrava num ciclo do qual nenhum esforço conseguia tirar-me.

Mesmo querendo bem a Luci, seu fracasso me deixou contente. Afinal conseguia fazer, para mim mesmo, que aterrizassem todas aquelas noções quase esotéricas, todas aquelas insinuações confusas, todas aquelas sugestões belas, mas vagas, feitas ao longo desse relato clínico. Aí estava, no completo descontrole da voz, a manifestação concreta de todas aquelas considerações simbólicas. Nem Luci controlava sua voz, nem era ela apenas descontrolada, como muitos seriam levados a crer; a voz de Luci a controlava, pois ela conseguia falar — mas não como queria. Ou seja: Luci não podia controlar nem os movimentos respiratórios, nem a tensão das cordas vocais, nem, possivelmente, a articulação clara das palavras. Todo o substrato fisiológico e mecânico de sua fonação escapava completamente ao seu controle. Poderíamos dizer, em alegoria agora clara, que Luci, quando no ensaio teatral, foi tomada por um espírito totalmente alheio a si mesma, um tiranete intolerante e incontrolável — como o da "outra", um espírito, isto é, uma respiração não própria (como nos seus momentos de emburramento e irritação).

Logo depois, quis saber como era seu processo mental quando lia; havia me ocorrido que ela talvez lesse os diálogos como se estivessem sendo ditos no teatro, imitando com cuidado as prováveis inflexões da voz. Após várias perguntas, pude persuadir-me de que o elemento verbal da leitura de Luci era marcadamente incolor e inexpressivo. Preocupava-se mais em criar a cena e a figura de seus personagens. Enquanto lia, a voz dos personagens dos livros não tinha individualidade e quase não era ouvida por ela. Com esse elemento, creio que seja fácil estabelecer uma ponte entre o caso de Luci e o caso de Luís.

Luci também lutava a fim de não dar voz a seus próprios pensamentos.

Essa pequena frase — um tanto enigmática — contém a maior parte dos numerosos e importantes segredos contidos nas inibições respiratórias.

De outra paciente ouvi, em momento inspirado: "Não tolero ouvir meus pensamentos!"

Duas entrevistas mais e Luci, de acordo com o velho costume, interrompeu o tratamento *sine die*.

Voltou três meses depois.

— Doutor, estou muito assustada! Falando com os outros ou a sós, por vezes me vêm à mente palavras ou frases soltas sem nenhum sentido. Receio dizê-las.

Aconselho-a a dizê-las, sempre que as circunstâncias o permitam.

A custo consegue cumprir a tarefa, e o receio relacionado à voz interior caprichosa vai diminuindo ao longo de dois meses.

Após esse período, retorna.

— Doutor, aquele namorado, sabe? Disse a ele exatamente tudo que precisava. Nunca falei assim em minha vida. As palavras certas vinham sozinhas, muitas delas bastante inusitadas para mim.

Diante desse relato, só me resta recordar o Evangelho: "Quando estiverdes diante dos homens, não vos preocupeis com o que havereis de dizer; o Espírito Santo vos insuflará a palavra certa" (Lucas, 12:11-12).

Dois anos depois, Luci volta, para mais três ou quatro conversas.

Fez muitas coisas no intervalo: iniciou e já está no fim de um novo curso, realizado com bastante interesse e sucesso; descobriu e elaborou novas aptidões; está bem mais animada e decidida. Mas eis o principal: na entrevista, inicia e mantém comigo longa e acalorada polêmica, *durante a qual se mostra tomada de um forte espírito de protesto e crítica.* O fato era absolutamente novo para mim. *Luci fora sempre hesitante no falar, vaga, imprecisa; seu tom de voz era sempre baixo, desamparado e desinteressado.*

O *seu* revolucionário começava a manifestar-se...

Após muitos meses, novo encontro.

— Doutor, aqui aperta [a mão abraça a garganta]. A comida não passa. De medo engulo depressa. Dói aqui [parte superior do esterno]. Estou preocupada.

Logo achamos aquilo que Luci não estava conseguido engolir. Um parente próximo hospedara-se em sua casa havia já um bom tempo. Velha inimizade.

— Tenho feito o possível para não dizer nada contra, para ser gentil, sabe? Quase que só nos vemos à mesa...

Há dois movimentos na garganta de Luci: as palavras que "sobem" e não são ditas; a comida que "desce" e não passa — em virtude da inibição da fonação. Daí os sintomas.

A conversa prossegue.

Logo, pareceu-me adequado perguntar:

— Como é sua voz íntima?

— É meio espantada com as coisas, meio crítica. Gosto dela. É minha.

Faz uma pausa e prossegue:

— Mas ninguém conhece essa voz. Nunca a digo — para fora!

LUTA CONTRA O ESPÍRITO MAU

O paciente, *jovem, mas circunspecto e empertigado*, faz questão de me dar a mão; *senta-se na metade anterior da poltrona, tronco bem a prumo.* Olhando para a esquerda e para baixo, concentrado, começa sua queixa.

— Doutor, há um ano minha vida é um inferno. Tudo começou em março do ano passado, após um banho. Enquanto me enxugava, senti a narina esquerda tapada. Enchi bem o peito de ar e, com a toalha no nariz, soprei com toda força. Imediatamente depois, senti que não podia mais respirar, subiu-me uma onda de calor pelo rosto e fui ficando desesperado...

Olha para mim. Seu fraseado, visivelmente acima de sua cultura, *revela uma teatralidade do tipo calculado*; a estrutura da frase e as inflexões da voz parecem feitos para produzir um efeito — *por isso fez a pausa e olhou para mim.* Vê que acompanho interessado e sério. Gosta.

Ele não sabia o que me passava pela mente. O início de seu relato me havia feito pensar na *bhastrika*, respiração hindu que facilmente produz congestão na cabeça e perda do ritmo respiratório.

Qualquer que fosse o motivo, o fato é que eu estava interessado, e isso foi bom para ele. Estivesse eu despreocupado e teria achado graça na sua maneira de relatar o drama, à maneira de Buster Keaton, o cômico supersério. Não teria sido bom para ele.

— Não sei como, voltei a respirar. Fui à cozinha, comi alguma coisa e estirei-me diante da televisão, ainda preocupado com o que acontecera. Senti de repente algo que apertava aqui — aponta o epigástrio. Não podia respirar de novo.

Faz uma pausa. Em minha mente surgiu o diafragma.

Ele me consultou outra vez, com os olhos. *Viu que o efeito dramático havia passado*; agora, eu apenas queria ouvir a continuação.

— De então para cá, não faço outra coisa senão respirar de propósito, com a impressão constante de que a respiração vai parar.

Enquanto ele dizia isso, eu olhava para seu tórax, relativamente pequeno e muito parado. Peço-lhe que se levante e tire o paletó. Confirma-se a impressão de tórax modesto. Tenho para mim que uma pessoa dada a respirar de propósito durante um ano deveria ter um tórax de fazer inveja a um halterofilista. Algo não está certo no que o paciente diz. Convido-o a pôr o paletó e prosseguir. Ele não estranha meu pedido; acha natural o fato de o médico examinar *in situ* sua dificuldade.

— Queria que o senhor me visse à mesa, doutor. Cada bocado que vai à boca me assusta. Fico fazendo assim — imita — o tempo todo.

O "assim" merece descrição: o paciente abre a boca e a move como se quisesse respirar "comendo" o ar, comendo com lábios e boca, sem deglutir. Enquanto a boca faz "assim", *a forma do tórax permanece praticamente invariável.*

Na verdade, o paciente respira pouco, mesmo quando julga estar respirando "de propósito". Todo seu tórax apresenta-se armado: ombros altos e para fora, coluna reta.

Digo-lhe:

— Essa parte eu compreendo um pouco. Veja.

Faço no quadro-negro o esquema da faringe.

— Quando respiramos, o ar entra pelo nariz e vai para a traqueia; conhece os nomes?

— Sim.

— Ótimo. Quando deglutimos, a comida vai da boca para o esôfago. Vê?

— Sim.

— Aqui há um cruzamento entre a via digestiva e a via respiratória. No momento exato em que engolimos, ficamos um instante sem respirar. Caso contrário, a comida iria para o pulmão.

— Sei...

Na consulta seguinte, o paciente trouxe esta explicação, já obsessivamente elaborada:

— Sabe o que o senhor me explicou ontem, doutor, sobre a comida?

— Sim.

— Fiquei com medo. Não sei se vou morrer com falta de ar ou de fome... Na mesa é uma tragédia, doutor... Faço assim sempre.

E repetiu seus gestos.

— Não posso ficar parado, doutor, fico o tempo inteiro fazendo assim — boca de peixe. E assim — *levanta-se e dá passos curtos em todas as direções, principalmente para os lados, fazendo o peso do corpo passar incessantemente de uma perna para a outra.*

Seu balé contínuo — ainda quando sentado — já havia me incomodado bastante, mesmo antes de ele falar no assunto, pelo seu significado de impaciência. O pior no caso não era só a impaciência; era também o esforço — igualmente contínuo e sempre malsucedido — para controlá-la. É possível afirmar que na respiração, como nas pernas, o paciente percebia mais o esforço de *fazer*; mas, para o observador — para mim pelo menos —, impressionava mais o esforço ineficiente constante de controlar sua agitação.

Nesse momento da entrevista ocorreu algo divertido. Como permaneço no consultório de sete a nove horas por dia, não me resigno a ficar sentado o tempo todo. Sempre me levanto e passeio de cá para lá. Quando há clientes novos, explico-lhes minhas andanças em uma frase, para que não estranhem. E assim também havia feito no caso em questão.

Logo que o paciente, pondo-se em pé, imitou seu trocar de passos, minha liberdade garantiu a dele e, daí por diante, ele se levantava — como eu — e dava livre vazão à sua inquietude de corpo.

A palestra ficou divertida, com dois andarilhos à solta numa saleta mobiliada de três metros e meio por dois e meio!

Descritos os sintomas pelo paciente, passei a controlar um pouco mais o diálogo, interrogando-o sobre suas condições gerais de vida.

— Trabalha?

— Sim.

— Em quê?

— Escritório.

— Vai bem?

— O trabalho sim; eu não. O lugar é ótimo, foi arranjado por um parente, bom mesmo. Mas tenho de fazer muita força para ficar quieto!

— Há quanto tempo trabalha nesse emprego?

— Um ano.

— Um ano?

— Sim.

— Então sua doença começou junto com o novo emprego?

— É... Isso mesmo, doutor! *Começou uma semana depois de eu ter mudado de serviço!* Não compreendo, doutor... Meu serviço anterior era péssimo. O chefe de seção tinha uma habilidade danada para humilhar a gente, tratava todos como escravos. Era de chorar. Às vezes eu ficava horas imaginando o que fazer com esse chefe: esmurrá-lo, esmagá-lo, estrangulá-lo... Fiquei três anos nesse lugar. E, quando passei para o novo emprego, tão mais à vontade...

O paciente ainda estava impressionado demais com seus sintomas e a situação da consulta para dar a esse fato todo o seu valor. *Mas não lhe escapou de todo a estranheza da constatação.*

— E em casa? Como são as coisas em casa?

— Bem... — volta o ator. — Hoje em dia não está muito ruim. Mas, sabe, para mim, desde pequeno, a hora de comer sempre foi um suplício. As outras também. Meu pai é exigente. Grosseiro. Injusto. Vive gritando, exigindo, criticando. Mamãe responde pouco, muito pouco. Desde pequeno fico o tempo inteiro da refeição... *engolindo raiva. Ou medo. Ou os dois.* Depois que cresci e comecei a trabalhar, passei a brigar com meu pai. Um dia falei para ele que tudo aquilo estava errado, e as coisas melhoraram um pouco. Discuti com ele em muitas outras ocasiões; mais de uma vez senti que acabaria brigando, então saía às pressas — sabe, com o pai não se deve brigar, não é?

— Seu pai era tão ruim como seu primeiro chefe — parece.

— É. Difícil escolher.

— Bem, acho que já entendi o grosso de sua doença, sabe? Desde pequeno você se controlou. Controlou sua raiva, seu medo, sua mágoa. E é isso que eu vejo em você. Um rapaz controlado. Todo o seu jeito é medido, pensado, composto, arrumado; muitas vezes você parece um ator reproduzindo gestos e posições ensaiadas. Você sabe que é assim?

— Não sei...

O paciente está disposto a ouvir e verificar; não foge do assunto, mas o que eu lhe disse, *ainda que luminosamente evidente para o observador*, visivelmente não o atingiu de fato.

— Vamos tentar de outro modo. Você tem fama de rapaz muito sério, controlado, responsável, não tem?

— Isso eu tenho, sim!

O caminho servia.

— Tenho, demais. Sou tão carrancudo que ninguém quer ser meu amigo. Com a doença, meu jeito se fez antissocial. Não falo com ninguém, estou sempre pronto para brigar.

Também durante a verbalização de sua percepção de si, o paciente reconhece bem mais sua impaciência do que seu controle.

— Sua doença, o que ela é? Esforço contínuo para controlar sua respiração e seus passos, certo?

— Sim!

— Veja: controlar. É difícil dizer se você sofre de muita raiva, o que exige controle férreo, ou de um controle férreo que o deixa enfurecido — como animal selvagem enjaulado. Basta enjaular um animal para que ele se enfureça.

Vejo que ele entende precariamente minha inversão do problema.

— Há mais. Você piorou quando seu emprego melhorou, certo?

— Certo.

— Por quê?

— Não tenho ideia. Parece bobo piorar quando se melhora.

— Parece mesmo. Acho que você piorou pelo seguinte: em pequeno, a presença do papai foi criando em você um forte controle — isso não é claro?

— É.

— Depois, o controle foi mantido pelo chefe ruim, como se ele fosse o papai. Os dois tinham certo poder sobre você, não é?

— É.

— Quando você passou a ter um chefe razoável, toda a força que papai e o chefe ruim faziam para mantê-lo controlado desapareceu. *Você se sentiu livre — ou poderia ter se sentido.* No entanto, você passou a fazer *toda* a força do controle — que aumentou. Ficou esmagado, oprimido e preso por esse seu controle. Antes, a sua obrigação de controlar-se vinha *de fora*. Agora você se controla *por dentro*. Sabe? É como se um tigre *engolisse* a jaula!

— Sei...

O paciente acompanha em parte o que lhe digo. Tem certa dificuldade intelectual para apreender a explicação, está preso a interesses divididos que o impedem de ouvir bem; seu interesse está — posso vê-lo — em sua contínua vigilância *contra seus movimentos e sua respiração*. Parece mesmo um animal acuado, prevenido contra tudo. Nesse caso — pessoa jovem, surto neurótico recente —, era muito evidente o que estou descrevendo, e, se puséssemos em palavras sua atitude, assim se resumiria: "Estou desconfiadíssimo 'disso aqui' [o corpo], que vive fazendo coisas estranhas, exigindo de mim uma vigilância e um controle permanentes".

— Sabe, costumamos dizer que o autocontrole é uma coisa que fazemos na mente, na cabeça, com "força de vontade". Digo a você que controle é uma coisa que fazemos com os músculos. Estou vendo você todo armado e teso — e o imito. Você está se segurando como se fosse duas pessoas: uma, inquieta, enraivecida e magoada, agitando-se continuamente como que para livrar-se — não sei do que; a outra, segurando com força a primeira, retesando-se toda para imobilizar a desesperada. Percebe?

— Acho que sim...

Seu olhar um pouco vago apreende mais e melhor o que lhe digo do que sua inteligência. Percebo que sua vigilância permanente cria nele algo semelhante a um transe hipnótico espontâneo — fixação ocular ao vazio. Nesse estado, as pessoas "ouvem" e "entendem" mais do que conseguiriam repetir se depois isso fosse solicitado a elas.

Como primeira consulta, pareceu-me suficiente. Acertamos detalhes de medicamentos, vi receitas anteriores — em uma delas, modelo acabado de "chumbo fino", havia dezesseis medicamentos inteiramente heterogêneos, de beladona para o estômago a testosterona — e combinamos horários e preço. Pude ser enfático com o paciente, dando-lhe esperanças, porque o essencial da neurose já me parecia de todo claro, e porque toda a minha conduta durante a entrevista *havia obedecido a um padrão sugestivo, algo dramático, decidido e seguro*. Dependia esse modo da minha certeza prévia sobre a natureza do distúrbio; do modo do paciente — igualmente dramático, enfático e... inseguro; de seu estado de transe permanente, predisposto à sugestão; da personalidade relativamente limitada e de suas circunstâncias vitais, também limitadas. Personalidade não muito elaborada, ansiosa de cura e não de explicações, apta para uma e não tão apta para as outras.

Propus uma psicoterapia breve mas intensiva e profunda — em certo setor.

Assim ficamos.

Na segunda entrevista o paciente veio bem. Gostara da primeira consulta e passara por vários períodos de tranquilidade havia muito não experimentados; adquirira certo grau de esperança e confiança. Não tem novidades a acrescentar. Proponho:

— Da outra vez ficou clara sua dificuldade respiratória. Você disse que tem de respirar sempre — imito-o. Pelo que vi, você faz sempre *muita força para conter a respiração*. Vamos ver de perto sua respiração para desfazer essas dúvidas.

Vamos a outra saleta e ele se deita no divã, de costas. Fica parado um minuto e logo diz:

— É ruim, doutor. Vê, minhas pernas precisam se mexer.

— Pode se mexer à vontade.

— Não é só "lá". É aqui também — aponta o epigástrio. Incomoda.

Vi logo que seu tórax permanecia praticamente imóvel, resumindo-se o respirar a uma excursão modesta do diafragma. *Seu todo se mostrava finamente vigilante.*

— Em casa deito sempre de lado; incomoda menos.

À palpação, os retos abdominais estão contraídos. Abdome de peritonite difusa! Não há dor; apenas "é ruim".

— Você respira pouco com o peito. Vamos fazer uma coisa: você vai se pendurar nesta barra fixa — há uma no meu consultório — pelo tempo que aguentar; pendure-se pelas mãos, com os braços fletidos. Vamos ver se assim você, por fadiga, relaxa os ombros e depois respira melhor.

Ele obedece, um pouco hesitante. Sinto que põe em dúvida o cunho físico de seus males, e sei, também, que isso é pretexto para algo mais sério: mover o imóvel. Sei, ainda, que ele acha um pouco ridículo fazer ginástica no consultório — reação de sua fachada convencional de controle. Sei, enfim, que não lhe apraz exibir suas forças em público — por duvidar delas.

Eu tinha elementos para explicar essas coisas ao paciente, mas achei melhor cuidar primeiro do principal.

Ele se eleva na barra fixa, permanece um segundo ou dois e logo desce.

— Não aguenta mais tempo?

— Aguento, doutor, mas logo que subo piora aqui — o epigástrio de novo.

Basta pendurar-se a uma barra fixa para compreender o que aconteceu. Há o aumento da tensão nos retos abdominais, a fim de que a coluna lombar não sofra uma extensão excessiva. Essa tensão abdominal bloqueava *de todo* o único lócus respiratório do paciente — que era o diafragma. Daí o mal-estar. Peço a ele que mesmo assim repita o exercício. Ele o faz duas ou três vezes. Depois para, em pé; começa seu balé e, com olhar distante, recordando, diz:

— Sabe, doutor, aos 14 ou 15 anos eu quis ser lutador de boxe. Foi um sonho. Pensei e desejei ardentemente, meses a fio. Um tio disse que me ajudaria, mas não deu em nada.

— Achei!

— ?

— Seus passinhos! São de lutador de boxe! Idênticos!

— É... Sabe, doutor, eu fazia exercícios diante do espelho seguindo minha imaginação. Assim...

E os faz. *Faz-se leve e ágil, move-se bem, bem integrado, harmonioso, quase musical.* Empertigamento e impaciência se fundem, com propriedade, numa imitação de boxe que é mais dança do que luta. Gostoso de se ver.

Mas pouco dura.

— Bobagens, doutor!

O fato é que a bobagem lhe fez muito bem. Seu rosto parece feliz, macio, presente, bem juvenil e entusiasmado, não lhe faltando o toque melancólico que envolve todo sonho não realizado.

— Bobagem nada. Você não vê que essa é quase a solução para a sua dificuldade? Nem explodir violentamente, como você teme durante os sintomas, nem controlar-se de todo, como você tenta fazer sempre que pode. A solução é lutar — lutar bem. Você imitou bem a luta e seu rosto ficou feliz logo depois.

— O senhor acha?

— Eu não acho. Eu vi. Olhe, você vai fazer isso em casa sempre que se sentir mal. Você vai imitar um lutador. Isso lhe trará alívio, garanto. Mas quero que imite mais um pouco agora.

Ele o faz. Mas já perdeu a espontaneidade. Reitera ataques mecanicamente — sempre os mesmos. Perdeu a versatilidade.

Digo a ele o que vi. Ele concorda.

— Você ficou envergonhado por estar "fazendo de conta" diante de mim?

— Fiquei.

— Via-se. Você começou a controlar o lutador e ele virou robô. Acho que não foi vergonha, não; creio que foi medo. Disse a você da outra vez que você era dois, um que queria brigar e um que segurava o primeiro, lembra-se?

— Sim.

— O "outro" segurou você agora. Veja como dá certo. As partes mais presas que vejo em você são o peito e a barriga. É a área por onde passariam os braços de um amigo que o segurasse por trás, a fim de evitar que você brigasse.

Ele entrevê minha descrição, mas não a vê claramente.

— Vamos fazer.

Agarro-o por trás e passo um braço sob seus braços e outro sobre sua barriga — firme.

— Agora imite bem a situação. Eu sou seu amigo e estou segurando você para não brigar. Você vai forcejar para se livrar de mim e continuar a luta.

Ele o faz, primeiro timidamente, depois, animado por mim, com mais ímpeto. No fim está quase bom — e lhe digo.

Descontente com o quase, ele comenta, enquanto veste o paletó:

— O chão estava escorregadio, doutor....

— É fato. Eu pude segurar firme porque tenho sola de borracha nos sapatos; você, com sola de couro, escorregava no encerado. Não faz mal. Na próxima vez você terá sua revanche.

Na terceira entrevista ocorreram três coisas importantes.

Logo que me vi diante do paciente, tive o ímpeto de encenar um murro inesperado em seu estômago, para ver o que ele faria. Mas contive meus impulsos desordenados e... sentei-me, guardando a fantasia para exame ulterior.

Ele ficou em pé e, *numa flagrante imitação dos meus modos nas duas entrevistas prévias*, e esquematizou algo de sua vida no quadro-negro, desenhando.

— Eu queria ser boxeador. Mas era miúdo. Então achei que devia fazer halterofilismo primeiro, para ficar forte. Aí está.

O que ali estava era seu sentimento de inferioridade física — falso, como se verá. Deixa o quadro-negro, retorna a seu "passo de boxeador" — meio vivo, meio harmonioso — e prossegue:

— Antes daquele serviço ruim tive outro, parecido. Mas então não me revoltava contra o chefe, e sim contra um companheiro. Uma vez discutimos feio. Ele disse coisas e eu quis bater nele. *Os colegas me seguraram*, dizendo que o escritório não era para aquilo. Deixei passar. Depois fui ao reservado, que era espaçoso, e o esperei lá. Ele veio. Pedi que, se fosse homem, repetisse o que tinha dito. Ele foi homem. Mas, enquanto falava, eu estava enormemente atento a ele, estudando sua posição e a minha, seu jeito, pensando em como eu faria para alcançá-lo. Quando ele repetiu, eu já sabia direitinho o que fazer. *Dei-lhe um murro "total" na boca do estômago* e esperava que ele se curvasse, assim eu lhe daria outro na nuca. Mas o primeiro o jogou longe e ele bateu na parede. Depois voltou e foi feio. Fui despedido...

Deixo que o momento de reminiscência se atenue e depois comento:

— Murro no estômago; é onde você sente o pior de seus sintomas, não?

— É.

— Veja bem: você vive prevenido como uma pessoa que teme receber a qualquer momento um soco na boca do estômago.

— É mesmo. Estou sempre assim.

— Sempre vigilante também.

— Sempre, doutor. Também aqui com o senhor. Quando ficou em pé, na primeira vez, eu estava sempre observando o senhor. Faço assim com todo mundo. Sempre pronto para o ataque.

— Não é bem isso. Sempre pronto para a defesa, não?

— É...

— Isso é estranho. Afinal, você sabe tão bem quanto eu que as pessoas não vivem se esmurrando a toda hora, não?

— Sei, claro.

— Será que você vive esperando um ataque que você sabe improvável, ou será que vive sempre se defendendo — sem saber de quê?

— Acho que é isso...

— Sua fantasia de luta também é frequente, não? Ela apenas retrata sua defesa.

— É demais, doutor. Imagino coisas horrorosas contra os outros. Cada luta bruta! O chefe, papai, qualquer um que me diz alguma coisa atravessada. Horas a fio. Esmurro, esmago, piso, chuto, amasso...

— Mas quem fica machucado é você. Durante suas crises, você disse que se sente esmagado, que teme ver seu sangue sair pela cabeça...

— É...

— Acho que as coisas começaram com papai. À mesa. Cada vez que papai berrava ou protestava, você se encolhia para se segurar — para segurar a raiva, o pulo, o murro. Mas veja: quando eu me *encolho bruscamente*, é como se estivesse me defendendo não de um grito, mas de um murro. Faça e veja.

Ele faz.

— É assim. Mas note que o encolhimento brusco — bem rápido — é quase como um golpe que eu dou em mim mesmo; ao contrair a barriga com força, dou um safanão nas minhas tripas — e atrapalho minha respiração. Quando — no dia do banho fatídico — você assoou o nariz com toda força, você fez o mesmo gesto *de barriga* de uma pessoa que se encolhe bruscamente; o mesmo gesto de alguém *que se defende* de um murro na boca do estômago. Faça.

Ele faz.

— É mesmo!

— Uma coisa é o golpe rápido que nos dão ou que damos contra nós mesmos — quando nos encolhemos. Outra coisa é *ficar* teso defensivamente; ficar muito tempo prevenido. É sufocante. Para respirar, os pulmões precisam encher-se de ar — expandir-se; para isso, o tórax precisa se alargar para os lados e para baixo. Se você está todo contraído como forma de defesa, o tórax não pode se alargar — e você se asfixia, fica aflito, angustiado, desesperado.

Foi assim na terceira vez.

Disse antes que o paciente parecia ter sentimentos de inferioridade física e também que eram falsos; ele estava apenas amarrado pelo seu controle compulsivo. Estava com sua *liberdade de movimento* muito reduzida — principalmente a respiratória. Por isso tinha medo. Sua inferioridade era real, mas não anatômica, e sim *funcional*.

Poderíamos, em paralelo com a clínica médica, chamar essa síndrome de "síndrome funcional de redução da capacidade de movimentos e de respiração". O indivíduo, subjetivamente, sente-se tão diminuído *em suas forças reais* como um cardíaco ou um parético. A atribuição desse sentimento ao corpo miúdo foi uma racionalização.

Nas três entrevistas seguintes, ocorreram ou foram relatados episódios ilustrativos.

Na primeira, para fazê-lo respirar, uso o método proposto por Ladislas J. von Meduna para tratamento de neuroses, porém modificado.

Peço ao paciente que acople hermeticamente ao nariz e à boca, com as mãos, uma sacola de plástico com mais ou menos 35 x 25 cm. Desse modo, respira-se em circuito fechado; ocorre um acúmulo de gás carbônico no sangue, sendo o gás carbônico, sabidamente, um notável estimulante da respiração. O paciente respira sentado. No fim de cada inspiração, detém-se por alguns segundos, agita as pernas daquele jeito conhecido e a seguir expira.

O mais notável da situação foi o seguinte: o paciente conseguiu, em cada uma das três vezes sucessivas, respirar mais ou menos quinze vezes dentro da sacola. Os quinze movimentos respiratórios, se houvessem sido registrados em gráfico, ter-se-iam mostrado *muito semelhantes* entre si na frequência e na amplitude, sendo esta, sempre, notavelmente limitada. *Não sei de que modo é possível tolher a tal ponto as excursões torácicas contra o poderoso efeito estimulante do gás carbônico.*

Na entrevista seguinte, o paciente traz uma descoberta pessoal.

— Fui visitar um amigo cuja irmã toca piano. Animei-me a cantar e piorei de início, mas logo me senti muito bem; comecei a respirar mais aqui — apontou o peito.

Explico-lhe que o canto exige de nós, ao mesmo tempo, maior amplitude e melhor controle respiratório.

Ainda nessa consulta, o paciente refere, entre muitos sonhos confusos de briga, um mais claro.

> Talvez fosse uma revolução. Eu lutava contra um homem que ia me matar. Consigo desarmá-lo e fico com o revólver — não sei se era; era uma arma

grande que pus na cintura e tinha, ao mesmo tempo, de segurá-la, para que os outros não vissem.

Ao mostrar espontaneamente como carregava a arma, faz o gesto de segurar algo contra a boca do estômago, o lugar de sua defesa.

No fim dessa entrevista, faço-o deitar-se de costas no divã e, durante três a quatro minutos, peço-lhe que respire contra a pressão firme feita sobre seu tórax pelas minhas mãos — uma sobre o esterno e a outra junto às últimas costelas.

Suas pernas se agitam a cada respiração. Após o exercício, fica *visivelmente assustado e aliviado ao mesmo tempo.* Tenta respirar, tenta sentir-se e experimentar-se no curso de vários movimentos respiratórios. Depois comenta:

— Doutor, aqui está leve! — as duas mãos sobre o epigástrio. Enquanto o senhor apertava, eu sentia uma tonelada sobre mim — a força que eu fiz não era tanta... Agora... agora eu não sinto isto aqui: está leve...

Entendi assim esse relato: eu o fiz multiplicar, talvez por quatro ou cinco, *a força muscular que ele habitualmente exercia no tórax.* Ao voltar ao normal, essa musculatura, agora fatigada pelo esforço, relaxara.

Esse caso, com seu esquematismo "de livro", nos mostra muito bem que a "atitude respiratória" (ou a atitude inibidora da respiração) associa-se organicamente com a atitude global, sendo sempre artificial isolar uma da outra.

A coluna vertebral é o eixo estático e dinâmico de todos os movimentos e posições do corpo; costelas e diafragma estão anatômica e funcionalmente ligados a ela. Portanto...

Podemos dizer que o paciente sofria de uma excitação crônica do núcleo reticular mesencéfalo, vivendo por isso num *estado de alerta* permanente. Esse estado *o fazia ver perigos* (ou ataques potenciais) em quase tudo, alimentando-se assim, em circuito fechado, a atitude de defesa/ataque.

O que ele aprendeu comigo deve ter sido suficiente — para o momento. Não retornou após a oitava consulta. Soube por telefone que se sentia melhor e havia iniciado um namoro, o que era inédito para ele.

SOLO E DUAS VOZES

Luís, recém-saído de um surto esquizofrênico, naquele dia entrou no consultório *com maneiras, também recentes, de menino obediente, gentil e delicado.*

— Como vai? — pergunto-lhe.

— Vou bem — diz ele.

Nosso diálogo é sempre bastante lento. Entre cada pergunta e cada resposta — assim como entre a resposta e a pergunta seguinte —, decorrem muitos segundos.

— E a falta de ar? — pergunto eu.

— Senti várias vezes.

E, logo depois, *com uma expressão de ligeira desconfiança e demonstrando não gostar de falar muito no assunto*, acrescenta:

— Os ruídos em minha volta muitas vezes me incomodam.

Depois da pausa habitual, volto a perguntar:

— E as palavras que se repetem na cabeça? Ainda estão aí?

— Estão... Mas agora elas fazem de outro jeito.

— Qual é o jeito?

— Parece que alguém às vezes fala.

Sua expressão *é a de quem procura caracterizar um fato muito vago.*

— Fala de quê? — pergunto.

Ele hesita, escolhe as palavras e depois diz, lentamente:

— Dizem que eu preciso mudar.

— Dizem? São várias vozes?

— São...

— A voz é de homem ou de mulher?

— Não sei bem...

— Parece ser uma pessoa falando em vários tons de voz ou várias pessoas falando?

— Acho que a primeira opção.

— A voz é de homem ou de mulher?

— Não sei.

— Você acha que essa voz é sua amiga ou sua inimiga? Ela lhe faz bem ou lhe faz mal?

— Não sei, acho que faz mal.

— A voz se dirige diretamente a você, como se fosse a outra pessoa no diálogo?

— Não, não é assim. Ela fala, só. Nem fala; vem à cabeça.

— Vá ao quadro-negro.

Ele se levanta, achega-se ao quadro e pega um giz.

— Você vai tentar fazer um desenho ilustrando o seguinte título: "Duas vozes — a sua e a outra".

Ele hesita bem pouco e logo rabisca no quadro-negro um bonequinho humano; depois, traça um risco vertical passando pelo meio do boneco. Olha um pouco o que fez e diz:

— É isto: uma pessoa dividida.

— Gostei do seu desenho, mas gostaria de ampliá-lo um pouco. Diga, como é que se forma a voz em nós?

— A voz é um som.

Para um pouco e acrescenta:

— Sai da garganta.

— E qual é a força que produz o som?

— Eu acho...

Hesita. Evidentemente não tem certeza.

— ...

— O ar da respiração, não é?

— É!

— Muito bem. Então aqui, no canto, você vai fazer uma pessoa dividida ao meio, como se fosse constituída por duas pessoas, mas vamos representar só as partes que interessam à voz. Desenhe aqui uma boca e, ao lado dela, outra boca, porque a voz sai por ela.

Ele desenha. Depois lhe digo:

— Logo abaixo da boca, faça um tubo de ar, tanto de um lado como de outro.

Ele faz.

— Nesse tubo, você vai fazer um rabisco indicando a garganta, que é onde nasce a voz.

Ele faz.

— Aqui embaixo do tubo você vai desenhar dois foles, que são os pulmões; é o ar dos pulmões que faz nascer a voz.

Ele desenha os dois foles.

Ficamos ambos contemplando o desenho durante algum tempo e logo me ocorre uma compreensão intuitiva da sua falta de ar. Com certo entusiasmo, digo a ele:

— Você não está vendo?

Tomo o giz, faço um círculo incluindo os dois foles e prossigo:

— Veja, aqui nós colocamos dois foles para cada tubo, mas ninguém tem dois pares de pulmões, nós temos apenas dois pulmões, que acabam num só tubo para cada pessoa. Certo?

— Certo.

— Então, você não está vendo? *Seu pulmão tem de funcionar muito bem para produzir duas vozes ao mesmo tempo.* Você não acha que ele acaba ficando atrapalhado?

— Acho que sim.

Em seguida, traço uma linha senoidal e digo:

— Olhe, esta é a sua respiração comum, que acompanha a sua voz normal.

Depois traço outra linha sinuosa, diferente da anterior, e explico:

— Veja, para produzir a outra voz que vem à sua mente, seria necessária esta respiração. Compare as duas linhas e descubra se é possível fazer as duas respirações ao mesmo tempo. De forma mais clara: *você seria capaz de cantar com duas vozes ao mesmo tempo?*

— Acho que não.

— Aí está, provavelmente, o ponto principal de sua dificuldade respiratória. Ao chegar à sua mente, a outra voz teria de ser falada também. Mas, para a outra voz falar, seria necessário combiná-la com a sua maneira habitual de falar e de respirar. *Uma interfere na outra, você perde o ritmo respiratório e passa a não saber mais como respirar*. E a não saber o que está dizendo. Na verdade, sua dificuldade não está, primariamente, na respiração. Sua dificuldade está, antes de mais nada, nessa impossibilidade de falar duas vozes ou exprimir dois pensamentos ao mesmo tempo.

O diálogo prosseguiu e fiz a Luís uma porção de perguntas. Usando as respostas dadas e recordando fatos anteriores, pude montar para ele o seguinte esquema:

— Parece que essa outra voz que vem à sua mente representa três coisas ao mesmo tempo: ela é, primeiro, um resumo das vozes de todas as pessoas que estão à sua volta com expressão de protesto pelo fato de você estar sempre deitado, sem produzir, sem fazer coisa alguma e dando trabalho para todos.

Em segundo lugar, essa voz representa também o *meu* pensamento. Muitas vezes, quando estou na sua presença, sinto-me dividido. Parte de mim compreende que você está doente, que precisa de cuidados e que é justo que você viva como está vivendo. Mas a outra parte talvez fique um pouco invejosa da boa vida que aparentemente você está vivendo, sem obrigações, sem deveres, sem horários nem compromissos.

Enfim, essa voz representa também o pensamento de outro fragmento seu, aquele que acha — ele também — que você deve mudar. Você tem vivido e experimentado coisas muito difíceis e penosas nessas últimas semanas; quando sobrevém um momento de tranquilidade, você não quer saber de nada e não quer fazer nada. Você já acha que a vida está muito boa quando ela não está ruim demais. Então você não faz nada. Vejo essa vontade na sua atitude. Você entrou aqui hoje, e outros dias, *com aquele jeito de menino bonzinho* sobre o qual já lhe falei. Você está disposto a concordar e a ser gentil, contanto que ninguém o obrigue a nada. Não acredito que você seja uma pessoa propriamente preguiçosa; mas parece que você está assustado e faz o possível para deixar tudo como está. Não acha?

Depois de me ouvir com atenção, Luís concorda com um aceno de cabeça.

— Parece, então, que essa última voz representa uma espécie de reação em você contra essa inércia, essa indolência, essa inatividade em que você se encontra. Pensando assim, digo que essa voz é uma boa voz; ela deve ser ouvida e seguida, não acha?

— Acho.

— Então, de hoje para amanhã, você vai experimentar fazer o seguinte: sempre que sentir a perturbação respiratória, procure ficar presente em relação a si mesmo, procure ouvir dentro de si essa voz. Se você for ao encontro dela, creio que ela se mostrará amiga. Ao mesmo tempo, se você fizer isso, creio que sua falta de ar melhorará.

Se você conseguir substituir o esforço impossível para fazer que duas vozes falem ao mesmo tempo pelo trabalho de deixar falar primeiro uma e depois a outra, então você não terá falta de ar.

Naquele dia, paramos aí.

No dia seguinte, o diálogo mostrou-se de início bastante difícil. *Luís estava confuso e meio perplexo.* Das muitas perguntas que lhe fiz, só conseguiu responder a poucas, e de maneira extremamente vaga, com um monossílabo ou com duas palavras bastante enigmáticas.

Logo de início perguntei-lhe como estava sua falta de ar.

— Está bem melhor.

A seguir, perguntei-lhe:

— E a outra voz? Você procurou ouvi-la?

— Procurei, mas não adiantou muito. Quando começava a falta de ar e eu procurava ouvir a voz, ela simplesmente não aparecia ou aparecia de um jeito que eu não compreendia.

Prossegui interrogando-o e aos poucos ficou mais ou menos claro o seguinte: a voz havia se transformado. Ele ouvia palavras que vinham à sua mente de uma forma ao mesmo tempo *nítida, significativa e incompreensível.* Nem vou tentar reproduzir o diálogo ocorrido entre nós e que me levou a essa conclusão tal sua sutileza.

Essas palavras que vinham à mente de Luís haviam começado, de forma clara e incômoda, alguns dias antes. Sem querer, o paciente mentalizava palavras de baixo calão — o que não estava em seus hábitos. Quando essas palavras lhe vinham à mente, ele se sentia envergonhado e procurava não dizê-las (esses termos não eram dirigidos contra ele).

Em poucos dias tais palavrões foram diminuindo, em parte porque eu fiz o paciente dizê-los na consulta, e isso de algum modo o aliviou; e em parte porque, depois de ditos os palavrões à viva voz, pude mostrar-lhe que seu significado não tinha grande importância; *eram puras exclamações.* Valiam mais como "desabafo" — respiração veemente — do que como elementos com intenção definida.

Em dias subsequentes, em vez de virem à sua mente palavras grosseiras, certos termos começaram a repetir-se. Ao ler qualquer texto, uma palavra destacava-se da frase e ficava se repetindo em sua mente várias vezes, não lhe sendo possível impedir esse fato. Só numa terceira etapa, que culminara na entrevista anterior, é que essa voz começara a articular palavras soltas, que pareciam fazer parte de um contexto mal ouvido, pouco mais que pressentido.

Das expressões ditas por essa segunda voz, o paciente só conseguiu recordar duas nessa segunda entrevista. A primeira foi NEGRO BANTU. Depois de um trabalho envolvendo interrogatório e comentários, a esse negro bantu veio somar-se NEGRINHA ZULU; de acordo com o paciente, essas duas expressões não se davam bem. "Negrinha zulu" ligava-se a uma criança que estava trabalhando em sua casa. Tratava-se de uma menina de 8 ou 9 anos que, por causa de pouca idade, fazia muita algazarra em casa.[11] O paciente, com marcada sensibilidade auditiva, exasperava-se com o barulho, mas não dizia nada a ninguém.

Negrinha zulu, portanto, queria dizer, aproximadamente, barulho, arruaça, zoada.

Partindo de "negro bantu", perguntei a Luís se as palavras que vinham à sua mente não lhe pareciam um tipo de linguagem africana, isto é, um murmúrio de sons ininteligíveis dos quais se destacavam, às vezes, fonemas mais bem definidos. Perguntei-lhe também, na mesma frase, se aquilo que ele ouvia não se assemelhava a murmúrios de floresta ou chilreio de pássaros. *Luís interessou-se por essas comparações*. Vi que elas estavam *próximas* da questão, mas *ainda não atingiam* a questão. Então me ocorreu uma ideia feliz:

— Será que você não ouve essas palavras da mesma forma como uma criança de 6 ou 8 meses ouve as palavras das pessoas em volta?

Essa ideia o prendeu. Continuei:

11. Uma das obras que deram origem a este livro, *Respiração e angústia*, foi lançada em 1971, época em que infelizmente era comum que crianças realizassem diversos tipos de trabalho, inclusive o doméstico — na maioria das vezes, sem remuneração. Essa realidade só começou a mudar, ainda que de forma lenta, com a promulgação da Constituição Federal de 1988 e do Estatuto da Criança e do Adolescente (1990).

— Veja, parece-me que a audição da criança corresponde exatamente ao que você me diz. Ela ouve fluências sonoras mais ou menos contínuas; pela variação do som, em ritmo e modulação, a criança de algum modo "sabe" que esses sons não são simples ruídos, mas sons *com significado*, sons que exprimem uma intenção. No entanto, ela não entende o que está ouvindo. Na verdade, ela nem consegue separar o que está ouvindo.

Como Luís havia levantado um pouco as sobrancelhas, resolvi ser mais claro:

— Vou escrever uma frase no quadro, sem nenhuma separação entre as palavras.

E escrevi algo como "ogatonegropuloudajanelaecaiu".

— Será que não é assim que você ouve essas palavras na sua cabeça?

— Pode ser...

Chegados a esse ponto, resumi a questão:

— *Acho que está nascendo em você sua linguagem própria.* Você está começando a ouvir palavras como uma criança que ainda não sabe falar as ouve. Isto é: sabendo que elas têm um significado, mas sem entender que significado é esse. Acho que até hoje você usou as palavras de modo impessoal. *Parece que você nunca punha nas palavras que dizia quase nada de seu.* Suas palavras não eram expressão da sua personalidade e de seus sentimentos; eram apenas expressão da sua inteligência e da necessidade de comunicar intenções aos outros. Agora, depois do mau pedaço por que você passou, durante o qual a maior parte dos velhos hábitos se desfez, pode-se dizer que você está renascendo. Você sabe bem quantos indícios desse fato nós encontramos nas últimas semanas. Primeiro, *tudo morrendo pouco a pouco; depois, pouco a pouco, tudo começando a nascer de novo.* Acho que agora está nascendo em você sua linguagem própria. Logo mais, acredito que você, utilizando palavras conhecidas, dirá coisas muito diferentes daquelas que dizia antes, inclusive quando usar as mesmas palavras.

Como a ideia estava clara para mim, mas, evidentemente, não estava clara para ele, fiz uma comparação:

— Veja, tanto o engenheiro como o marceneiro usam os mesmos objetos e, em parte, as mesmas palavras. Os dois usam esquadro, lápis, compasso, não é verdade? No entanto, para o engenheiro, compasso, régua e esquadro querem dizer "desenho de uma ideia", ideia de uma casa, ideia de uma máquina. Para o marceneiro, compasso, régua e esquadro querem dizer: trabalho determinado para os braços. O engenheiro vê o desenho com os olhos da inteligência; com os mesmos olhos da inteligência ele vê os instrumentos de seu desenho. Já o marceneiro vê os esquadros e os compassos como coisas que ele sente na força que faz, na energia que despende para serrar, para aplainar, para fixar etc. *Os dois usam as mesmas palavras, mas para cada um deles elas querem dizer coisas bem diferentes.* É assim que eu o vejo. Você continuará a usar as palavras que sempre usou, mas elas quererão dizer, para você, coisas muito diferentes daquilo que já disseram.

Para o leitor eu repito agora, como repeti para Luís, um resumo do nosso achado na segunda entrevista.

Disse antes que Luís ouvia palavras nítidas, significativas, mas incompreensíveis; disse também que desse contexto emergiam outras palavras, que ele conseguia compreender um pouco. Se nós imaginarmos uma criança que está começando a se interessar pela linguagem, criança talvez de 1 ano ou ano e meio de idade, notaremos que em sua mente deve ocorrer algo de todo semelhante. Certos termos mais repetidos, referentes a objetos mais conhecidos, ela certamente os distingue com clareza. Mas deve separar essas palavras de um conjunto de sons para ela claros como sons genericamente significativos, mas especificamente sem sentido. Algo semelhante, ainda, ocorre conosco quando aprendemos uma língua nova. Depois de estudar certo vocabulário, lemos a lição correspondente e a compreendemos quase inteira. Porém, se passarmos a ler a página de um livro qualquer, mais adiantado, ouviremos uma série de sons mais ou menos reconhecíveis, que nos darão uma vaga sensação de estar dizendo coisas, mas na verdade não completarão o pensamento. Dentro desse contexto vago, aquelas palavras conhecidas ressaltam espontaneamente, como rochedos sobre a água.

Eu, que não apenas *ouvi* Luís, mas, ao mesmo tempo, *vi* a sua *maneira de dizer* as coisas, posso perceber, certamente melhor do que o leitor, quanto é verídica essa aproximação.

Se repetirmos a seriação descrita para as vozes interiores de Luís, melhor aparecerá a ideia de "linguagem nascente" ou, o que dá na mesma, a hipótese de *reaprendizado da palavra.*

Havia primeiro palavrões, equivalentes, como vimos, a exclamações. Parece indubitável que se tenha iniciado a linguagem humana, como se inicia a linguagem da criança, pelas exclamações. *Nelas se revela o fundamento emocional e, ao mesmo tempo, o fundamento respiratório da palavra.* As exclamações são puras respirações audíveis; são, além disso, sinais imediatos de comoções primárias. A linguagem exclamativa é comum a todas as línguas; qualquer pessoa "compreende" exclamações, ou as "interpreta" imediatamente como sinais sonoros de medo, raiva, amor etc.

Mas geralmente não nos damos conta daquele outro fato: *a exclamação é um respirar audível.*

A correlação imediata entre *estado emocional* e *modo de respirar* é tão profunda, constante e completa que temos dificuldade de separar um do outro. Assinalemos e sublinhemos o fato; logo retornaremos a ele.

A segunda etapa da evolução da voz interior de Luís foi a reiteração de palavras isoladas e sem sentido; na aparência, algo puramente mecânico. Na verdade, algo tão mecânico que já foi denominado por alguns de "automatismo mental". No caso de Luís, podemos compreender esse fato de dois modos complementares: perda do velho sentido das palavras — que assim se faziam estranhas — e aquisição de novo sentido — ainda obscuro. Daí a confusão e a perplexidade do paciente — manifestadas na consulta.

Pergunto-me se todas as crianças não passam por essa fase durante o aprendizado da linguagem. Dizem os linguistas — e é fácil verificar — que o aparelho fonador humano é capaz de emitir um número de sons elementares distintos muito *maior* do que o número de sons *usados* na constituição de uma língua — de qualquer língua. Algo semelhante acontece com a *ordem* dos fonemas na palavra e a *ordem* das palavras nas frases; dentre as muitas ordens possíveis, só umas tantas são aceitas e se fixam. *O mundo sonoro e significativo* que o ser humano pode criar — qualquer ser humano — é muito maior do que *o mundo sonoro da língua que ele usa* — qualquer que seja essa língua.

A criança que repete palavras isoladas "sem sentido" estaria aprendendo — como o meu cliente — a "lista" dos fonemas *aceitos*. Estaria, ainda, aprendendo a *distinguir* estes dos muitos que "lhe vêm" à mente — e que ela emite livremente quando pequena, para o gáudio dos familiares.

Toda criança de 1 a 2 anos tende a criar uma linguagem própria com neologismos, neofonemas e sintaxe "pessoal". É nessa etapa que a criança se diverte — e nos diverte — compondo "versos" soltos por consonância pura, em completo desrespeito para com o sentido das palavras. Assim, surgem neologismos onomatopaicos os mais inesperados. Algo semelhante ocorreu com Luís no que diz respeito às expressões "negro bantu" e "negrinha zulu".

A rigor, pois, a "voz interior" de Luís estava... balbuciando.

Diga-se ainda, lembrando Freud e seu famoso estudo sobre lapsos (aí incluídos os trocadilhos), que é nessa etapa dos balbucios que nascem os jogos de palavras.

Com o tema do reaprendizado da língua bem esclarecido, voltemos ao tema das duas vozes — a nova e a velha. A correlação entre essas duas vozes e a perturbação respiratória parece-me imediata. *Fica fácil compreender quanto uma voz interfere na outra, tanto em relação à forma e ao ritmo da respiração quanto na articulação da palavra.* São tantas as diferenças respiratórias entre duas vozes que podemos nos perguntar, desde já, sobre as relações entre sintaxe e respiração.

Diz-se que, no falar, a respiração está presente apenas na pontuação. Mas notemos que a pontuação *marca o ritmo da frase*, e tudo mais (fonemas, palavras, ordem) *tem de obedecer a esse ritmo — ou perdemos o fôlego.*

Logo voltaremos a essa... música.

A redação desse caso me trouxe, enquanto a elaborava, a resposta para uma velha e importante pergunta: por que Freud não pensou na respiração?

É tão estreita no adulto a relação entre palavra e respiração, é tão íntima a associação entre o significado dos termos e a matriz sonora na qual eles estão imersos, que a imensa maioria das pessoas é praticamente incapaz de separar uma coisa da outra.

No entanto, sempre que ouvimos uma canção, separamos com facilidade a letra da música.

Em relação à voz humana, essa distinção subsiste e tem um valor fundamental. Só que, em nossa voz, não temos, como nas canções, a letra da voz humana e a música dos instrumentos da orquestra. *Em nós, letra e música estão sempre profundamente entrelaçadas.* Apesar disso, podemos, à custa de alguns artifícios, fazer a separação.

Ouvimos música pura nas exclamações, ao cantarolarmos sem letra ou quando escutamos uma língua desconhecida. Outrossim, podemos perfeitamente "ouvir" a letra pura — quando, por exemplo, lemos um escrito no qual se registra aquilo que alguém disse.

Na vida cotidiana, tanto quanto no consultório de Freud, essa distinção não foi feita. E isso significa que Freud sofreu de um tipo muito particular, muito comum e muito grave de inconsciência, que consiste, precisamente, em não fazer essa separação. Em regra, nós *damos um valor extraordinário ao significado intelectual daquilo que nos é dito, e mal percebemos a influência da música da palavra sobre nós.* No entanto, pelos nossos ouvidos entram os dois. Tenho sobejas razões para crer que, sobre nós, atuam os dois. Mas nós não separamos a ação da *música* da voz de ação da *letra.* O leitor poderia dar-se a um pequeno exercício teatral, de consequências fecundas: escolha uma pequena frase qualquer, que pode ser "Eu te amo", "Eu te odeio", ou "Folhas verdes caindo"; repita-a com entonações variadas. Dita num *staccato* intenso, qualquer frase escolhida atuará sobre o outro como um xingamento. Dita com suavidade, num sussurro doce e musical, será sentida pelo outro como se fosse uma expressão de carinho. Dita de modo estridente, atuará sobre o outro como um grito de desespero ou de medo.

Essa distinção entre letra e música não foi feita por Freud, e, que eu saiba, por nenhum outro psicanalista. *Ora, na letra das palavras está o relato de fatos, está a recordação do passado, está a comunicação descritiva do presente, está a forma. Na música das palavras está, cem por cento e exclusivamente, a respiração da pessoa, o afeto — a modulação emocional da voz.*

Na música, não mais das palavras, mas de frases mais ou menos longas ou de períodos sucessivos, aparece não só a expiração, mas também muito da nossa maneira de inspirar; em suma, *de nosso ritmo respiratório.*

Nossas "aspirações", tanto quanto nossas "inspirações", se comunicam ao outro por intermédio de nossa música vocal.

Apesar de todos os argumentos e comparações que estou apresentando, tendentes a demonstrar a relativa independência da letra e da música na palavra, sei bem que não estou sendo muito convincente. Mais convincente serei apelando para o artifício a que anteriormente aludi. Se transcrevermos um diálogo para o papel, então evidente e convincentemente se demonstrará que a letra é uma coisa e a música é outra.

Mesmo nesse caso, porém, o hábito tende a atenuar nossa sensibilidade. O hábito, na realidade um mau hábito, nos impede de ver a importância da distinção. O mau hábito consiste no seguinte: quando lemos a *transcrição de um diálogo*, mesmo que o façamos subvocalmente, *nós damos ao que estamos lendo um ritmo e inflexões sonoras dependentes de nossa voz*, e não da voz das pessoas cujo diálogo foi registrado. *Mas essa transposição em geral nos passa despercebida.*

É difícil, se não impossível, ler um trecho escrito sem emprestar-lhe voz. E de novo nos vemos atrapalhados ao pretendermos separar a letra da música.

Resta um exemplo sugestivo. Refere-se aos textos escritos em linguagem jornalística ou jurídica, por exemplo. Também servem os textos técnicos. Quando lemos esses conjuntos de palavras bastante inusitadas, que se sucedem em uma ordem incomum, então nos apercebemos um pouco dessa distinção fundamental. O noticiário político, com sua inacreditável ambiguidade e seus termos genéricos, ao mesmo tempo sonoros e vazios, e os longos trechos da arenga jurídica, com seus arcaísmos completamente desusados na linguagem comum, *não encontram em nós, com facilidade, uma voz para dizê-los adequadamente*. Então, o que aparece aos nossos olhos, se tivermos imaginação, é uma espécie de pequenos monstros pré-históricos. Lá no fundo, nós não sabemos bem o que quer dizer tal linguagem. Nesse caso, sim, prepondera a letra sobre a música. Ou melhor: nesse caso, a palavra encontra ou desperta uma música pouco familiar, uma espécie de música moderna.

Creio que seja a "letra que mata" — do apóstolo Paulo — a letra sem música de voz. É a letra sem espírito — que é sopro.

No consultório, muitas vezes procurei deixar de ouvir as palavras ditas pelo paciente para ouvir somente a música, retrato da respiração. Adquiri certa habilidade para conseguir esse propósito. Mas, mesmo treinando, ainda acho difícil conseguir realizar efetivamente essa distinção. Há casos extremos, fáceis de perceber — por exemplo, pessoas com voz tão estridente e irritante que mal conseguimos ouvir as palavras que elas dizem. Há pessoas de voz tão mansa e fraca que mais nos impressionam a mansidão e a fraqueza da voz que as palavras.

Aqui também as crianças podem nos ajudar.

Das muitas coisas encantadoras que uma criança pode oferecer para os que lhe estão próximos, uma das mais curiosas é a "música vocal sem letra". Bem antes de *dizer frases completas*, a criança alinha fonemas mais ou menos sem sentido em um leito sonoro (música vocal) perfeitamente definido. A criança pode repetir, dirigindo-se a si mesma, uma frase de aprovação elogiosa que mamãe terminou de dizer. Há — na vocalização *sem palavras conhecidas* — uma entonação e um ritmo de aprovação inconfundíveis e divertidamente solenes. Ao se dirigir a uma boneca, é fácil ver que a criança imita, com a voz, o "jeito" zangado da mamãe; as palavras propriamente ditas, contudo, compõem uma algaravia incompreensível.

A criança aprende primeiro o ritmo e a forma respiratória adequados às várias entonações das frases. Aprende primeiro a... música da voz.

Só depois vai aprendendo as palavras de fato. No que chamamos entonação (e modulação) da voz, está o "afeto". Dito de outro modo, é a "forma" respiratória que molda a expressão *não verbal* da frase.

Em termos gramaticais, podemos dizer que a criança aprende primeiro a *sintaxe* e a pontuação; *depois*, as palavras. Não sei de ninguém que tenha deduzido desse fato — em si evidente — o seguinte: a criança se *identifica primeiro* com a *respiração* do adulto; depois aprende suas palavras.

De forma mais simples, a criança primeiro *imita* a música e depois aprende a letra. (Muitas vezes fazemos isso — nós, os adultos — quando pretendemos aprender uma canção.) Mais exatamente: *a criança primeiro sintoniza sua respiração com a do adulto e só depois começa a compreender o que ele quer dizer.*

A criança ouve a mãe desde que nasce. Muito antes de entender ou falar palavras, ela, de certo modo, já imita a *respiração de mamãe.* Diria o psicanalista — se admitisse a existência da respiração — que nesse ponto a criança já está identificada *respiratoriamente* com mamãe (e, por meio da respiração, *emocionalmente* identificada com ela). Prefiro o termo "sintonizada". É mais claro como descrição e é o que menos prejulga quanto ao "processo profundo" correspondente. O termo "sintonização respiratória criança-mãe" significa que a criança aprende inconscientemente a moldar sua forma e ritmo respiratórios pela forma e ritmo respiratórios da mãe — pelo fato de ouvi-la falar muitas vezes.

A semelhança poderá eventualmente ser verificada de forma objetiva — se houver alguém interessado na questão.

Já a "identificação emocional" é uma hipótese de verificação direta impossível. Em linguagem que a etimologia confirmará amplamente, é possível afirmar que por meio de suas *palavras* a mãe *infunde na criança seu espírito* (que é sopro): *mas muito antes de haver, na influência materna, o espírito do sentido das palavras, existe, desde o começo, o espírito da música vocal, que é sentimento puro* — quando não é pura falta de qualquer sentimento.

Recordemos uma situação comum a fim de melhor compreendermos essas afirmações algo obscuras. Lembremos aquelas vezes em que ouvimos pessoas falando uma língua para nós desconhecida. Então só há música. Somos então "crianças". Nesse caso é fácil perceber não o que está sendo dito, mas sim a disposição íntima: o estado de espírito daqueles que estão falando — seja *seu estado de espírito habitual* (calmo, agitado, compassivo, agressivo etc.), *seja seu estado de espírito atual* (exasperado, esclarecedor, arrependido, inquisitivo etc.). Assim acontece com a criança ante a mãe.

Nesse contexto, facilmente se compreende um termo consagrado: a voz da consciência. Antigamente era a consciência moral; atualmente é o superego. Mas ambos "falam" de dentro. Se aprendermos, em clínica, a distinguir a voz do superego, logo veremos que sua música é diferente da música vocal que se ouve quando a própria pessoa está falando. *Pelas diferenças de entonação, modulação, inflexão e ritmo da voz da pessoa, tendo bom ouvido para essas coisas, conseguimos perceber com certa facilidade "quem" está falando, a cada momento, pela boca da pessoa.* Algumas vezes é a mãe, outras o pai e não raro são "eles", os outros, existindo como coletividade (senso comum, bom-senso, lugares-comuns, frases feitas, enunciado de preconceitos sociais etc.). Creio que são essas *variações sonoras* que orientam o psicanalista sensível, e não o *conteúdo* da frase.

Com algum treino aprendemos a distinguir, na mesma pessoa, várias "trilhas" sonoras, conforme o assunto em discussão, a disposição de espírito ou o estado emocional. Na verdade, com um pouco de paciência, podemos identificar, na mesma pessoa, vários *personagens vocais*, caracterizados não só pelo *modo de falar* como também pelas atitudes e pontos de vista intelectuais ou afetivos. É como se a pessoa fosse um palco no qual *vários atores* tivessem a palavra sucessivamente.

Depois de perceber esse fato nos outros, não é muito difícil descobrir que a nossa "voz interior" não é uma, mas são várias. Tenho para mim como evidente que cada uma dessas vozes é emitida de acordo com um *padrão respiratório* característico. Vistas as coisas assim, logo conseguimos compreender por meio de que veículo objetivo — a voz — se faz a comunicação *emocional* entre os pacientes e os psicanalistas ortodoxos. *Como estes nunca se referiram especificamente a uma fase respiratória no desenvolvimento da personalidade, o fator mais importante da comunicação entre paciente e terapeuta lhes passa despercebido, e então hipóteses precárias tomam o lugar de comprovações diretas.* Nunca li nem ouvi de um psicanalista a descrição de seu *tom de voz* ao falar com o paciente nesse ou naquele momento. Vez por outra se diz algo sobre as qualidades da voz do paciente; mesmo nesse caso, porém, falha a descrição do efeito desse tom de voz sobre o terapeuta.

Vemos, assim, sumária mas sugestivamente, quão fecunda é a distinção entre letra e música da voz. Ainda mais, quão fecunda é a distinção entre um conteúdo intelectual (espírito — pai) e um leito emocional na voz (afeto — mãe). Enfim, ainda falarei bastante sobre a importância dessa distinção na compreensão de perturbações respiratórias (angústia).

ETIMOLOGIA: AS RAÍZES DO SIGNIFICADO

Resumo: neste capítulo serão examinadas muitas raízes etimológicas ligadas a fatos respiratórios ou psicológicos. Verificaremos que as correlações entre os dois temas são bem mais frequentes do que se poderia imaginar, e que o número de termos formados por essas raízes é enorme.
Inseri na exposição vários casos clínicos, para tornar a leitura mais amena, para aprofundar ou esclarecer a análise etimológica, para confirmar um tipo de argumento pelo outro e vice-versa...

Movido pelo interesse que sempre tive pela etimologia, procurei as raízes de palavras relativas à respiração e, de modo inesperado, caiu-me do céu abundante safra de sugestões fascinantes. Na etimologia encontrei correlações sobremodo significativas e numerosas entre a série restrita de palavras que usamos para caracterizar fenômenos respiratórios e uma série enorme de termos muitas vezes empregados nos textos de psicologia.

O melhor prefácio que posso antepor a essa digressão encontrei-o na *Enciclopédia britânica* (1964). Nela, no início do verbete "respiração", redigido por esse mestre da fisiologia respiratória que é Sir Jospeh Barcroft, encontramos a seguinte frase... inspirada:

> A noção de vida liga-se tão intimamente à de respiração que o próprio termo *expiração* passou a significar a extinção da vida, e o termo *inspiração*, a elevação da vida a níveis sobre-humanos.

Minha digressão baseia-se na terceira edição do *Dicionário de raízes e cognatos da língua portuguesa*, de Carlos Góis (Rio de Janeiro/Belo Horizonte/São Paulo: Paulo de Azevedo, 1945). Será maçante para o leitor acompanhar todas as correlações que apontarei, mas a paciência terá seu prêmio. Citarei diversas raízes etimológicas importantes, às vezes reproduzindo literalmente o dizer do autor, às vezes acrescentando comentários.

Na página 225 do referido dicionário encontramos a primeira raiz SPIR, "*anel*", do grego *speira*. Exemplos: *espiral e espirilo*.

Essa não é a raiz de RESPIRAR, mas tenho boas razões para crer que ambas sejam aparentadas, ou de significado muito semelhante.

Na página 226, encontramos a segunda raiz SPIR, "*que sopra*", do verbo latino *spiro, are*. Essa é a raiz de *inspirar*, *expirar*, *respirar*, *aspirar*, *conspirar*, *suspirar*.

Note-se desde já, como o fez Barcroft, quanto vários desses termos são ambíguos, sendo empregados indiferentemente para caracterizar certas fases da respiração e certos movimentos psicológicos. Em particular a inspiração, o ato de admitir ar no pulmão é, ao mesmo tempo, o ato que leva ao poeta e ao profeta a palavra musical ou a intenção divina. O mesmo ocorre com a aspiração, ato de inalar o ar e nome genérico de tantas esperanças e desejos que habitam o coração dos homens.

Expirar é morrer.

No termo *respirar* vejo parentesco com a palavra *espiral*. Podemos, com facilidade, entendê-lo de duas maneiras: respirar — re-spirar — pode significar *soprar de novo*, como pode significar um movimento *que se repete continuamente, uma espiral.*

Conspirar não é palavra comum em psicologia, mas um cognato seu é muito usado: perseguição. Não me refiro apenas ao delírio persecutório, que existe, às vezes, nas moléstias mentais mais graves; refiro-me também ao termo como o emprega a psicanálise. Diz esta que a vivência persecutória é comum a todos nós, em certa medida. Aqueles que nos perseguem, na realidade ou na fantasia, *conspiram contra nós*, isto é, *respiram juntos* contra nós. Torna-se difícil aqui, de novo, saber se há apenas um sincronismo de anseios ou de aspirações naqueles que nos perseguem ou se entre eles existe também a combinação das palavras, dos sinais, dos avisos e dos motivos; ou seja: lidamos de novo com a distinção sempre fluida entre letra e música.

Suspirar, enfim. Suspirar é uma palavra que enganaria a qualquer incauto. À primeira vista entenderíamos o prefixo *su* no sentido de subir, superior, para cima. Mas, na verdade, acompanhando a grafia explícita do termo, como a vemos no dicionário — sub-spir-ar —, notamos que *su* proveio de *sub*, visto que o *b* foi suprimido. Portanto, suspirar significa *respirar pouco, respirar tolhidamente.* Na verdade, *sub-respirar.* Suspira o deprimido, no qual a vitalidade está atenuada. O termo, pois, caracteriza um sintoma da depressão e, alegoricamente, a "falta de espírito" então reinante.

A segunda família de palavras derivadas da raiz SPIR relaciona-se a *espírito.* Segundo o dicionarista, espírito significava, originariamente, *sopro.* E o mesmo dicionarista nos convida a confrontar o termo com ANIM, o que faremos logo mais.

Noto de passagem, novamente, a raiz SPIR ligada a espírito e ligada a espiral. Creio que exista em todos nós a noção de que o espírito nos "eleva"; faz parte de todas as doutrinas filosóficas e religiosas a ideia de que o espírito progride como uma espiral contínua.

O segundo reparo se refere ao termo *espirituoso.* Espirituosa é a pessoa que nos faz rir.

Pergunto novamente: o espirituoso é assim chamado porque suas palavras têm espírito ou porque essas palavras comunicam espírito, isto é, sopro, isto é, risada? O riso é, visivelmente, um sopro audível, evidente, por vezes estrondoso.

O riso é um dos fenômenos mais inexplicáveis do ser humano quando se procura descobrir para ele qualquer utilidade biológica.

Koestler mostra com felicidade a relação íntima entre riso e descoberta (científica, filosófica etc.).[12]

12. KOESTLER, A. *The act of creation.* Nova York: Laurel, 1967.

É muito oportuna, a essa luz, a ambiguidade do termo espírito quando empregado, de um lado, no sentido de "cheio de espírito" e, de outro lado, no sentido de "espirituoso".

Não sei se a descoberta nos faz rir ou se o riso nos faz descobrir.

Levados pelo dicionarista, procuramos a raiz ANIM, encontrando--a na página 22. ANIM, *sopro*, *hálito*. Raiz latina, oriunda do hebraico.

Um primeiro grupo de palavras significativas para o biólogo e para o psicólogo deriva dessa raiz. É dela que se origina *ânimo, animar*; em outra linha, *animal*. Como se vê, aquilo que anima é um sopro. Quer isso dizer, muito simples e obviamente, que viver é respirar. *Animo*, *animus* e *anima* são termos centrais na psicologia de Jung. Todos são sopro. Um segundo grupo de palavras deriva dessa raiz por prefixação: *desânimo, desanimado, inânime, exânime, animadversão*. Exânime, inânime e desanimado são palavras não muito usadas na linguagem psicológica, porque foram substituídas, quase que totalmente, pelo termo *depressão*. Mas a sinonímia é evidente. E logo veremos, inclusive, que o termo depressão se liga, ele também, à respiração. Enfim, o termo animadversão; este também não é frequente, mas não me parece difícil considerá-lo sinônimo de oposição, antipatia ou hostilidade. Animadversão seria, portanto, um voltar o próprio sopro contra alguém ou algo; soprá-lo, simplesmente. Numa gênese certamente mais fina, poderíamos também imaginar que animadversão, sinônimo genérico de antipatia, significa respirar diferentemente, discordância respiratória, sopros heterogêneos. Mais uma vez retorna a ambiguidade: serão duas pessoas que respiram de maneira desigual ou duas pessoas que falam linguagens diferentes? Impossível distinguir.

A raiz ANIM corrompeu-se em ALM, e assim nasceram a palavra *alma* e os termos *almejar* e *desalmado*.

Alma é sopro, ela também. Almejar é igual a respirar; é igual, certamente, a desejar. Desalmado é aquele que não respira. Para aqueles que conhecem as descrições clínicas de Reich sobre os indivíduos orgulhosos e impassíveis, que são, precisamente, os mais "desalmados" de todos, essa sinonímia etimológica se faz de todo evidente. O orgulhoso, antes de sufocar os outros, sufoca a si mesmo; ele é literalmente desalmado, isto é asfixiado. É essencial à atitude do orgulhoso o peito *sempre* inflado; faz parte de seus hábitos mentais, tanto quanto de seus hábitos físicos, não ceder, não se abandonar. Como a expiração é um movimento, em regra, passivo, psicologicamente de abandono, o orgulhoso *expira* mal. Assim ele se sufoca, cronicamente.

Ainda entre os derivados dessa raiz tão rica, outro existe, muito sugestivo. É *unânime*. Literalmente, uma só respiração, um sopro só. Para qualquer um que tenha assistido a um jogo de futebol — ou a qualquer outro grande espetáculo popular —, o significado etimológico de unânime se faz de todo convincente. Os "ahs" de... animação ou de... desânimo perpassam como vagas imensas pela grande arena. E o gol, então! Pessoas tidas como as mais civilizadas tampouco fogem à unanimidade nos espetáculos tidos como superiores. Então são "bravos", "bis" e "encores" as exclamações que substituem os "ohs", "ahs" e "gols". Mas, sobre o povo e sobre as elites, a união no mesmo espírito — unanimidade — atua com a mesma força. Hurra! (Até os ingleses têm seus momentos de fraqueza!)

SPIR seria uma raiz já derivada de outra, mais antiga, SP, "que espera", do latim SPES, EI, origem dos termos *esperar*, *desesperar*, *esperança*, *desespero* (p. 323).

Esperar, pois, seria anterior a respirar. Antes de sopro e espírito, a vida seria esperança. Se não temermos nos perder nessas alturas pouco consistentes, nas quais ligeiros sons significam grandes coisas, podemos recordar os estudos recentes de neurofisiologia sobre o centro reticular do mesencéfalo. Esse sistema responde pela sensação de alerta, de alarme ou de vigilância. A esperança é isso, estar pronto, estar presente.

No mundo ocidental, em particular, a espera é, para quase todos, um desespero. Enquanto esperamos que aconteça determinada coisa — a vinda de alguém, certo resultado no trabalho, o aumento do salário —, não percebemos mais nada.

Já em algumas filosofias orientais, a vida se confunde simples e diretamente com a espera, no sentido de estar o indivíduo sempre pronto, sempre presente a cada momento que flui.

Estar vivo é estar alerta, vigilante. Para nós, esperar é perder tempo. Enquanto esperamos, nada fazemos, nada acontece — assim pensamos. Implícita nas palavras há bem outra linguagem. Esperar quase se confunde com respirar. Eu diria que esperar confunde-se com reesperar. Com esse termo, estou supondo que a vigilância do ser humano deva ser tão permanente quanto sua respiração. Quando assim acontece, cada momento que flui é vivo, é rico, é significativo. É uma inspiração. É a realização de uma aspiração. Talvez seja também uma expiração, porque o momento seguinte é outro, outra a inspiração, outra a aspiração. Então morre — expira — a inspiração prévia.

Em italiano há um ditado, que eu ouvia em pequeno, o qual traduzido seria assim: "Enquanto respiro, espero".

Não nos esqueçamos de *desesperança e desespero*. Em sentido etimológico, desespero quer dizer disritmia respiratória, desordem na respiração, caos na esperança, perda da atitude unificada, coerente e polarizada da espera. Perda, ainda, da vigilância, ausência do presente.

Mas caso SP — esperança — esteja mesmo na raiz e por isso seja anterior a SPIR — vento —, é muito provável, considerando-se uma análise dos sons, que SP represente um verdadeiro resumo do movimento respiratório completo. Se pronunciarmos com vagar o som sibilante do S, logo seguido do som labial explosivo do P, teremos em duas letras, isto é, em dois sons, condensados, os movimentos da inspiração e da expiração. SP — um peito humano que se enche de ar e se esvazia; enche-se num movimento longo e suave, esvazia-se num movimento rápido, por vezes explosivo. Para o leitor cético, sugiro que ouça a respiração sonora (sem ressonar) de alguém dormindo. Nesse caso, o SSS-P pode ser ouvido diretamente. É possível que SP seja uma raiz onomatopaica baseada primariamente num movimento respiratório elementar. Dele — do movimento — proveio o espírito, dele nasceu a espiral. Ela — a palavra — é o vento agitado pela respiração do vivo, vento movido pela respiração do ser humano.

Diz a Bíblia que, depois de ter feito Adão do barro da terra, Deus insuflou-lhe ar nas narinas e ele viveu. Se procurarmos compreender o relato tradicional do cristianismo à luz da embriologia, então diremos que o ser humano, ao respirar pela vez primeira, adquire *seu* espírito — que é sopro. Só então passa a circular por seu corpo o *seu oxigênio* — seu ar. Não só o ar é seu — antes era da mãe; a ação que se executa é sua também. E só agora é sua — antes não era.

A primeira ação do neonato é a respiração — ou o grito —, que é também a sua primeira... expiração, o primeiro sinal de que *morreu o feto* e nasceu o ser humano. A "dependência" mais urgente do feto é respiratória. Sem o "espírito" da mãe, a criança morre em poucos instantes. Assim como Adão, feito do barro da terra, o feto é feito de carne materna. Só ao nascer, só ao começar a respirar, é que o ser humano vive — ele, ele mesmo. Nasce o indivíduo. Antes não era indivíduo; era algo unido à mãe, indissolúvel e organicamente. Só depois ele se separa. E quando se separa respira, ou, o que dá na mesma, quando respira se separa.

Então, já com espírito de brincar, procurei, depois de ANIM, as raízes etimológicas de alguns sinônimos para as ações respiratórias. O que me ocorreu primeiro foi *inalar*, sabidamente sinônimo de inspirar. Como todo sinônimo, ele não é perfeito. Falamos com frequência em inalar o ar, mas o termo se usa com mais propriedade quando inalamos algo diferente do ar. Inalamos a fumaça do cigarro ou inalamos medicamentos. Mesmo assim, fui ao dicionário:

O termo vem de HAL, *sopro, odor*. Daí provêm *hálito*, *exalar*, *inalar*. E corrompe-se em HEL, dando, então, *anelo*.

De novo se vê a relação entre "desejo" e respiração (anelo, velho termo meio esquecido); entre respiração e odor (exalar), associação que exploramos a fundo no caso de Luís.

Logo depois, levado pelas palavras aspirar e almejar, praticamente sinônimas em relação ao termo "anseio", procurei este último no dicionário e novas surpresas apareceram.

Na página 23 consta "ANX — vide ANG". Fui, então, a ANG, "*apertar, arrochar*". Raiz latina. Dela provém angusto (estreito) e seus derivados — *angústia*, *angustiosos* etc.

Como segunda família derivada temos a do termo *ângulo*, algo que se fecha, algo que se aperta — e fere. A terceira família derivada organiza-se em torno do termo *angina*, arrocho da garganta.

Ligada a ANG existe outra palavra que não usamos, mas convém examiná-la de perto.

É a palavra *anguino*. Diz o dicionário, entre parênteses, que o termo é relativo a cobra, provindo do latim *ang-(u)-is*, originalmente, "*o que estrangula*", donde, por extensão, a cobra.

Aqui lidamos novamente com uma espiral, e com uma espiral que aperta. Essa semelhança de significados entre palavras nos esclarece centenas, dezenas e milhares de sonhos que todos já tiveram ou terão um dia com cobras, aquilo que aperta, aquilo que estrangula — angústia.

A explicação desse parentesco etimológico vamos encontrá-la, de forma bastante simples e clara, na organização de nossa musculatura.

Toda a musculatura do tronco envolve nossas vísceras como um grande manto contrátil, capaz de se constringir sobre e contra as vísceras. Passam-se as coisas como se as nossas vísceras representassem o nosso íntimo, e como se nossos músculos fossem aquilo que pode apertar o íntimo. O mesmo acontece entre o útero e o feto. O útero constringe o feto, o comprime e aperta.

Logo veremos mais correlações significativas nessa linha.

Encerrando o estudo da raiz ANG, diz o dicionarista que ela pode corromper-se em ANX, como se vê em *ânsia*, *ansiedade* e, por certo, *anseio*.

Anseio é, pois, um desejo "que aperta", um desejo sofrido, talvez um desejo preso. Talvez uma... inspiração impedida. A correlação entre angústia e anseio de um lado e, de outro, almejar e aspirar encontra uma explicação notavelmente convincente e ingênua, que pode ser mais bem apreciada da seguinte forma: posso amarrar com força minha perna, meus braços ou minha fronte, e esse arrocho ou esse aperto em certas partes do corpo não terá importância vital, ou não terá urgência vital. Mas o aperto sobre ou contra a respiração será imediatamente sentido como ameaça direta à vida — angústia. Talvez esteja contido no significado das palavras que toda aspiração contida se transforma num arrocho, isto é, em ansiedade. Novamente Reich pode nos esclarecer muita coisa. De todos os seus estudos, concluímos que a ansiedade é, primariamente, isto mesmo: a contenção ou a inibição de uma aspiração, ou ainda a oposição a ela. A clínica, de sua parte, nos oferece diariamente exemplos e ilustrações desse mesmo princípio.

Angústia é sinal de alguma coisa que desejamos fazer mas não fazemos — como já o dizia Freud; ansiedade é sinal de uma respiração tolhida — duas frases sinônimas.

Se não combinarmos adequadamente Freud e Reich, jamais compreenderemos a profunda intuição contida na etimologia do termo angústia. Além de bem combinar a ambos, é preciso — acima de tudo — *ver e sentir o que acontece com nosso corpo e com nossa respiração quando estamos angustiados.*

São os músculos respiratórios em *preparação tensa*, ou é uma desorganização *visível* dos movimentos respiratórios, que nos apertam quando estamos ansiosos. É a caixa pulmonar que não se expande ou se expande insuficiente ou inadequadamente a causa subjacente de qualquer ansiedade. Somos *nós* que *nos* asfixiamos — assim diria o nosso psicanalista. Mais clara e algo estranhamente, digo eu, como aprendi com Reich:

Na angústia é nosso tórax que se fecha sobre e contra o pulmão, é nosso tórax que não "quer" ou não consegue respirar.

ENQUADRAMENTO

— Você parece mal. Triste. Vontade de chorar?

— Sim.

Lívia, 27 anos, veio ao grupo pela primeira vez. Eu a conheci numa entrevista particular.

É profissional liberal, inteligente, dedicada e séria. Morena e solteira, vive com a família. Tem um irmão com lesão cerebral, o qual, desde que nasceu, absorve boa parte das atenções da mãe. Lívia tem sido, por isso, mãe suplementar para três irmãos menores. Parece ter sido particularmente eficaz nessa função.

— Não aguento mais ser mãe e compreender. Meu último namorado, que eu aguentei, compreendi e apoiei durante meses, me disse domingo passado que me achava ótima, divina e formidável, mas não sentia nenhuma atração sexual por mim. E não é o primeiro, sabe? Gostaria que fosse o último...

Lívia chora, pouco e mal. *Seus olhos exprimem um quase desespero, mas sua boca é firme, quase cruel.* Cruel contra Lívia — ou contra as lágrimas de Lívia.

— Choro um pouco, às vezes. Não adianta nada. Continuo mal e vazia. Só lágrimas. Tenho vergonha de soluçar. Os outros ouviriam minha tristeza...

— Você é mãe demais.

— Eu sei. Todos me dizem isso. Eu também.

— É preciso mudar, matar a mãe.

— Eu sei. Já tentei me fazer de dura para não ligar, para exigir coisas. Depois de cinco minutos volto atrás, peço desculpas e faço o dobro.

— É difícil matar a mãe. Talvez não seja nem conveniente. Afinal, é bom ser capaz de compreender e ajudar. O mal não está em fazer essas coisas boas, mas em fazer só assim e sempre assim — com todos. Uma boa mãe sabe dar e fazer na hora certa, como sabe — ou aprende — a negar e exigir em outros momentos. Há mães que conservam os filhos a vida toda — justamente as que aceitam e compreendem incondicionalmente. Há mães que ajudam o filho a crescer — as que sabem exigir certa espécie de reciprocidade. Isso é importante. Você tem muito de mãe mesmo, e querer acabar com isso é impossível. O problema não é deixar de ser mãe, mas fazer-se mais do que mãe.

Outro tema se propõe no silêncio que se estabelecera após nosso diálogo, e Lívia permanece quieta durante o resto da sessão.

Na reunião seguinte, logo no começo, o tema discutido com Lívia retorna à minha mente e não consigo afastá-lo. Vários assuntos e momentos se sucedem, mas o tema continua vivo em mim.

Há uma pausa e eu digo a Lívia:

— Venha para o quadro-negro.

Ela vem.

— Desenhe uma mãe.

Ela hesita, demora, mas por fim desenha, depressa, um rosto de mulher, com pescoço e ombros, e logo "fecha" o desenho naquilo que seria o "v" do decote.

A figura fica, assim, *sem tórax*.

— Como se faz para matar uma mãe? — pergunto a Lívia.

Ela sabe o que quero dizer. Entende que a estou convidando a desenhar uma figura que corresponda a seu problema.

Lívia não gosta da ideia. *Olha para mim algo zangada* e não consegue fazer nada.

Aguardo um pouco e retorno.

— Se você fosse matar alguém, de que modo o faria?

Lívia hesita de novo, procura mentalmente e por fim diz:

— Bonde.

— O quê? Jogar alguém embaixo de um bonde?

— Não.

— Empurrar?

— Não. Sempre que fico com raiva digo mentalmente: "Tomara que essa pessoa fique debaixo de um bonde!"

— Apenas fique?

— É.

— Você nem empurra nem faz nada — só deseja.

— É isso.

— Você não é muito feroz, certo?

— Não. Não consigo ser.

— Mas com você mesma consegue.

— Se consigo não percebo.

— Bem. Vamos usar o que temos. Desenhe um bonde.

Ela o desenha, à esquerda da figura da mãe, pequeno, distinto, elétrico, com a alavanca na direção certa.

— Já é alguma coisa. Você desenhou o bonde andando em direção à figura da mãe.

— Eu sei. Fiz de propósito.

— Ganhando coragem?

Lívia não liga para minha impertinência e continua contemplando o desenho.

Não vejo como continuar a cena e digo-lhe que volte para seu lugar — se quiser.

Ela volta. Tem bem claro para si meu desencanto e percebe que uma cena importante ficou parada no meio.

— Acho que não tem mais jeito. Estou acostumada, estou enquadrada nesse papel e nessa função. Enquadrada demais. Nem tenho vontade de sair.

Quando Lívia disse a palavra "enquadrada", algo surgiu em minha mente e eu soube na hora de que modo poderíamos matar a mãe.

— Volte ao quadro.

Ela volta.

— Vamos enquadrar a mãe. Faça uma moldura em torno do seu desenho.

Ela faz um quadrado amplo de um risco só.

— Agora vá fazendo riscos adjacentes aos que definem o quadro, sempre um risco perto e para dentro do outro.

Ela começa a espessar a moldura devagar, com cuidado e riscos finos (poderia ter usado o giz deitado contra o quadro-negro e assim apressado o trabalho de preencher a moldura desenhada).

Após cinco ou seis traços, Lívia diz:

— Estou me sentindo mal.

— Como?

— Aflita.

— Continue um pouco mais e, quando ficar intolerável, pare.

Lívia prossegue e faz mais três traços em cada lado da moldura. Detém-se. Está pálida. Vai para seu lugar e senta-se. Uma vez sentada, recosta-se no banco, mantém-se um instante mais composta e depois, em câmara lenta, seus joelhos se separam, seus braços caem inertes ao lado do corpo, sua cabeça pende e todo o seu tronco vai se inclinando para um lado. Sua face está amarela e seus olhos, fechados. Desmaia. Ajudo-a a deitar-se. Seu pulso é filiforme, mas já ao deitar-se não estava de todo inconsciente. Está flácida por inteiro, mas o seu tórax permanece armado e rígido como o de um militar em posição de sentido.

O quadro!

Eis a moldura que poderia matar a mãe; enquadrado o tórax, a pessoa morre de asfixia!

Lívia não está respirando a não ser por ligeiros movimentos do diafragma.

Procuro ajudá-la a respirar comprimindo o tórax, mas ele resiste. Sua palidez é impressionante e seu pulso, quase imperceptível.

Pinço seu nariz com a mão direita e faço respiração boca a boca. Depois de dez ou doze movimentos, percebo que Lívia está conseguindo controlar um pouco a respiração, que se mostra mais livre.

Deixo-a em paz, aguardo um pouco e esclareço para o grupo o que aconteceu. A sequência foi tão clara que bastam explicações sumárias.

Lívia continua deitada, ainda bastante pálida, mas ouvindo de forma interessada.

Faço-lhe perguntas. Ela nunca desmaiou nem teve ataques em sua vida. Não está familiarizada com a noção de inibição respiratória. Só sente o peito um pouco apertado às vezes. E não percebeu que havia parado de respirar momentos antes de desmaiar.

Qual seria a expressão mais consciente dessa morte da mãe — ou de Lívia? — por enquadramento? Mais precisamente: de que modo a mãe em Lívia a estava matando? Por asfixia crônica, sabemos. Mas como experimentava Lívia esse fato — se é que o percebia?

Poderia percebê-lo na própria inibição respiratória, como também na sequência de seus pensamentos mentalmente verbalizados. Ao lado de quem quer que fosse, Lívia era logo tomada pela mãe que tudo compreende. Ouvia o outro e, como toda mãe "deve" fazer, não fazia juízos sobre o outro — nada pensava sobre o que estava ouvindo, a fim de não perturbar, não contrariar ou não ferir o "filho". Mantinha-se mentalmente em silêncio.

Mais que isso, suprimia constante e ativamente seus pensamentos, a fim de não romper o laço maternal; de outro lado, punha seu pensamento — suas palavras — a serviço do filho, despersonalizando-se nesse ato e fazendo sua a respiração do outro. Sua respiração desaparecia junto com seus pensamentos. Para ser mãe incondicional é preciso não ter nenhum juízo e nenhum pensamento ou posição própria. Caso contrário, desaparece a incondicionalidade da aceitação.

Assim se demonstra que toda mãe que é apenas mãe e sempre mãe não pode existir.

Aconselho Lívia a tentar a asfixia controlada, segundo técnica a ser vista em outros casos deste livro.

Uma companheira de grupo pergunta se a repetição do desenho, em casa, não poderia ser igualmente útil. Claro que seria. É um excelente meio de ensaio com risco calculado.

Em reunião de grupo de estudos, um colega me pergunta o porquê da respiração boca a boca.

Porque a demorada apneia de Lívia inspirou-me cuidados e porque me lembrei — bem vagamente — do caso de Luci, e pareceu-me que o ato teria valor simbólico além de seu valor fisiológico.

Na terceira reunião, Lívia diz o que ocorreu. Desde a reunião anterior, sente-se como que gripada, com dores no corpo, dor de cabeça e sensação de febre — mas sem febre de termômetro. Passou a semana toda com vômitos e diarreia. Não sonhou.

Não compreendo bem o que aconteceu com ela e lhe digo. Parece clara a existência de um grande movimento psicossomático de reorganização de atitudes (dores no corpo), cujo sentido geral parece ser "livrar-se de uma porção de coisas íntimas ou internas" (vômitos e diarreia).

Falo-lhe do sentido simbólico da respiração boca a boca: "insuflar um novo espírito", como Jeová fez com Adão. Resumo para o grupo o *caso de Luci*: ela exibia uma conduta mais desenvolta, realista e decidida do que sua conversa faria supor. Era revolucionária de fato e conservadora de direito — ou de conversa.

Claro, dirão, que todos nós mentimos sobre o que fazemos e ninguém diz mesmo o que faz. Aprendemos desde cedo que podemos fazer — mas escondido. Em público só se faz e só se fala do que pode, do que é permitido. (Em meus termos: repetimos todos a voz do coro e, nessa repetição, o mantemos vivo, fazendo de nosso pensamento um ato coletivo.)

Bem sei que é assim, mas no caso de Luci havia uma diferença de certa importância: para mim ela dizia a verdade de seus atos, e, portanto, diante de mim, não era muito plausível ou compreensível que defendesse, na conversa, posições e opiniões gerais, retrógradas e em discordância com seus atos.

Luci não costumava se queixar do que havia feito, ou mostrar desejos de deixar a vida que vivia. Nada disso. A dissociação entre o agir e o fazer era completa, isto é, Luci estava tão convicta de seu agir como de seu pensar.

Todos nós sofremos de uma dissociação grave entre o que aprendemos da conversa dos outros e o que aprendemos de nossa experiência não verbal de vida. Desde pequenos ouvimos, de todas as instâncias ditas pedagógicas, uma porção de regras e "verdades" extremamente discutíveis, que apesar disso nos são apresentadas como verdades sagradas. Elas têm a seu favor a adesão de quase todos, que repetem as mesmas coisas. Essas "verdades" e regras influem bastante sobre nós.

Ao mesmo tempo, vamos vivendo, sentindo, vendo, experimentando em nossa pele uma porção de episódios, personagens, situações. Todos nós temos, com base nessa experiência vivida, certa filosofia de vida mais ou menos inconsciente, pois temos medo de ouvir a voz de nossa experiência. *Com demasiada frequência ela contradiz a papagaiada* que ouvimos todo dia em torno de nós e dentro de nós. Receamos nossa verdade porque ela diverge da opinião coletiva — e segui-la nos levaria para a solidão. *Tememo-la também porque, como nossa experiência e nosso estilo são absolutamente únicos, se a seguirmos nos faremos solitários, não só porque nos afastaremos de todos como também porque jamais nos será dado encontrarmo-nos com o outro — se o outro implicar identidade de pensamento.*

— Assim acontecia com Luci. Assim acontece com você. O "espírito novo" que eu insuflei em você duvido muito que seja novo, como duvido muito que seja meu. Apenas pus você em contato com sua experiência não verbal de vida, aquela que é mais sua, que não depende de ouvir os outros nem de responder a eles, aquela que é na certa a essência dura de nós mesmos, a inegável e a indestrutível. É aquela que discorda sempre do que "devíamos" ser, pois o dever como regra geral é de todo impossível.

O dever é tão absurdo em cada caso concreto e em todos os casos concretos como a estatística é inútil para o caso particular. Não é sabedoria nem retidão geral. A mãe desenhada no quadro-negro era a alma; a moldura espessa e sufocante era a retidão geral.

Mas, de mim para mim, pensei mais.

Freud falava muito da fase oral. Devia falar da fase verbal, e então muito do que ele disse ganharia não só em clareza como em verossimilhança.

É verbal quase todo o "ensinamento" que recebemos do mundo, e moldar-se por esse ensinamento — ou apenas por palavras — é perder-se no coletivo, é "viver de acordo com o superego".

Consciente quer dizer, acima de tudo, verbal; inconsciente significa principalmente não verbal, sensação corporal, percepção de tons, de luzes, de formas que não têm nome.

Spiritus — vento — não é essencialmente palavra, mas direção invisível. O modelo do vento a soprar sobre árvores, velas e coisas — que ele move — é bem o modelo para a noção de espírito, o qual é exatamente isto: direção determinada por uma força invisível.

Quando alguém sente o vazio respiratório vivamente, como Luci e Lívia, então se põe em contato com sua essência (vazio) não verbal, *vazio e essência que são condição necessária para toda palavra, isto é, vazio que é a origem de todo pensamento pessoal, vazio que é o começo obrigatório de toda determinação.*

Como raiz de todo análoga à anterior (ANG), consideremos esta outra: STRING, "que aperta". Do verbo latino *stringo, are.*

Dela provêm constringir, restringir, assim como estrito e restrito, constrição e restrição.

Vemos de novo que algo aperta quando somos restritos, quando é estrita a autoridade, quando é restrita a liberdade. Quem nos impõe moldes, fórmulas ou princípios nos *aperta* — nos angustia. Por que o "aperto" da lei é comparado ao abraço — que seja — de uma cobra (*anguino*)? A lei pode nos apertar desse modo? Certamente não. A restrição só pode nos angustiar quando desperta em *nós* algo que *nos aperta*. A psicofisiologia da angústia nos esclarecerá satisfatoriamente a questão. Mas há um exemplo popular — experiência de todos — que é oportuno recordar, como prefácio à questão. Quando pequenos dizíamos — depois também —, na iminência da evacuação: "Estou apertado". O modelo cólon-musculatura perineal é, a seu modo, muito simples; por isso mesmo elucida bastante a relação impulso-inibição ou desejo-resistência. É a musculatura visceral involuntária, obediente aos apetites profundos, aquilo que se propõe, a tese; é a musculatura do assoalho pélvico, voluntária, obediente aos ditames das conveniências e dos hábitos adquiridos, aquilo que se opõe, a antítese. *Não "estou apertado", estou me apertando, estou contraindo meus músculos contra um movimento intestinal.*

Com certa facilidade podemos passar da evacuação tolhida ao vômito tolhido e, daí, para o riso contido, o choro inibido, a raiva controlada e o amor "recolhido".

A maior virtude de Reich foi precisamente a de mostrar a semelhança básica entre os itens dessa série.

O impulso é sempre um movimento visceral, uma disposição humoral ou um reflexo neurológico; a resistência, "aquilo que aperta", é sempre um conjunto de tensões musculares. O problema não consiste tanto em demonstrar o fato quanto em adquirir aptidão para vê-lo acontecendo em outra pessoa, ou para percebê-lo ocorrendo em nós mesmos. Freud e seu método cultivaram em todos — inadvertida mas eficazmente — o hábito maléfico de ouvir demais e de ver de menos. Não é fácil opor-se a esse hábito de tão vetusta memória e tão de acordo com o mais querido hábito da humanidade: falar, falar, falar...

Aos poucos, minha curiosidade foi se ampliando. Depois de descobrir que angústia é arrocho, logo me ocorreu que todos os angustiados do mundo se dizem opressos, oprimidos, deprimidos.

Então fui procurar a raiz correspondente e encontrei, na página 269, PREM, "fazer pressão". Derivada do verbo latino *premo, ere.* Diante dessa raiz novamente me propus o conceito que acabei de expor: fazer pressão moderada sobre uma parte qualquer do corpo quase nunca é um fato vital (ou mortal) para nenhum de nós e para nenhum animal, mas premer o tórax, ou oprimir a respiração, é imediatamente perigoso. Em segundo lugar, ainda que os fenômenos de pressão envolvam os três estados da matéria, é inegável que eles são mais evidentes nos gases. Enfim, tosse, espirro e o próprio riso ou choro oferecem aos homens, desde o começo dos tempos, a noção de pressão intrapulmonar (sem contar as dispneias de origem orgânica, asma, pneumonia, tuberculose etc.)

Por esses três motivos, creio que PREM se referia, primariamente — ainda que não exclusivamente —, a gases e respiração. Dessa raiz derivam, entre outros termos, reprimir, suprimir, impressão, expressão, imprimir, oprimir, depressão, pressa.

Está aí metade dos principais termos empregados na psicologia dinâmica, a começar pelo famosíssimo *recalque*, o qual, na linguagem dos mais eruditos, se chama *repressão* ou *supressão*. Repressão quer dizer apertar de novo, ou fazer pressão de novo. Suprimir quer dizer fazer pressão para baixo. Logo nos vêm à mente as duas frases freudianas clássicas: o inconsciente *faz pressão* contra a consciência, que *o reprime* continuamente; o inconsciente tende sempre a emergir e a consciência deve *suprimi-lo* sempre.

Que espécie de pressão pode ser essa?

É evidente que nós não reprimimos um impulso empurrando-o com a mão para baixo. Mesmo porque baixo e alto, em toda a teoria psicodinâmica, são conceitos que não têm sentido físico. *Mas se é verdade que todo desejo ou todo anseio produz uma aspiração, torna-se fácil imaginar que toda repressão implica uma restrição respiratória.* Essa verdade, contida na etimologia, foi ricamente explorada por Reich, tanto do ponto de vista teórico quanto do ponto de vista clínico e terapêutico. É expressão literal de Reich que não existe nenhuma repressão psicológica sem alguma espécie de distúrbio ou perturbação respiratória.

O termo oprimir está no estandarte de todos os movimentos sociais contemporâneos. Os senhores oprimem os escravos. Os escravos vivem asfixiados pela opressão dos senhores. E, assim, o *slogan* vai se repetindo em mil variações.

É sempre impedir de respirar. De ninguém ouvi que os patrões impedem os servos de desejarem. Fala-se muito nas *aspirações* das massas e na opressão dos poderosos. Esse fraseado panfletário é tido como analógico, pura força de... expressão; tenho para mim que nele se contém um núcleo de verdade literal.

Depressão significa, pouco mais ou menos, esmagamento, o que concorda com a atitude geral do deprimido e com sua respiração tarda e difícil.

Pressa é, em certo sentido, sinônimo de tensão, sendo estresse o termo mais usado atualmente.

Enfim, "Tive uma impressão" é a frase mais lida em todos os textos de psicoterapia do mundo. O que é que impressiona o terapeuta? É a expressão do paciente. Que fazem os dois? Serão um locomóvel com dois cilindros, conjugados de tal forma que, quando o gás se expande em um deles, comprime-se no outro?

A música da voz é uma expressão no sentido mais puro e literal da palavra; ela provém do ar "premido para fora".

A voz, uma vez emitida, exerce "pressão para dentro" (impressão) no ouvinte. O processo expressão-impressão é, pois, quase instantâneo. Tudo isso é óbvio. Menos óbvias são a influência das características não verbais da voz e, inclusive, a interferência, retratada no diálogo, entre os ritmos e as formas respiratórias dos dois interlocutores — aí é que se mostra válida a comparação com o duplo cilindro. Vejamos como isso acontece clinicamente.

TEU ESPELHO — O OUTRO

— Como vai?

— Não muito bem. Estou hoje com uma bola aqui — aponta o epigástrio. De tanto o senhor insistir sobre a respiração acho que estou ficando sugestionada...

A paciente respira mal quase sempre. Toda vez que menciono o fato, ela reage com notável ceticismo. Não crê que possa haver relação entre suas "más ideias" (*sic*) e sua má respiração.

Silencia um instante e logo recomeça o diálogo, meio absorta.

— Na vinda, dirigindo para cá, atravessei três sinais fechados...

Acorda ao som da própria voz e logo pergunta, ansiosa:

— O senhor às vezes atravessa sinal fechado?

Silencio uns instantes, ponderando, e *quando vou começar a falar* ela interfere precipitadamente:

— O senhor nunca faz isso, não? O senhor nunca atravessa sinal fechado, não é?

Senti-me tolhido na respiração quando ela cortou a pausa com sua afirmação; tive de ouvi-la quando já estava preparado para responder, isto é, quando já havia inspirado para dar som a minha voz. E mantive-me em inspiração, com a respiração parada, enquanto ela falava.

— Sabe, doutor — continuou ela, sem descontinuidade alguma —, percebi que estou fazendo isso muitas vezes, com muita gente.

— Isso o quê?

— Pôr minha palavra na boca do outro; responder pelo outro à pergunta que eu faço...

— Certo. Muito certo. Agora que ouço você descrevendo o fato, dou-me conta de tê-lo presenciado e sofrido inúmeras vezes.

— Por que, doutor? Será para ouvir o que eu desejo?

— É possível... Mas olhe, quando você me atalhou, eu fiquei uns instantes sem respirar. Será que você, desse modo, não estará produzindo no outro — em mim — a mesma falta de respiração de que você sofre e cuja presença, hoje, está tão viva na forma de "bola aqui"?

A paciente não responde. Eu ainda estava no meio da frase e ela já havia se levantado — chorando — e se dirigira para a janela, a fim de disfarçar as lágrimas.

Silêncio. Algo não estava certo no que fora dito, uma vez que a referência à respiração — tenho de mim para mim — havia sido a desencadeante do choro. Ela estava com a respiração presa — uma "bola" na boca do estômago — *a fim de conter o choro.*

Por mais que desejasse, no momento, mostrar-me compassivo e compreensivo, não consegui. Estava firmemente decidido a encontrar o que faltava.

Ignoro seu choro e prossigo.

— Olhe, você não procura ouvir o que deseja. *Você procura uma condenação*. Você pôs na minha boca as palavras: "O senhor nunca faz isso, não?" Isto é, você acha que eu *nunca* cometi, nem cometeria, o mesmo *erro* que você cometeu hoje ao avançar com o sinal fechado.

Ela ouve, apesar do choro, e está — como eu há pouco — em busca de algo.

— Tem mais. Toda a sua postura — vejo agora — é a de uma pessoa que se sente sempre errada. *Um pouco furtiva, meio encolhida, quase se esgueirando, como se estivesse sempre pronta para pedir desculpas pelo que faz, pelo que pensa, pelo que é...*

A paciente ouve-me, de novo absorta, apesar das lágrimas.

— Sabe, doutor, ontem fiz uma bobagem daquelas! Quis forçar a aproximação de duas pessoas que me são queridas, porém sabendo que elas não se entendem. Brigaram — eu sabia que brigariam. A culpa foi toda minha. Sou uma estúpida...

Faço um interrogatório pormenorizado sobre o fato relatado. Torna-se logo evidente que os dois outros interessados haviam sido os principais responsáveis pelo atrito e pelo próprio encontro.

Esse fato liga-se a inúmeros outros semelhantes, cujos detalhes prefiro omitir. Com isso perde-se a perspectiva, mas o ponto que me importava esclarecer — referente à respiração — já está esclarecido. Lá está, bem claro, o jogo expressão-impressão; lá está, bem clara, a "análise da transferência respiratória".

Como age esse tipo de fenômeno?

Age de modo tão simples que se faz difícil compreendê-lo.

Ao apontar verbalmente para uma posição corporal incômoda que está sendo inconscientemente mantida, logo o paciente se faz capaz de influir sobre ela. Sendo incômoda, basta percebê-la para que ela tenda a se desfazer. Incômoda quer dizer, neurologicamente, mal coordenada, mal composta: por isso, com tendência inerente a desfazer-se.

Freud exprimia esse fato dizendo: "*O pré-consciente faz pressão sobre a consciência*".

Enquanto houver tensões musculares, inconscientes para a pessoa, esta se sentirá vítima de constrangimentos, amarras, compressões. *Quando a pessoa se dá conta dessas tensões, sente-se, no ato da percepção, senhora de si, ativa, agente.*

Esse é o modo natural de funcionamento da propriocepção, a qual é sensação e, ao mesmo tempo, elemento central do controle muscular.

Note-se quanto essa inversão na posição do "eu" — de paciente a agente — inverte a colocação da pessoa na situação.

No caso houve um efeito paradoxal — quando visto segundo avaliações comuns.

A paciente, que inicialmente estava "se controlando" (aparentemente estava sendo agente), de súbito se pôs a chorar, "descontrolando-se" (portanto, em aparência se fez passiva). Mas se não nos deixarmos influir por avaliações comuns, diremos assim: de início, a paciente estava *sendo controlada* por suas inibições; depois, essas inibições *desfizeram-se* e a paciente *ficou livre*, fez o que precisava fazer, integrou sua expressão ao seu sentir.

A melhor prova disso está na descoberta feita — de forma alegórica — pela própria paciente: ela tende a reproduzir no outro aquilo que a governa — inibição respiratória. Ela "projeta", isto é, procura não apenas ver (como se diz habitualmente), mas sobretudo *criar* no outro o mesmo conjunto de forças que a moldam ou tolhem.

Se bem compreendido, esse é um excelente método, de fato experimental, de resolver as próprias dificuldades. A projeção é sempre "pedagógica".

Aliás, ao freudismo falta a consideração da ação, concentrado que está, todo ele, na *compreensão* dos fatos. Por isso o conceito de projeção freudiano é somente intelectual: o paciente "vê" ao redor aquilo que nega em si.

Não apenas vê, acrescento eu, como também *tende a criar, influindo eficientemente*. Ele tenta envolver o outro continuamente, tanto para dominá-lo como pela esperança de que este não entre no jogo — o que o libertaria.

O problema clínico e humano está muito mais em perceber esse modo de influência, e para isso "o outro" é absolutamente essencial. Sem o outro a pessoa não consegue "analisar-se" de maneira eficaz, isto é, produzir no outro um efeito semelhante ao que ela está sentindo.

1. A projeção seria um "olhar-se ao espelho" — para ver-se no outro.
2. Se esse processo de "reflexão" não se completa, a pessoa não *se divide*, e por isso não pode *se recompor* — criar outra síntese. Então, ela se compõe com o outro, o que gera um elo compulsivo, necessário.

A dissociação é o processo estruturalmente inverso — funcionalmente complementar — da integração. Sem um não há o outro. A transferência é, em parte, um dissociar-se para reintegrar-se.

Havia na paciente "um anseio contido", que era, ao mesmo tempo e num ato só, disfunção respiratória e vontade de chorar. A função respiratória é essencialmente rítmica; qualquer posição estável do tórax perturba esse ritmo e transforma o anseio em ansiedade. *Bem podemos dizer que ansiedade é um desejo insaciado ou um anseio insatisfeito.*

Se visualizarmos bem um *ritmo estavelmente perturbado*, entenderemos intuitivamente a ansiedade. Por exemplo, *uma ave com a asa ferida*, ainda capaz de voar, mas voando mal.

A paciente estava, pois, com uma disritmia respiratória. Ao interromper minha resposta, ela perturba *o meu* ritmo respiratório, ao mesmo tempo que me atribui — aflitivamente — uma condenação. Quero dizer que era aflitivo — precipitado — seu modo de dizer-me: "O senhor nunca faz isso, não?"

Ao tolher-me — minha respiração para —, ela se liberta, fala de forma apressada, expira precipitadamente.

Se, em vez de perceber a relação respiratória, eu tivesse dado continuidade ao diálogo verbal, então resultaria um diálogo *inconsciente* de *anseios*. Haveria em mim "desejo de" (anseio) consolar, criticar, interpretar, "analisar". Haveria nela "desejo de" (anseio) ser castigada, amparada, esclarecida, apoiada. Ao voltar-me e fazê-la se voltar para a respiração, a perturbação do ritmo cessou e veio o choro.

Empreguei o termo "desejo de" segundo a fórmula aceita na psicodinâmica. Anseio é o mais correto.

Na vigência de uma dificuldade respiratória, a primeira e mais importante coisa a fazer no momento é desfazer essa dificuldade. Nenhuma perturbação psíquica ou somática é tão urgentemente importante quanto a respiração tolhida. Ou seja: pare o leitor de respirar e eu o desafio a fazer ou pensar o que quer que seja, dez segundos após essa parada — continuando a parada.

Por isso ficamos ambos, eu e ela, ansiados ou ansiosos. Se eu a tivesse consolado, criticado ou analisado, nada seria "desejo de"; tudo seria "desejo *tolhido de*", perturbado pela inibição respiratória. Por isso eram anseios, os meus e os dela, não desejos.

Anseios são desejos que não respiram bem.

Note-se que o choro é uma das variantes normais — ainda que incomum — dos ritmos respiratórios. Seu ritmo é semelhante ao da gargalhada, do respirar resfolegante do esforço etc. Claro que a respiração tem muitos ritmos e não um só.

O que perturbava o ritmo respiratório da paciente? O estar preparada. Preparada para quê? Para defender-se *de acusações* do superego, da voz "íntima". Somaticamente, as acusações levam o acusado a "sentir-se diminuído", isto é, levam-no a uma hipertonia global em flexão, *resposta muscular inconsciente e involuntária cujo sentido primário é reduzir o próprio volume ao mínimo a fim de reduzir a probabilidade de ser ferido.*

Essa reação pode evoluir para um encolhimento corporal progressivo, até o "Senti-me esmagado pela acusação", "Fui reduzido à minha expressão mais simples", "Fiquei aniquilado", "Tive uma vontade enorme de sumir"; ou, por vezes, estimula a resposta inversa, o ataque incoercível. Nesse caso o indivíduo se expande, cresce, agiganta-se contra o oponente.

Como se vê, minha paciente estava ansiada (contida) também por isso, por ficar no meio da resposta à acusação. Deixar-se esmagar tê-la-ia levado a uma crise aguda de ansiedade ou de depressão (depressão é sinônimo, etimologicamente, de esmagamento). Reagir a levaria a uma crise de fúria. Ela ficava no meio, preparada para ambas as opções e não efetivando nenhuma. *Sempre preparada — porque o acusador usual, sendo sua voz íntima, a acompanhava sempre.*

Sua preparação e sua voz íntima alimentavam-se reciprocamente, mantinham-se uma à outra.

Ao passar sua preparação para mim, ela chora; ao "armar-me", ela se desarma. Enquanto eu me integro, ela se desagrega — ou flui.

Meu preparo a desarmou: entendam-se "armar" e "desarmar" no sentido mais elementar, como se arma e desarma uma tenda de praia, ou um guarda-chuva.

Em vez de julgar sua ação, eu destaquei sua atitude — a que continha o ritmo respiratório.

Acho que essa é a essência de toda "interpretação" terapêutica eficaz.

Corresponde, mais ou menos ingenuamente, a um golpe de jiu-jítsu. Neste, o mestre quase não vê o ato agressivo preparado pelo aluno, mas vê ou procura sentir a preparação do discípulo para o ato agressivo; procura senti-la e atuar sobre ela, sobre a preparação. Quando esta passa por um momento de equilíbrio precário, então o mestre atua, levemente, desequilibrando de vez o adversário. Sabedoria ou ironia oriental, o fato é que jiu-jítsu significa "arte suave"!

O meu diálogo com a paciente foi assim: primeiro nos abordamos e ela preparou um "golpe"; em vez de me defender, eu a desequilibrei e ela "caiu" — se desfez, chorou. Permaneci em pé e isso foi importante.

O doutor Bachir Haidar iniciou, entre nós, a análise psicológica dos modos de o paciente praticar esportes. Foi por meio do diálogo com ele e seus colaboradores que essa comparação com o jiu-jítsu ganhou forma em minha mente — e aqui ficam meus agradecimentos.

Nas "lutas" — preponderantemente verbais — que as pessoas travam a todo instante, há sempre a abordagem e o esforço para "vencer" o outro, derrubá-lo. Até aí, nada de mais e nada de mal. Que vença o mais forte ou o mais hábil, pois essa é a lei, a lição e a técnica natural do aperfeiçoamento. Se não lutamos ou não somos vencidos, não podemos atestar a existência de nada melhor — e estagnamos. Essa é a tragédia de todo conformismo; é a comédia de todo orgulho que "explica" a derrota sempre como "culpa dele" — e se afasta.

O mal da luta está na exploração do vencido. Esse é o arcaísmo a vencer. É maduro gozar a vitória e alegrar-se com a própria força; é pueril diminuir o vencido. Ao fazê-lo, elevamo-nos artificialmente — porque nossa vitória não nos convenceu — e não nos contentamos com nossa aptidão, porque não acreditamos nela.

Também não convém descer até o vencido, a fim de não glorificar a derrota; tampouco convém agradecer-lhe por nos ter permitido evidenciar nossa força — ele logo abusaria de nossa gratidão, apelando para o ambíguo direito do menos apto.

Podemos, contudo, muitas vezes estender-lhe a mão para que ele se ponha novamente em pé e recomece a lutar; podemos também — é a essência do cavaleiro andante — mostrar a ele o momento, o movimento e o mau jeito que o fizeram cair. Educar o inimigo nos obriga a cuidar de nosso próprio progresso.

É essencial que o paciente perceba e reconheça nossa força, nossa disposição inflexível para vencê-lo, nossa aptidão e nosso treino. É preciso, ainda, comunicar ao paciente nosso respeito hipotético a ele: nossa convicção de que ele é capaz — até prova convincente em contrário — de lutar bem e, em princípio, de nos vencer.

Aqui, de forma filosófica e alegórica, apresento um resumo do que poderíamos chamar análise e *educação da hostilidade ou da agressão.* Estes são os usos legítimos da hostilidade: firmar-nos contra o que não nos convém; tentar impor o que nos parece bom; conseguir o que nos é necessário; defender o que amamos. Essas coisas desejáveis são obtidas com aquela técnica dura que foi descrita.

Não quero que o paciente me respeite porque sou médico, porque tenho "técnica" e conhecimento, porque vou "curá-lo". Quero que ele perceba, tão logo quanto possível, que toda relação pessoal admite uma tendência à comunhão e outra à competição, que há sempre amor e agressão contida entre as pessoas. Os dois são essenciais. A educação do ódio é o que examinamos resumidamente.

O caso exposto poderia ser considerado muito artificial — ou raro — por todos aqueles que não prestam atenção a essas coisas.

Mas ele não é uma coisa nem outra.

Lembro bem a consulta feita com um casal maduro. Ela era imperativa, autoritária e tenaz; falava contínua e incoercivelmente. Sempre apelava para o marido e, quando este abria a boca para falar, ela falava por ele. Permaneceram assim por mais de meia hora. *Essa era a técnica pela qual a esposa sufocava o marido. Ele retratava as inibições respiratórias dela — justamente aquilo que a mantinha falando o tempo todo.*

Tratei longamente do filho dessa mulher, Jaime, um rapaz muito bem-dotado em termos de inteligência e caráter, mas que se mostrou incapaz, durante muitos anos, de acertar o passo na vida.

Pouco a pouco, a partir da adolescência, foi se afastando de toda atividade útil ou preparatória; deu-se a várias "manias" esportivas (halterofilismo, judô, barra fixa, caratê), devorou livros de conteúdo psicológico e terminou praticamente fechado em seu quarto o dia todo, qual monge budista.

Muitas vezes, ao tentar sair de casa, falhou — mesmo com a ajuda dos pais.

Após poucos dias de afastamento voltava, não sem antes telefonar para a mãe, aflito, às duas ou três da manhã, *para saber se ela estava bem...*

Orgulhava-se muito de sua boa capacidade respiratória e com frequência dizia a si mesmo: "Respiro muito bem".

Falo claramente com ele:

— Por que você não vai para a Índia, já que deseja uma vida monástica? Que pretende fazer?

Ele está tão perplexo quanto eu, mas tenta, muitas vezes, explicar o que sucede.

Em certa hora chegamos quase juntos à mesma conclusão: as palavras que Jaime dizia eram dele, mas o tom de voz, a sintaxe e o próprio estilo eram de sua mãe.

— Já faz tempo que eu percebo que em minha cabeça tudo é falado com o jeito da mamãe. Meu pensamento é ela. Tudo que eu digo para mim mesmo digo usando o jeito dela.

— Mas isso nos dá uma solução! Pare de pensar e de falar — assim você matará sua mãe dentro de si, sufocada! Mas cuidado: ao sufocar mamãe quem vai sentir falta de ar é você.

Assim, esclareceu-se o medo de que sua mãe estivesse passando mal à noite: se ela passasse mal ele estaria ameaçado...

Por isso ele dizia a si mesmo tantas vezes que sua respiração era ótima, já que ela, em regra, não era sua, mas da mãe tagarela.

Mas se Jaime conseguisse obedecer a meu conselho ao pé da letra e de uma só vez, ele se sentiria *sem espírito*, sem pensamento e sem atividade alguma, porque o que ele mais fazia era pensar, ler e falar, era ser sua mãe — *era ser palavra.*

Seu treinamento em lutas, nas quais ele era ótimo, poderia ser compreendido como preparação para lutar contra a mãe — ainda que esta fosse invencível. Na verdade, a única maneira de vencê-la seria afastar-se dela. Mas, ao fazer isso, ele temia por ela — e ela passava mal e tinha crises.

Como resolver a situação de dois irmãos siameses presos pelo tórax? Poderiam viver separados?

Desse modo, ficou demonstrado que a respiração do rapaz ocorria como se fosse feita por sua mãe.

Esse é um exemplo e um modelo do que podemos denominar *dependência respiratória*, a mais fundamental das dependências. Seu rompimento é sentido pela pessoa como *morte por asfixia* e, ao mesmo tempo, como *ausência total de ideias (de palavras), já que a respiração e a verbalização da pessoa se modelam por outrem.*

O SUBMARINO

— Doutor, li um de seus folhetos sobre respiração, mas não encontrei em mim nada semelhante. Acho que minha respiração não tem muito que ver com minhas dificuldades.

— Mas como?! Não foi você mesmo, duas entrevistas atrás, quem trouxe para nossa discussão o problema de sua voz?

— Bem... Mas era uma questão de falar...

— E o falar não terá nada que ver com a respiração? Você se queixou da sua voz — parece sempre cansada; as pessoas dizem que você fala baixo. Você mesm descreveu seu modo de falar como o de quem "fala para dentro". E eu acrescento: você fala como se a pontuação do seu discurso estivesse errada. *Sua voz às vezes coloca reticências, exclamações, pontos e vírgulas fora do lugar.*

— É... Mas também acontece o contrário, grito quase sem querer, a voz sai muito forte, às vezes esganiçada. Só percebo que gritei depois de ver a cara dos outros. Quando dava aulas era tido como um professor bravo. No entanto, sei bem quanto sou compreensivo e camarada. Demorei muito para perceber de onde provinha essa fama. Provinha da voz forte e às vezes descontrolada.

Então silenciamos, e passo a olhar com redobrada atenção para a região oral do paciente. *Seus lábios são flácidos; o queixo tende para certa imobilidade tensa, e suponho algo semelhante na língua*, pois suas palavras fluem ligeiramente empastadas — *logo, a voz provém de órgãos articuladores de mobilidade ao mesmo tempo limitada e pouco viva.* Nada obstante, sua dicção habitual é clara, isto é, não há palavras nem sílabas "engolidas" ou suprimidas. O dizer é inteiro, mas ligeiramente borrado.

Depois de observá-lo alguns instantes, tento imitar com meus lábios, queixo e língua a visível ou suposta posição das partes correspondentes do paciente.

Tenho plena noção de estar fazendo caretas. Acabo achando graça, pela seriedade com que as havia feito, ignorando de todo a presença do paciente.

No entanto, este havia arremetido, por conta própria, a certa recordação da qual logo falaremos. Dado o interesse divergente, entre nós ocorreu um desencontro e eu acabei rindo.

A seguir explico-lhe o motivo do meu riso e o chamo de "cara de pau" por não ter rido com minhas caretas. Imediatamente, o paciente confirma:

— Mas eu acho! Acho mesmo que tenho cara de pau. Todo mundo acha. Eu acho graça nas coisas mas não rio. E às vezes acho tudo muito triste mas não choro.

— E a origem dessa maneira de ser? Papai?

— Com certeza! Além de tudo que já lhe contei, ouça mais esta: certo dia estávamos brincando e um de meus irmãos — não me lembro mais por que — soltou uma sonora gargalhada. Logo depois, papai entrou na sala muito sério, pôs-se diante do garoto e deu-lhe uma bofetada na cara, dizendo: "Na minha casa ninguém ri dessa maneira".

Assim era o pai desse moço, um tirano realmente violento, pusilânime e arbitrário ao mesmo tempo.

Entre as múltiplas influências exercidas por esse pai sobre esse filho, destaco, de momento, a seguinte: cansado, envergonhado e humilhado pelas contínuas "cenas" paternas, meu cliente se fez um rapaz sobremodo sério e comedido, abominando qualquer espécie de expansão afetiva. Ele prima pela discrição, pelo comedimento, pela marcada inibição de qualquer espécie de expansão emocional.

Nossa conversa sobre seu modo de falar enquadra-se perfeitamente nesse contexto mais amplo, da limitação das expansões ou das expressões afetivas ao mínimo.

O paciente não se dera conta de minhas caretas por estar recordando-me, naquele momento, um fato já relatado por ele em entrevista anterior.

Por volta dos 9 ou 10 anos de idade, *o menino costumava ofegar audível e penosamente*, sem nenhuma razão aparente.

O fato era ostensivo, incomodando as pessoas mais próximas, que se afastavam — ou solicitavam à criança que se afastasse delas.

Após muitos meses, esse sintoma foi gradualmente desaparecendo, sem nenhum tratamento ou medida específica. Não havia outro sinal de moléstia torácica.

— Além de todos esses sintomas respiratórios, você não se lembra do sonho que contou hoje mesmo?

— O sonho?

— Sim, o sonho. Moças japonesas nadando numa piscina, assustadas por causa de uma espécie de chuva de óleo sobre a água, que ameaçava asfixiar as mergulhadoras.

— Sim, o sonho era assim.

— Não é evidente o caráter respiratório do temor de asfixia?

— É...

— Além disso, você já sonhou duas vezes com gente decapitada, estando a cabeça aqui e o corpo ali; *o corpo num caixão*. Posso dizer a você, fazendo uso de uma sugestiva analogia, que sua voz vem puramente da garganta, isto é, não provém do tórax. A respiração a animar sua voz é muito fraca; você pronuncia muito bem as palavras, mas elas não têm força, tampouco têm música — na verdade, a música de sua voz é bastante inexpressiva, sem modulação. Posso dizer, sempre analogicamente, que se trata de uma voz sem espírito. Isto é, voz de cabeça separada do corpo. O corpo dentro de um caixão — a outra figura do sonho — não pode respirar bem; o caixão limita os movimentos e, além disso, o ar dentro dele se vicia depressa. Você fala como se sua cabeça estivesse separada do peito. Posso dizer ainda que seu comportamento também é "sem espírito", ou seja, constantemente amável, tolerante e anuente.

A seguir, recomendei ao paciente que seguisse o sonho, isto é, fizesse, duas ou três vezes ao dia, um pequeno exercício de asfixia voluntária prolongada. Esse exercício se mostra útil para um grande número de indivíduos. Confortavelmente recostada, a pessoa detém por completo a respiração. Depois de alguns segundos, com o crescimento da vontade de respirar, ela resiste até o limite do possível e, em seguida, respira um pouco, alcançando o tolerável, mas sem inalar de todo o ar desejado. Logo, para de novo.

O ciclo se repete durante três a cinco minutos.

Indivíduos mais sensíveis em relação ao próprio corpo facilmente conseguem respirar *contínua* mas *insuficientemente, alimentando durante minutos a sensação de asfixia moderada.*

O efeito final é o mesmo, podendo ser decomposto em três itens distintos: *primeiro, levar a respiração à consciência do paciente; segundo, levar o paciente à sensação de controle respiratório; terceiro, levar o paciente a vencer parte da apreensão sentida por todos ante a ansiedade.*

Esse tipo de exercício tem vantagem considerável sobre aqueles que visam a maior amplitude ou frequência respiratória. Praticamente todas as pessoas sofrem de *inibições* respiratórias; ninguém, que eu saiba, respira *mais eficientemente* por hábito neurótico. Digamos ainda de outro modo: todo mau hábito neurótico relativo à respiração é restritivo e nunca expansivo. O indivíduo pode ter o tórax expandido, mas seu *movimento* respiratório é limitado em amplitude, ritmo ou forma. Quando rápida (crises histéricas), a respiração é rara.

Dado esse fato, ao solicitarmos do paciente que tolha a própria respiração, nós o pomos em contato direto e imediato com suas inibições respiratórias. Ele não só as sente como, no mesmo ato, *delas se apropria à custa de um exercício de vontade.* Tal ato é fácil de fazer, pode ser descrito em termos simples e se refere a uma noção de vontade de todo clara.

O último elemento importante do exercício é este: como acontece com inibições respiratórias inconscientes, também durante o exercício tolhemos os movimentos respiratórios a ponto de ficarmos aflitos ou asfixiados. É desse modo que a ansiedade surge em nós. No caso do exercício, imitamos bastante bem um processo psicofisiopatológico, *mas agora temo-lo inteiro em nossas mãos. Não somos vítimas de um processo inconsciente, mas agentes de uma inibição voluntária.*

Com esse conselho terminamos a sessão.

A entrevista seguinte, em razão de um atraso do paciente, durou apenas quinze minutos. Não obstante, ele trouxe um sonho bastante curioso — e oportuno! Solicitei a ele a fineza de descrevê-lo por inteiro.

Na sessão subsequente recebi a encomenda. No mesmo momento Ricardo confessou, com um misto de bom humor, pedido de desculpas e malandragem inocente, *sua incapacidade de fazer o exercício recomendado por mim. O mal-estar era demasiado e por demais exasperante.*

Na verdade, *o exercício era feito o tempo todo por ele,* porém de forma inconsciente. Dito de outro modo, Ricardo asfixiava-se continuamente sem perceber. Por isso reagiu tanto. Foi como pedir a um aleijado que brincasse de aleijado.

A seguir, o sonho redigido por ele; sublinhei os trechos mais sugestivos e acrescentei, entre parênteses, comentários curtos, preparatórios em relação ao exame ulterior.

> Encontro-me no interior de um submarino (*respiração limitada*), em companhia de várias pessoas, sendo algumas delas conhecidas. O submarino sofreu

algumas avarias e encontra-se profundamente submerso, sem possibilidade de ser socorrido e salvo (*inibição respiratória inconsciente e por isso inacessível*). Todos nós, tripulação e passageiros, estamos inteiramente informados quanto à não existência de nenhuma possibilidade de salvação, pois inclusive *o rádio de bordo está avariado* (*voz baixa e pouco modulada*), impedindo a comunicação com o mundo exterior.

Apesar da sentença mortal não existe, a bordo, nenhum sinal de pânico, não há atitudes histéricas, possessas, desesperadas (*inibição de expressões afetivas*). Há um clima de tensão, desespero surdo e ansiedade. Todos caminham e trocam impressões sobre o fim que se aproxima, inexorável. (É ele — o paciente — no cotidiano.)

No casco do submarino existe uma grande janela por onde entra uma luz diáfana, através da qual nós "vemos" perfeitamente o mundo exterior, a terra firme: ruas, casas, pessoas que passam, outras paradas, algumas conversando etc. Essa visão apresenta-se com as características próprias do embaciamento e esfumaçamento que ocorre quando estamos dentro d'água com os olhos abertos. Vez por outra, inexplicavelmente, surgem pessoas, "sapos" palpiteiros — que, pondo-se em contato conosco, nos animam e advertem que a salvação está próxima, pois elas, ao saírem (?) do submarino, providenciarão os socorros necessários para o salvamento da embarcação. Todos se animam com essas intervenções ocasionais porém repetidas. No entanto, eu explico aos companheiros que essas promessas são impossíveis e absurdas, e liquido o assunto com uma pergunta que gela o ambiente e permanece no ar sem resposta: "Vocês se esquecem de que essas pessoas estão também aqui dentro e, portanto, não poderão sair?" No caso de contestação por parte de algum dos presentes, o argumento final: "Se elas saírem nós também poderemos nos safar deste submarino".

À medida que o tempo passa, torno-me uma espécie de intermediário entre o capitão e os passageiros. O primeiro, *em voz baixa, segreda-me* os informes sobre a situação desesperadora em que nós nos encontramos, e que não apresenta, apesar dos esforços, nenhuma probabilidade de salvamento. Em certo momento, eu lhe ofereço *pilhas para que tente fazer o rádio funcionar*. Ele agradece, mas objeta que as pilhas de nada adiantarão, pois, em virtude da posição e profundidade em que nos encontramos, *a pressão submarina*

(?) impede a transmissão de mensagens; ele confessa que o rádio funciona, mas que ninguém pode nos ouvir (falta de pressão aérea para tornar audível a voz).

Em seguida, prevendo o fim que se aproxima — *a morte por asfixia dada a falta de ar* —, o capitão me confia uma caixa de comprimidos, com a recomendação de só entregar um a cada passageiro, fazendo a entrega apenas quando solicitado. Antes de entregar o comprimido, eu devo advertir as pessoas que, a qualquer momento dentro das 24 horas seguintes, cairão no sono e daí passarão à morte. Um dos casais a quem entrego, por solicitação, duas drágeas diz estar tranquilo (?), *pois vai se trancar no camarote* e terá, portanto, ao seu dispor maior quantidade de ar; esses indivíduos declaram-se igualmente prevenidos, pois dispõem de enorme quantidade de víveres (que me são exibidos) para enfrentar os próximos dias, mas, ainda assim, tomam as duas drágeas e as engolem, apesar de terem sido por mim esclarecidos sobre seus efeitos letais. Eu também engulo uma drágea, parece-me que simultaneamente ao casal amigo. Após a ingestão do comprimido, o estado de ansiedade e preocupação transforma-se num estado de pânico com a aproximação da hora final. Maior ainda é a minha dúvida sobre a conveniência da ingestão do comprimido, em virtude de, logo após tê-lo ingerido, surgirem indícios claros e veementes de que a salvação e o içamento do submarino ocorreriam logo, pois um dos "sapos" acabou conseguindo trazer socorro e, com um imenso e longo anzol, o submarino seria retirado do fundo do mar. Eu tenho a impressão de que minha angústia e desespero são ainda maiores por eu me considerar pessoalmente responsável pelo fato de outras pessoas terem tomado as drágeas letais (*difusão do pessimismo e da depressão*).

Algumas observações: primeiro, o fato de que, por vezes, durante o sonho, eu me encontrava talvez fora do submarino, pois tinha visão total dele; segundo, o fato de o submarino não apresentar nenhum aspecto tétrico ou desagradável aos meus olhos, sendo, ao contrário, uma visão agradável — em certos momentos, essa imagem do submarino mais me parecia sugerir a ideia, quase concreta, de pênis gigante, sem ser aterrador; terceiro, tenho a impressão de terem ocorrido cenas coloridas no sonho, especialmente no que se refere aos víveres e às visões do mundo exterior, por meio da grande janela do submarino; quarto, o sonho foi continuado, isto é, repetiu-se, inclusive após eu ter me levantado, na madrugada, e em seguida voltado a dormir.

Eu não saberia, nem pretendo, entender esse sonho todo e cada uma de suas partes.

De início, destaco o evidente paralelo entre as alusões reiteradas ao rádio e aos cochichos entre Ricardo e o capitão, de um lado, e os comentários feitos durante a entrevista em relação à voz de Ricardo, de outro.

Interrogatório direto e solicitação de associações livres de ideias em torno de todos os fatos, objetos e personagens do sonho quase nada trouxeram de muito elucidativo.

Deixei o sonho e a entrevista redigidos ao modo como os apresentei e só voltei a tentar compreendê-los dois meses depois.

Sublinhemos, primeiro, o mais evidente: o maior perigo, no sonho, é a morte por falta de ar; no centro do sonho, pois, estão inibições respiratórias, tingindo de angústia todo o longo episódio.

Os submarinos não parecem ter para Ricardo nenhum atrativo, nem despertar nenhum horror peculiar. A escolha da figura do sonho não mantém paralelo algum com ideias tidas ou alimentadas por ele em sua vida acordada. O sonho escolheu o submarino, certamente porque este representa muito bem a principal dificuldade do paciente, não percebida por ele: inibição respiratória considerável.

Em torno dessa supressão, e tão evidente quanto ela — ou mais do que ela —, o silenciamento da voz (do próprio espírito). Fala-se no começo do sonho a respeito de um rádio avariado; o capitão "segreda em voz baixa", para Ricardo, todos os detalhes da tragédia inevitável; a seguir, Ricardo oferece pilhas a fim de pôr o rádio em ação, mas isso não funcionaria; a pressão submarina tornaria impossível a captação de mensagens emitidas pelo aparelho... Impossível fazer chegar, aonde quer que seja, qualquer pedido de socorro.

Sei bem qual o significado desse rádio: bem poderíamos dizer, pondo um pouco de graça onde ela não cabe, que Ricardo seria pobre mas orgulhoso. Não obstante dificuldades numerosas de caráter, de matrimônio e de vida, *Ricardo não conseguia pedir auxílio de modo convincente.*

De seu estilo de ser fazia parte peculiar teimosia e orgulho por esse mesmo estilo de ser... Falando com seriedade de seus propósitos relativos a outro modo de vida, Ricardo mostrava-se, no entanto, profundamente cético quanto à possibilidade de uma vida melhor.

Ricardo não pedia socorro de modo convincente.

Ele silenciava seu desespero e este, como se lê no sonho, manifestava-se antes como "tensão, desespero surdo e ansiedade", e jamais — jamais! — na forma de "pânico", de "atitudes histéricas, possessas, desesperadas"... Nesse trecho vemos bem como o comedimento de Ricardo estava enraizado; mesmo adormecido, nele operava esse treino para a discrição.

Não só se encontrava amordaçado, em Ricardo, seu espírito mais profundo — a necessidade de salvação — como vigorava nele um falso espírito polêmico, em aparência lógico, mas, na verdade, insensato.

Muitas vezes, durante a entrevista, vi-me perplexo diante de sua argumentação. Sirva de exemplo a discussão onírica.

Segundo o relato, no submarino apareceram, de modo inexplicável, alguns indivíduos vindos de fora, chamados de "sapos" pelo sonhador. Esses indivíduos traziam, para tripulantes e passageiros do submarino, esperança de salvação. No entanto, Ricardo, em vez de alegrar-se com essa expectativa, fazia-se porta-voz do pessimismo e da fatalidade — com evidente prazer! "Demonstrava" a completa impossibilidade de *estarem no barco pessoas de fora*, contrariando, nesse ponto, *toda a evidência disponível.*

Entenda bem, leitor: aceitando-se o sonho como plena realidade — é assim que nos sentimos dentro dele enquanto dura —, a evidência imediata diria a Ricardo que havia pessoas de fora no barco e, portanto, seria possível a comunicação entre o barco e o mundo exterior ou a superfície. No entanto, Ricardo, no sonho, preocupava-se em demonstrar para si mesmo, e para os demais, quanto eram "ilusórias" as pessoas vindas de fora. Mesmo tendo-as sob os olhos ele dizia, como se costuma dizer das girafas, serem elas impossíveis...

De modo igual argumentava ele na vida acordada. Tudo que poderia trazer-lhe alguma esperança, alento ou estímulo era, com notável regularidade, destruído ou anulado à custa de argumentação pseudorrealista e pseudológica, em cuja manutenção e defesa não só Ricardo se esmerava como mantinha-se de todo irredutível.

Era impossível mostrar ao náufrago a possibilidade de uma esperança. Quereria ele salvar-se? Ou não?

Desse ângulo, o sonho é notavelmente paradoxal: o submarino, à toda luz, mostrava-se como ataúde de Ricardo; no entanto, visto por fora, apresentava forma semelhante à de um pênis gigante! Como pode tal órgão, tido tradicionalmente como figuração mais imediata e concreta da vida, funcionar como ataúde?

A mesma linha de desespero alimentado e defendido aparece, mais explícita, no final do sonho: *depois* de ter ingerido os comprimidos do sono e da morte, Ricardo vem a saber da possibilidade de salvação, a qual, visivelmente, já existia e era aparente no início do sonho, precisamente na figura dos personagens vindos de fora. O sonho diz: "Você anestesia sua esperança!"

Ricardo quer morrer.

Asfixiado?

Consideremos os comprimidos do sono e da morte.

Ricardo era vitimado, com muita frequência, por crises agudas, inesperadas e persistentes de fadiga, depressão e sonolência, capazes de perturbar consideravelmente sua atividade cotidiana. O paralelo entre esse sintoma e os comprimidos do sonho é evidente.

Bem mais tarde Ricardo pôde perceber seu desejo, se não de suicídio, pelo menos de desistência. Em sua vida, desde muito pequeno, ele resistiu demais: primeiro a seu pai, depois a si mesmo; ao mesmo tempo que resistia, inclusive à esposa, ia gestando e cultivando em si, ao longo de muitos anos, imensa vontade de desistir.

Ao longo de sua existência, Ricardo tomou não apenas um comprimido de sono e de morte, mas vários deles.

Outro ângulo pode ser comentado, ao lado de nosso tema primário: a grande janela através da qual era possível ver o mundo exterior.

Através do vidro.

Ricardo sofria de peculiar falta de contato com as coisas; *com frequência eu o percebia olhando para mim sem me ver.*

Em momentos numerosos e não muito curtos, Ricardo padecia de falhas nos processos mentais; em consequência, *surgia em seu rosto expressão particularmente vazia e estúpida.* Entre ele e o mundo com frequência se interpunha um vidro, e o mundo esfumava-se e se fazia vitrine sem sentido, mundo de casas inacessíveis, de ruas distantes e gente sem propósito.

Não era muito diferente a filosofia de Ricardo sobre o mundo: "Tudo existe, as coisas talvez sirvam, mas não para mim, eu estou longe, eu estou fora, eu não mereço — sei lá!"

Com o correr do tempo, o paciente começou a... emergir. Pôde reconhecer, dito de outro modo, a profundidade e a amplitude de sua tristeza. Dois meses após o sonho, era evidente para ele sua persistente e veemente vontade de chorar; mas não conseguia.

O choro aparecia como acentuada conjuntivite — dita alérgica! E, muito antes de surgirem as lágrimas, surgiam espirros em sucessão interminável, deixando Ricardo quase esgotado. Não eram muito diferentes, os espirros, daquele ofegar de infância, mostrando-se capazes, tanto os espirros quanto o ofegar, de incomodar os circunstantes!

Dois meses após o sonho, Ricardo e eu trabalhamos bastante para conseguir levá-lo a chorar. Pudesse ele pôr para fora de si toda a água nele contida, então lhe seria dado... sair do submarino. Isto é: se Ricardo conseguisse chorar desimpedidamente, ele deixaria de sufocar-se; de ir morrendo afogado.

Os exercícios de asfixia voluntária — reiniciados — continuavam a ser feitos por ele, mesmo a contragosto.

Perguntei-lhe certa vez se percebia alguma semelhança entre a sensação experimentada durante esses exercícios e quaisquer outras já sentidas por ele. No momento, Ricardo não soube responder, mas logo lhe ocorreu quanto seus espirros e seu lacrimejar, ligados à forte congestão das fossas nasais, *concorriam e contribuíam para a acentuada dificuldade respiratória*, de todo involuntária, claro.

Não só na parte superior das vias respiratórias vivia ele sufocado, pela frequência dos espirros e pela obstrução das fossas nasais; vivia ele asfixiado também pela pouca amplitude e pela insuficiente força dos movimentos respiratórios — o que transparecia na voz.

Tenho para mim poucas dúvidas acerca de estarem essas duas formas de autoasfixia resumidas, no sonho, na forma de "vida dentro do submarino chegando ao fim".

Meses depois, tendo o paciente lido o relato supracitado, acrescentou-lhe outro dado valioso.

Certa ocasião consultou um médico famoso, o qual, ante suspeita de disfunção tireóidea, solicitou a determinação do metabolismo basal.

Por três vezes foi o paciente ao laboratório, por três vezes submeteu-se ao exame, por três vezes o técnico brigou com ele e nas três vezes o gráfico respiratório "ficou horrível". Ora, o paciente é homem cordato, disciplinado e inteligente; fez a prova muito a sério e com plena consciência de estar cumprindo fielmente as exigências feitas pelo técnico. A conclusão é simples e clara: Ricardo não percebe e mal controla sua respiração — que é péssima!

Dois meses após o sonho do submarino, ele relatou este outro:

> Era carnaval. Havia uma moça no hospital e eu tinha terminado de operá-la — eu era o médico, definidamente. A fim de garantir o sucesso da operação, era imperativo que a moça ficasse no mais absoluto repouso. Para realizar esse propósito, mandei embuti-la na parede. Via-se perfeitamente na parede o sinal de reboque novo. Depois, sem transição clara, a moça já falava comigo, protestando um pouco contra aquele tratamento; no reboque novo da parede estavam esculpidos alguns rostos humanos.

Na noite desse sonho, conjuntivite e obstrução nasal se faziam sentir de maneira acentuada e persistente.

O dia do sonho fora um domingo, ao longo do qual, durante a maior parte do tempo, Ricardo fizera uma retrospectiva de sua existência.

Surpreendera-se diante do quanto havia suprimido de si mesmo e quanto se deixara suprimir pelas circunstâncias e personagens de sua vida.

Levando-se em conta esses reparos, faz-se claro o significado da moça operada: ela é a soma das inclinações e dos anseios pessoais bloqueados pelo paciente. E não por acaso ele próprio apareceu como médico operador, pois de algum modo havia sido ele quem se condenara à operação (sempre mutilante) e em seguida à imobilidade completa (seu comedimento e discrição). Atua como médico por julgar entrever, entre seus desejos não realizados, alguns tidos por ele mesmo como acentuadamente mórbidos; quem contribui para a mutilação do que se mostra doentio é um médico — evidentemente!

O paciente não tinha muita noção de todo o orgulho contido nessa função usurpada de médico; implicava ela julgamento contra si, apreciação de si à luz de olhos e julgamentos alheios; implicava, ainda, certo halo de heroísmo social, por mutilar Ricardo em si mesmo aquilo que, supunha ele, era doentio e antissocial. Antissocial e doentio havia sido o mais social e "certo" de seus antepassados: o pai.

Com senso de contraste e impiedosa precisão, o sonho diz a verdade: "era carnaval".

Todo esse jogo de boas intenções e de bons propósitos de um bom rapaz, bem-educado, disposto a mutilar-se para todo o sempre a fim de salvar a sociedade de seus maus impulsos — "era carnaval"!

O carnaval do sonho aparecia, na vida acordada, de forma dupla, objetiva e subjetiva. Quando atraído, interessado ou surpreendido pelo que quer que fosse, Ricardo passava a ostentar um sorriso ambíguo — "sorriso de sátiro" —, misto de desprezo, constrangimento e desejo. Em sua mente surgia um pensamento paralelo ao riso depreciador ou grotesco em relação ao objeto, fato ou pessoa responsável por despertar esse riso.

"Que palhaçada!" — essa a frase mais comum de Ricardo ao comentar a insensatez do mundo. Diante do próprio choro emergente, põe-se ele com o mesmo riso: "Sou um palhaço — choro sem razão".

E não chora!

Palhaço não chora!

Convidado algumas vezes a concentrar-se nas figuras de sua fantasia, Ricardo via então numerosos diabinhos a rir de tudo e de todos.

Nada de surpreendente quanto a morarem nele alguns diabinhos salutares, dispostos a pôr um grão de sal e outro de pimenta sobre as ilusões tácitas do bom rapaz!

Pedimos a Ricardo a fineza de ler estas páginas a fim de aprovar sua publicação e verificar sua autenticidade.

Depois de certa estranheza sua referente às reflexões propostas (nem todas lhe haviam sido comunicadas), particularmente em relação aos "diabinhos", acentuou Ricardo seu cunho pouco humorístico; eram crus e pornográficos, sempre dispostos a surgir e comentar ocorrências da forma o mais grotesca possível.

Não eram "diabinhos" nem bem-humorados.

Registro a correção, mas assinalo a validade da interpretação básica. No diálogo usual, mesmo sobre delicados temas sexuais ou fortes sentimentos hostis, Ricardo mantém excelente compostura e limpidez verbal — o "rapaz correto". Podem os demônios não ser engraçados, mas certamente complementam esse seu modo. Trazem à boca do rapaz correto todos os termos do moleque desabrido e cru; todos os termos e todo o moleque fortemente suprimidos por papai.

Poucos dias após a leitura, Ricardo trouxe-nos vários dados complementares, muito claros, colhidos por ele ao longo do último intervalo entre consultas.

— Doutor, meus demônios, quando me dou ao trabalho de procurar vê-los, estão se esfumando; antes eram muito nítidos, tanto na forma visual quanto nos dizeres. Agora, não. A voz dos diabinhos já me impressiona menos — os pensamentos, sabe? Parecem-me, esses pensamentos, vozerio indistinto de multidão. Quando uma frase me vem à mente, não me choca mais a forma crua; aceito a ideia e esqueço o palavreado. Tenho sentido em minha face algo das faces antes vistas por mim em fantasias. Ah! Mais uma: tenho roncado valentemente ao dormir — a ponto de acordar com meu próprio ressonar! O senhor entende isso?

— Não.

Mais ou menos oito meses após o último sonho mencionado, Ricardo passou, por conta própria, a tomar, diariamente, aulas particulares de impostação de voz com uma professora famosa. Ela lhe diz muitas coisas, em parte iguais às ditas por mim. No período inicial da atividade — primeiros quinze dias de aula —, Ricardo depara com sonhos significativos.

> O sonho se refere a uma cobra; é muito movimentado e agitado. Ao longo de todo o sonho brinco imprudentemente com ela e os outros me previnem do perigo de minhas brincadeiras. Por fim, eu a mato e corto em pedaços. Quando menos espero, um dos pedaços, o da cabeça, salta em direção ao meu pescoço e lá se fixa com uma dentada mortal.

Ao apontar espontaneamente para o lugar onde a cobra havia se fixado, Ricardo põe o dedo ligeiramente à esquerda do pomo de Adão.

O outro sonho foi assim:

> Um homem feio, rude, barbudo e malcuidado. Dizem: "Ele está nu". Procuro ver seu pênis, mas não o vejo. A cena é confusa. Logo depois, consigo ver: o pênis, flácido, está pendurado ao pescoço como um berloque de colar.

Parece óbvia a relação desses dois sonhos com a consciência da garganta. No primeiro caso, inicia-se ali um envenenamento mortal.

Muito sumariamente, poderíamos traduzir esse trecho do sonho assim: as aulas de impostação vocal estão *matando o velho espírito* de Ricardo, o qual, sabemos, é tanto conteúdo intelectual quanto forma sonora. Dito de outro modo: mudando-se a entonação vocal, muda o significado da frase dita. Ao mudar a música da voz, Ricardo via mudar seu espírito. O velho sentido das palavras estava ameaçado de morte.

Depois da morte, a vida — assim diz o paradoxo.

O sonho seguinte marca de algum modo um nascimento ou uma promessa de nascimento; no mesmo lugar onde previamente havia se instalado a morte, agora se instala aquele que é um símbolo natural de poder criador.

Eu compreendo bastante bem por que o pênis estava como que preso a um barbante, qual berloque de colar. O paciente estava fazendo *exercícios deliberados* destinados a modificar sua fonação. Ele estava tentando, na linguagem da alegoria, *criar deliberadamente* um novo espírito. Por isso a ligação do pênis com o pescoço não era direta nem orgânica.

Consubstanciando essa interpretação do sonho, havia numerosos fatos sugestivos. Ainda que não faltassem a Ricardo argumentos nem palavras, seu falar fora sempre desalentado, pouco ou nada convincente, falar de acusado, de réu confesso.

Ricardo movia-se agora com maior desembaraço e maior decisão. Aprendia pouco a pouco a se impor e a opor-se quando necessário. Perdera muito do seu modo, que era quase sempre este: "Peço desculpas por estar vivo, por estar aqui, por ser eu".

Continuemos com a etimologia.

Depois de considerarmos a expressão, a impressão e a depressão, parece oportuno considerar outras palavras, mais populares do que eruditas, empregadas em contexto paralelo. São elas: *expandir*, *explodir* e *desabafar*. Faz parte da linguagem cotidiana dizer que *explodimos* em referência àqueles momentos em que exprimimos com força aquilo que sentimos. Também falamos em pessoas *expansivas*, mas não falamos, embora pudéssemos, em pessoas compressivas (inibidas e inibidoras).

Desabafar, por sua vez, já se fez termo universalmente aceito, tendo passado para a linguagem erudita na forma de ab-reação.

Na página 30 do dicionário encontramos BAF — raiz onomatopaica presente em *bafo*, *baforar*, *bafejar* etc.

Como vemos, nesse ponto o dicionário não nos ajuda muito. Parece implícito que a ação imitada pela raiz refere-se à respiração. Seria um suspiro com os lábios ligeiramente contraídos. Pelo menos, *é o que fazemos sempre que queremos exprimir alívio, por exemplo, ao terminar um serviço*. Mais do que o dicionário erudito, ajuda-nos aqui o significado comum da palavra. Desabafar é, por exemplo, abrir uma panela de pressão. Desabafar, portanto, é "soltar pressão".

Está implícito na linguagem psicológica que esse ato não é um simples ruído; supõe-se que ele se acompanhe de palavras, proferidas com força. Digamos, numa linguagem divertida, que desabafar é provocar um pequeno ciclone, ou um pequeno tufão, tanto significativo quanto aéreo. Costuma-se dizer que o alívio consequente a um desabafo decorre primariamente do *conteúdo* daquilo que foi dito. Tenho para mim, com base em observações clínicas, por vezes minuciosas, que o desabafo alivia *porque permite à respiração retornar ao seu ritmo desimpedido*, estando antes bastante *tolhida*. Sabemos que, à iminência de um desabafo ou de uma ab-reação, a pessoa se mostra tensa; se estivéssemos acostumados a observar essas coisas, veríamos que ela apresenta respiração fortemente contida. O indivíduo, na iminência de ab-reagir, em regra, está em apneia quase completa, já estando assim há muitos segundos e, por vezes, há alguns minutos. É clássica a cena do indivíduo que ouve uma série de desaforos e não diz nada, mas contrai-se todo. Depois ele desabafa, "diz tudo que lhe vem à mente". Eu me pergunto, com frequência, se o importante é dizer ou se o importante é gritar, respirar com força. Clinicamente, muitas vezes passei pela situação de ver o cliente na iminência de um desabafo. Por vezes, um simples grito ou vários gritos intensos — ruídos sem nenhum sentido — aliviavam consideravelmente a tensão preexistente. Depois de algumas experiências assim, *aquilo que a pessoa diz* no momento de desabafar tem me parecido cada vez menos importante.

Explodir provém de PLAUD, "bater com as mãos ou com as asas".

De novo um ruído intenso que, num caso de explosão psicológica, evidentemente não é feito nem com as mãos nem com as asas — mas com a boca e a expiração. É feito em voz alta, com voz alta, pela voz alta.

Consideremos, enfim, *expandir*. O dicionário, na página 234, assinala duas raízes possíveis; como veremos, o sentido de uma se completa pelo da outra.

A primeira é PAND, "curvo". Do latim *pandus, a, um*. Presente em *pando — enfunado, inflado*; por exemplo: velas pandas. A seguir, de novo PAND, "*estender*". Do verbo latino *pando, ere*. Presente em *expandir, expansão, expansivo*.

Expansiva, pois, é a pessoa que se infla facilmente. Eu pergunto: o que, no corpo, pode inflar-se? A resposta é unívoca: o pulmão ou o tórax. Só essa parte do corpo é capaz de realizar de fato essa ação.

De modo imperfeito, os braços também se expandem (abrem-se), em parte as pernas (idem), talvez a cabeça (dorsiflexão). Mas, se considerarmos a etimologia, só o movimento respiratório é expansivo em sentido próprio. Portanto, a pessoa expansiva é aquela que respira bem.

Foram mencionadas as correlações mais diretas entre termos psicologicamente significativos, e palavras em geral empregadas quando se descreve a respiração. Mas, além das correlações etimológicas diretas, encontrei várias indiretas.

Certamente derivando da famosa raiz SP, existe a raiz SPOND, "que *promete*", donde "*propósito*", donde "*vontade*". Exemplos: responder, esponsais, *responsável, espontâneo.*

Não vou examinar toda essa série de termos significativos em contextos psicológicos. Vou apenas assinalar, além da evidente relação quanto à origem entre as duas raízes, sua relação quanto ao significado.

Entre esperar e prometer, a relação é imediata; podemos dizer que jamais esperamos aquilo que não foi prometido, linguagem abundantemente usada pela Escritura Sagrada e confirmada pelo linguajar cotidiano. Não digo que a relação seja universalmente válida, mas ela é bastante frequente.

Mais do que isso: tenho para mim que se o ser humano não tivesse, no mais fundo de si mesmo, a convicção de que existe uma promessa para ele, não esperaria. Para aqueles que preferem evitar a linguagem finalista, posso reformular o argumento, invertendo-o: *o ser humano que espera encontra sempre, porque esperar não é apenas aguardar que aconteça, é intimar a acontecer.* E todo desejo humano suficientemente tenaz e profundo termina por se realizar, atuando sobre o entorno, atuando sobre o próprio sujeito, impondo-se. Por isso, acredito que SPOND está ligado a SP.

Na página 250 encontramos a raiz PHREM, "*espírito*". Do grego *frené.* Exemplos: *frenesi, esquizofrênico e frênico*, este último associado aos nervos motores do diafragma.

Que esse músculo tão peculiar do corpo humano fosse chamado diafragma compreende-se sem mais, já que ele divide a grande cavidade do tronco em duas subcavidades, a torácica e a abdominal. O nome, assim, estaria descrevendo uma das funções do órgão. Mas que a esse músculo se tenha dado o nome de frênico já não compreendo mais. Por que ligaram o músculo ao espírito tão diretamente a ponto de uma só palavra designar ambos? Mistérios, certamente!

Muito curiosa a versão latina do fonema FREN, significando "freio", como se vê em *infrene*, *sofrear*, *freio* e *frear*.

Será o espírito o responsável por "frear" os instintos — como querem todos —, ou será a respiração? Recomendo ao leitor que tenha em mente esse comentário quando examinarmos a raiz TEN.

Na página 259 do dicionário encontramos PNE, "que respira", donde "que sopra", donde "vento". Daí vêm *dispneia*, *pneumonia*, *pneumático* e, possivelmente, *pulmão*.

Para nós, pneumático lembra imediatamente automóvel. Mas para os gregos havia o homem pneumático, oposto ao homem sárquico. Este era o homem da carne, aquele o do espírito. Como se vê, os gregos estavam filosoficamente bem orientados, mas não dominavam a fisiologia. Também o homem da carne vive do espírito, isto é, respira.

Outra correlação que me encantou foi a que se refere à raiz PHYS. O dicionário aponta duas raízes homógrafas; sobre a primeira, à página 251, se diz: PHYS, "relativo à natureza". Do grego *phus-in*, "natureza", e este de *phu-ein*, "produzir". Exemplos: *física*, *fisionomia*, *fisiologia*, *metafísica*, *neófito*. Até aí não se vê a respiração. Mas a seguir surge PHYS, "vento, ar". Também usada na acepção de *fole* ou *bexiga*.

Vale mencionar que na medicina emprega-se o termo "enfisema" para caracterizar o estado do pulmão quando ele se vê transformado patologicamente numa série de vesículas.

Achei notavelmente sugestivo que duas raízes homógrafas tivessem acepções tão latas e tão afins. Torna-se difícil, diante de ambas, distinguir aquilo que é relativo à natureza, relativo à produção viva e relativo ao vento. Não digo que essa correlação seja clara; ela me parece apenas bastante sugestiva.

A MENINA, A ASMA E A BALSA

Sonhei que formandos da minha turma de escola precisavam de uma balsa a fim de transpor um braço de mar.

Peço emprestada uma balsa (!).

Decido experimentá-la e me aproximo de sua borda, onde existe uma grade de ferro. Ao agarrar-me a ela, percebo que balança. Estou de pijama e, ao afastar-me da grade, noto ter-me sujado de graxa.

A sonhadora tem 17 anos.

Quando silenciosa, chama a atenção nela, antes de mais nada, o olhar. A moça é morena, de olhos extremamente expressivos. *Olhos aveludados, escuros, profundos.* Todo o seu rostinho, miúdo, é notavelmente belo. *Sob a forma delicada existe uma expressão de intensidade contida, muito atraente.* No entanto, *suas maneiras são todas as de uma senhora digna e respeitável.*

O grupo, do qual ela faz parte, concorda amplamente com essa descrição sumária.

Já quando a moça abre a boca e começa a falar, a impressão muda radicalmente.

Sua voz, tendendo para estridente, é tensa; a moça marca com firmeza a acentuação das palavras, fala em frases geralmente curtas, nove vezes em dez afirmando um lugar-comum.

É enfática, incisiva, intolerante e sentenciosa. Quando seus lugares-comuns despertam discussões entre os membros do grupo, a moça vai-se fazendo veemente, fala alto, marca a acentuação das palavras cada vez mais, acentua essa marcação com gestos; inflama-se toda na defesa dos seus "princípios" e visivelmente não quer ser contestada, defendendo-se quando isso acontece. Mais: vê-se claramente que lhe é quase intolerável ouvir pareceres divergentes dos seus.

Alguns exemplos de suas teses básicas poderão esclarecer um pouco mais essa descrição.

"Só admito o casamento de uma mulher com um homem de caráter, absolutamente seguro de si, perfeitamente capaz de sustentar e amparar esposa e filhos."

"É claro e evidente que os homens têm de ter ampla experiência sexual antes do casamento. As mulheres, jamais."

"As mães têm o dever de se sacrificar incondicionalmente pelos filhos — é lógico!"

E assim por diante.

De modo visível, o grupo intimida-se com a aparente segurança da moça; mas como entre os participantes há alguns animosos, muitas vezes a discussão estala e o grupo vira um pandemônio. A moça, incapaz de tornar suas afirmações mais claras ou fundamentá-las melhor, *limita-se a repetir incansavelmente, cada vez mais alto, os pequenos e os grandes versículos do seu "livro do coro"*.

Ao ouvir da moça o seu sonho, eu o entendi de imediato. A moça é levada por algo extremamente pesado — uma balsa.

O peso das opiniões coletivas...

Sustentada por essa massa colossal, sente-se protegida contra as incertezas do viver, representadas, no sonho, pelas águas, as ondas, a flutuação.

Como é por demais evidente no seu comportamento em grupo, fala pela boca da moça a voz do coro — literalmente. A respiração da moça, sua inspiração e seus anseios não são seus.

A moça é asmática.

A voz do coro, ao mesmo tempo que usa de sua respiração e sua voz para exprimir-se, não tem a mínima consideração por ela, e tende, ante a menor veleidade, a sufocá-la impiedosamente.

A moça está literalmente possuída pelo espírito de todos — o maior de todos os demônios entre aqueles capazes de possuir o ser humano.

Além do mais, ela é líder na sua classe e presidente da comissão organizadora das atividades e festejos da formatura! É por demais claro que o porta-voz da opinião pública é, ao mesmo tempo, o líder natural do povo!

Bem podemos imaginar sejam as flutuações da água, no sonho (inteiramente ignoradas pelos que estão na balsa), representação de movimentos respiratórios contidos no corpo da sonhadora.

Sejamos mais explícitos: a respiração de muitos modos ondula, em sua sucessão rítmica de expansão e deflação. O indivíduo vitimado por um acesso asmático sente as paredes de seu tórax acentuadamente enrijecidas, pela necessidade de inspirar, em ampla medida involuntária, na luta contra o espasmo da musculatura bronquial. O tórax rígido é a balsa, dentro da qual as ondulações do mar são quase imperceptíveis. Ao acordar do sonho, a moça encontrava-se em meio a um acesso. O sonho todo é representação de um acesso asmático.

Quando "pedimos emprestada" à voz popular sua sabedoria milenar, o ato é simples e fácil: basta repetir as palavras de todos (pedir a balsa emprestada). Sempre que falamos as palavras de todos, sentimos que estamos falando coisas sérias, de peso (ou ponderáveis), coisas graves (isto é, pesadas). Ficamos solenes e lentos como uma balsa.

"Peço emprestada uma balsa". Ao ouvir essa frase, achei muita graça. Parece evidente, para mim, a imensa puerilidade nela contida. A sonhadora fala de uma balsa, esse monstro de ferro, pesado, de movimentos lentos, feito para carregar coisas já em si bastante pesadas; a moça fala em pedir emprestada uma coisa dessas como se equivalesse a um lápis, uma borracha ou uma folha de papel. Ainda bem que, a seguir, ela não assumiu o timão da balsa. Ainda bem! O sonho, sob certos aspectos bastante mentiroso, é honesto pelo menos neste ponto: a moça reconhece que a balsa emprestada a leva.

Uma das mentiras sérias do sonho está, justamente, na frase pueril ligada ao empréstimo da balsa. A moça jamais seria capaz de reconhecer, em público, que estava sendo levada pela opinião de outros. Ela tinha para si mesma, com a mais absoluta certeza, que as frases comuns, repetidas a todo instante, eram a mais pura expressão do seu mais autêntico pensamento. Nesse sentido o sonho é mentiroso, mas, ao mesmo tempo, ele se faz indescritivelmente pueril. Desse modo se torna manifesta a mentira da situação sem que a sonhadora o perceba. O sonho mais uma vez retorna à verdade: ao aproximar-se da borda e pôr à prova a grade de segurança que circunda a balsa, a sonhadora constata que essa grade de segurança... não é segura. Nesse detalhe revelador surge a incerteza da moça em relação à segurança a ela emprestada pelos grandes princípios coletivos. A terceira demonstração da mentira aparece no traje da sonhadora: um pijama.

Não consigo entender com clareza esse detalhe, mas parece não haver dúvida quanto ao traje ser muito inadequado para a situação.

Como pode uma pessoa tão jovem deixar-se possuir até esse ponto pelo espírito de todos?

A asma da jovem vem de mui tenra idade (4 anos).

A moça identifica-se com sua mãe. Esta é uma mulher madura, notavelmente enérgica, trabalhadora, capaz e eficiente. Tendo se separado, já há vários anos, do marido, sustentou sozinha a casa com vários filhos e presta a todos e a cada um deles ampla assistência pessoal. É uma mulher de muitos modos notável, embora nela também se percebam, com extrema clareza, a compulsividade e a extraordinária veemência no falar. Também a mãe caracteriza-se por grandes afirmações enfáticas e incisivas.

Se nos aprofundarmos um pouco mais, veremos, na separação dos pais, causa adicional para esse modo de ser da moça.

O distanciamento entre seus pais criou, principalmente para a mãe, uma situação delicada. Uma mulher separada é certamente vigiada com cuidado excepcional pelos parentes, vizinhos e conhecidos. Todos acreditam que uma mulher separada poderá ceder mais facilmente a tentações do que uma mulher casada. Qualquer ato menos regular praticado por uma mulher separada decerto será notado de imediato, e de imediato comentado por muitas pessoas. Poderíamos dizer que a sociedade, ao ver alguém próximo de fugir ao seu controle, redobra esse controle. *Desse modo se compreenderia, com certa facilidade, a rigidez de princípios da mãe, sendo essa rigidez imediatamente comunicada à jovem filha.* A mãe com certeza é pessoa dada a grandes sermões enfáticos, muito semelhantes àqueles que a filha faz para o grupo todo!

Enfim, se quisermos alcançar aquele que parece ser, a meus olhos, o plano mais profundo, esbarraremos com algo essencial e não circunstancial. Para mim, basta ver os olhos da moça para perceber sua notável sensibilidade. Personagem assim, em nosso mundo de trogloditas, certamente expor-se-ia a lacerações quiçá irremediáveis se saísse pelo mundo exibindo, experimentando e usando essa sensibilidade. É preciso, sem dúvida, sobre essa camada sensível, construir uma casca o mais rígida possível. Casca de ferro — uma balsa...

É preciso conter com vigor todos os anseios — sufocar todos os desejos.

É preciso ser asmático!

Abaixo as ondas!

Viva a balsa — salvação de todos nós!

Continuemos com o dicionário.

Na página 322 encontramos "SO — PR; a propósito de soprar e seus cognatos, vide SU-3". Na página 331, fomos procurar "SU-/", voz onomatopaica em sussurro, insuflar. Variante: SO, em soprar e seus derivados. O dicionarista fica por aí.

Mas, por curiosidade e por acaso, resolvi ler as demais raízes SU e, com surpresa, encontrei: SU — de si, relativo a si próprio. É a origem do pronome SE e suas variações: si, sigo; é a raiz também do pronome possessivo SEU.

De novo deparamos aqui com uma correlação que me parece enormemente sugestiva, ainda que obscura. De que forma uma raiz onomatopaica nascida do vento passou a designar os pronomes mais importantes do mundo, eu não sei responder, mas o fato me parece sobremodo importante.

Deixem-me repetir e ampliar a explicação: SU, relativo a si mesmo, é uma *raiz universal* (em sânscrito, SVA), homógrafa e homófona à onomatopeia que engendrou insuflar e sopro. Bem ponderadas as coisas, a relação perde muito de sua estranheza. *Se viver é respirar, e se o respirar começa com o nascimento, então "eu" e respiração começamos juntos.* Antes de nascer "eu" sou ela — a mãe. Depois de nascer, "Deus" insufla ar em mim e eu... começo. A primeira coisa "relativa a nós mesmos" que realizamos é um sopro.

Talvez se possa dizer ainda que a respiração é um ato reflexivo. Eu respiro para mim. Eu ponho o ar para dentro. É algo que vem de fora em direção ao meu interior. Talvez eu possa dizer depois que o ar é meu. Torno próprio o que era de todos — o ar atmosférico. Meu ato respiratório individualiza algo extremamente genérico: o ar.

De uma paciente em surto definidamente esquizofrênico, com tendência a interpretações delirantes, ouvi dois relatos espantosos. Em certa ocasião, disse-me ela: "Menina ainda, durante meses respirei pouco e vivi muito assustada com a ideia de que, se todos respirassem muito, acabaria o ar do mundo e todos morreriam".

Em outra ocasião: "Já maiorzinha, eu treinava tenazmente para respirar pouco, antevendo a possibilidade de ser posta numa câmara de gás".

É clara nesses reparos a noção de que o ar é uma propriedade comum, da qual nos beneficiamos todos. O segundo relato da paciente já implica um início de elaboração delirante, como se pode ver facilmente.

Os psicanalistas, mestres em comparações engenhosas, descreveram muitas maneiras de confusão entre o eu e o não eu: incorporação, introjeção, identificação e outras.

Mas a Freud escapou essa maneira singular de apropriação presente na respiração. Qual é o paralelo mental desse processo fisiológico? Ao mesmo tempo, como podemos compreender o medo de respirar dessa paciente? Como angústia persecutória por excelência, a primeira e a mais irremediável angústia — fundamento de todas as demais: a de ser eu e de ter algo meu. Pondo esse temor em palavras — e lembrando que as palavras jamais retratarão satisfatoriamente tal nível de experiência interior —, diríamos: todo mundo é meu inimigo íntimo; somos todos parte de um grande todo — a atmosfera —, ou vivemos todos do mesmo espírito — o ar.

Convém dizer que essa paciente não é a mesma cujo caso se relata adiante, no fim deste capítulo.

— Na escola aprendemos que Deus está em toda parte. Deve ser como o ar que a gente respira — conjeturou Túlio. Tu vês, a gente pode estar na rua, no quintal, em casa, sempre tem ar para respirar. Se não tivesse a gente morria.

— E se não tivesse Deus?

— A gente morria também.

Fiquei pensativa. Túlio insistiu.

— Ninguém pode passar um minuto sem respirar. Experimenta.

Eu tapava o nariz e prendia o ar nos pulmões. Mas não tinha a noção de um minuto: para mim era a fração indivisível do tempo.

— Olha, fiquei um minuto — e o coração batia acelerado.

— Não ficaste nada. Só apertaste o nariz e a boca, mas respiraste pelas orelhas.

Eu experimentava outra vez. Mas o minuto era invencível.

— E se a gente ficasse um minuto sem Deus?

— O mundo acabava.[13]

Já de todo fascinado e muito contente com meus achados etimológicos a favor das ideias que estavam em minha mente, por certo excedi-me na busca. Peço ao leitor que tenha a paciência de acompanhar-me.

Pus-me a pensar um dia que o termo *tensão* deveria ter algo a ver com respiração. Ainda que nos seja dado experimentar tensão muscular em qualquer parte do corpo, parece-me claro que a expansão torácica, na inspiração forçada, é a mais evidente de todas as tensões. O arcabouço osteoarticular do tórax comporta-se exatamente como o conjunto de varetas de um guarda-chuva. Acontece que o "pano" desse guarda-chuva são músculos tensos. No tórax, em virtude dessa anatomia peculiar, a tensão se faz particularmente sensível. Inclusive indivíduos pouco dados a ou inaptos em captar tensões musculares não conseguem deixar de perceber essa, quando a apontamos.

Atente bem o leitor para o que será dito. A comparação com o guarda-chuva, não obstante sua clareza, é extremamente enganadora quando consideramos as sensações internas e os processos dinâmicos correspondentes. No guarda-chuva, é o movimento do cubo dos raios ao longo do cabo que põe em tensão os raios flexíveis, e estes distendem o pano. O pano, pois, é inteiramente passivo. Na respiração é o próprio "pano" (músculos respiratórios) que arma as "varetas" (costelas) em torno do cabo (coluna), ampliando assim o arcabouço

13. SILVA, Carmem da. *Sangue sem dono*. Rio de Janeiro: Civilização Brasileira, 1964, p. 6-7.

osteoarticular do tórax; o que sentimos, pois, na inspiração forçada é primariamente a tensão *ativa* dos músculos respiratórios; em segundo lugar, a posição forçada, mas passiva, do arcabouço.

A análise desses pormenores tem por função orientar o leitor no mundo das sensações internas, que são o fundamento de quase tudo que está sendo afirmado.

Procurei, então, no dicionário a raiz da palavra tensão. Em vez de uma, encontrei duas. Ambas muito importantes, mas não vou comentá-las por extenso. Escolhi apenas alguns pontos mais pertinentes.

Na página 339, encontrei TEN, "*que segura*", donde "*que possui*". Do verbo latino *tenso ere.*

Lembra-se o leitor de "infrene"? Entre os exemplos dados pelo dicionarista está *tenor* (significando "que dura ou continua" — diz-se da voz). Mais adiante encontro *contínuo* e depois *sustentar*, *conter*, *suster*, *deter*. Se nos... detivermos um instante nesses termos, será fácil intuir sua correlação respiratória. Digamos, de momento, que suster ou deter a respiração é segurá-la, donde "possuir o ar". Da mesma raiz deriva *contente*. Sabemos bem que o indivíduo contente pode ser qualificado como expansivo, isto é, de peito inflado, de respiração fácil. O indivíduo que está detendo alguma coisa — ou contendo-se —, como acontece quando vemos ou lemos uma história de *suspense*, é um indivíduo que mal respira.

Quando temos de realizar um esforço máximo, com plena presença, é quase fatal a detenção respiratória. Outrossim sabemos — lembremos de novo os filmes de suspense — que, uma vez cessada a tensão, a primeira coisa que fazemos é respirar ou suspirar profundamente. Não digo que a respiração detenha todas as coisas; digo apenas que em todas as ações e momentos importantes a respiração se detém — fica parada e tensa.

Aquilo que subjetiva ou somaticamente nós mais esperamos, quando a ação importante está em curso, é que ela termine a fim de podermos respirar de novo. Lembremos o caso da acusada.

A segunda raiz é TEND, "*que se estende ou se projeta*". Uma das palavras derivadas é *tenda.* Não é preciso usar muito a imaginação para comparar o tórax, a caixa torácica e o seu jogo musculoarticular com uma tenda que se arma e desarma.

Também como palavras derivadas encontramos: *entender, atenção, detento, intenção, tentar, atentar, intentar*. Em todas essas palavras está implícito o significado básico "em tensão". Repitamos: nenhuma tensão estável no corpo nos incomoda, a menos que ela se refira à respiração. O indivíduo tenso em relação a alguma parte do corpo ligada à respiração, ao mesmo tempo que está tenso — atento —, está respirando menos ou respirando mal. Outrossim, dissemos há pouco que, em toda atitude de *intenção*, de atenção e outras semelhantes, o sinal fisiológico mais característico é a parada da respiração em posição de inspiração. Ainda dentro desse grupo encontramos *ostentar*; o peito inflado é típico da atitude de ostentação, próxima à do orgulho. A "tenda torácica" alcança, na ostentação, sua extensão máxima, semelhante à cauda de pavão aberta...

Que o leitor inclua essas duas raízes num contexto só. Aliás, mediante análise de atitudes, podemos mostrar que *cada uma dessas duas raízes qualifica um de dois significados complementares inerentes a toda atitude de tensão.*

Um arqueiro é um belo e simples modelo de tensão, tanto em relação à atitude quanto ao instrumento. Um instante antes de disparar a flecha, ele se "contém" (sustém ou detém a tensão do arco e a própria, uma em função da outra); ao mesmo tempo ele está atento e intencionado. Reparará o leitor que nesse exame de alternativas (que não são alternativas) usamos, na primeira, palavras derivadas da primeira raiz, TEN, e, na segunda, termos provenientes da segunda raiz, TEND. Qual das duas descrições é "certa"? Não se trata de uma só ação apreciada de dois modos diferentes?

Essa é uma propriedade comum a todas as atitudes tensas. Todas elas implicam conter a si, às próprias forças, e ao mesmo tempo esse conter-se é preparar-se (pre-tend-er — preparar).

À luz desse exame, a respiração, ainda que integrada à atitude global, mostra-se contudo o fator mais crítico na permanência dessa atitude. Daí as interpretações sugeridas.

Isolar a respiração da atitude global, como ensaiamos fazer, é um artifício. É preciso incluir o tórax e suas tensões no quadro mais amplo, ou seja, na atitude corporal. Com base nessa ampliação, sustentamos nossa análise e reafirmamos: as raízes de "tensão" têm, na certa, relação importante com a respiração.

Na página 247, encontramos PET, "*voar*", donde "*dirigir-se rapidamente*". Dessa raiz surgem *competir*, *repetir*, *pedir*, *apetite*, *ímpeto*, *perpétuo*, *petulante*, *propício*.

Como se vê, nova série de termos psicologicamente muito significativos, particularmente competir, pedir e apetite. Os três derivam de PET — voar. O dicionarista não assinala o fato, mas a mim pareceu plausível que PET fosse uma raiz derivada do ou homóloga ao grego PTER — asa, o qual teria passado para o latim na forma PECT — peito.

Melhor se fundamenta essa hipótese se considerarmos a palavra "perpétuo" — também derivada de PET. Como pode a raiz que designa "voo" ou "dirigir-se rapidamente" — ações inerentemente limitadas — figurar nesse sinônimo de eternidade? Já a respiração dura tanto quanto a vida; é um "bater de asas" e um "dirigir-se" permanentes. Se PET vier de PECT — peito —, então todos os termos derivados se farão relativamente claros; é noção popular antiga e persistente aquela que supõe que residam os sentimentos humanos no *peito*. Competir significaria luta firme e decidida; alternativamente, comparação entre a força dos sentimentos que movem um e outro contendor. Repetir passaria etimologicamente a significar o seguinte: apelar insistentemente para os sentimentos de outro (re-pecto) ou mostrar reiteradamente os próprios sentimentos.

Propício estaria muito próximo de pedir (pro-pecto). Apetite e ímpeto seriam quase sinônimos: sentimento forte. Mas, deixem-me insistir, o que sei de etimologia vai pouco além do dicionário citado.

Vale salientar que há outras aproximações entre asa e peito, ou respiração.

Consideremos AL, "sovaco, axila" (do grego *mal-e*). Dessa raiz provêm *ala* (asa), *alar* (adjetivo: com forma de asa) e *álacre*, originalmente *ágil*, *veloz*, depois *vivo*, *esperto*, e, por fim, *jovial*.

Eu já disse algo sobre o riso e a respiração ao considerar o termo "espirituoso".

PLAUD, "bater com as mãos ou com as asas". De *plaudo, ere.*

Em derivação integral temos aplaudir; depois, por modificações sucessivas, aplauso, plausível, explodir e explosão.

Dos termos citados só me importa "explodir" — que já vimos. Temos, em explosão, um "bater de asas", comparação certamente muito forçada — mas feita pelo próprio dicionarista.

Todas as correlações entre asa, voo e respiração ganharão em plausibilidade se compararmos os movimentos de voo aos movimentos respiratórios, ambos ligados ao tórax, ambos rítmicos e simétricos, ambos de alternância entre expansão e compressão.

DE COMO UM LOUVA-A-DEUS QUASE ESTRANGULADO SE TRANSFORMOU EM PEQUENO POLEGAR

Em uma reunião de grupo psicoterápico, uma jovem mulher relata certo sonho, o qual, eliminados alguns pormenores inexplicáveis e aparentemente sem relação com nosso tema, poderia ser descrito assim:

> Encontrava-me numa rua perto de minha casa; esvoaçando no meio da rua, mas quase sem sair do lugar, havia um bichinho todo verde, mais ou menos grande, com o pescoço comprido e uma cabeça redondinha. Logo abaixo da cabeça havia um barbante amarrado, como os que se usam em padarias, em forma de fita. Eu me sentia muito aflita pelo bichinho e desejosa de socorrê-lo. Depois, sem transição nítida, vi-me entrando no que parecia ser uma grande biblioteca. Nela, sentada no chão, havia uma menina lidando com livros, tentando pô-los embaixo de uma mesinha. Posicionei-me a seu lado e então, enquanto estava ajoelhada sob a mesinha, vi diante de mim aquilo que eu sabia ser o bichinho, mas, agora, ele mostrava uma carinha de criança, com cabelos compridos e alguma sujeira no rosto. Ele falou comigo uma porção de coisas e eu respondi para ele uma porção de coisas, mas não sei o que nós dissemos; logo ao acordar, quis lembrar o diálogo, mas não consegui.

Peço à moça que desenhe no quadro-negro o bichinho com o qual havia sonhado; em poucos traços, firmes e bem definidos, ela reproduz a figura do sonho. Tratava-se, com grande probabilidade, de um louva-a-deus.

Enquanto descrevia a cena do bichinho amarrado pelo barbante, a paciente quase reexperimentava a ansiedade sofrida durante o sonho.

O grupo reunia-se pela quinta vez.

A moça do sonho parecera-me, desde a primeira reunião, um espírito talvez mais simples que os demais. Dado seu apego familiar acentuado, sua evidente aparência muito bem-educada (de acordo com os padrões comuns), suas reiteradas afirmações relativas ao muito que pretendia aprender em psicoterapia a fim de aperfeiçoar-se (*sic*), entre outros fatos, ela me parecera propiciar um risco: eu temia que ela se fizesse um entrave ao progresso do grupo. Mas já após duas ou três reuniões haviam-me impressionado de outro modo, e bem melhor, o aspecto sério da moça, seu evidente interesse por tudo quanto ia acontecendo, sua disposição, ao mesmo tempo flexível e tenaz, de cooperar e o bom acompanhamento do qual se mostrava capaz em relação ao diálogo e às explicações feitas em grupo.

O grupo, aliás, mostrou-se excepcionalmente feliz desde a primeira reunião. Éramos eu e mais quatro moças entre 20 e 30 anos de idade, as quatro visivelmente interessadas em fazer alguma coisa consigo mesmas. Desde a primeira reunião, o diálogo havia sido vivo, fácil, interessante e produtivo. Desde a primeira reunião, assuntos delicados e explicações algo inesperadas para leigos já haviam sido esboçados ou propostos.

A jovem do sonho acompanhara os fatos, como disse, com muita atenção e uma compreensão da qual, inicialmente, eu não a julgara capaz; mas parecia-me evidente ter ela mais sentido do que compreendido. Sentido, antes de mais nada, minha liberdade de expressão, assim como a liberdade de expressão onírica das outras jovens do grupo.

Para surpresa sua, na terceira reunião já trazia sonhos — visto que antes raramente se lembrava de algum.

Nesse seu sonho (antes relatado) está claramente descrito um acentuado entrave respiratório situado na altura da garganta (o barbante amarrando o louva-a-deus), entrave notavelmente aflitivo para a sonhadora; esse obstáculo mais tarde foi vencido, no próprio sonho, quando ocorreu o diálogo entre ela e o Pequeno Polegar.

Mas — parece-me evidente — a paciente ainda não estava pronta para ouvir e dizer os próprios pensamentos na vida acordada. Foi-lhe dado desimpedir a própria garganta e falar genuinamente consigo mesma no sonho; porém, ao acordar, o diálogo havia se evolado.

Note-se o paralelo entre a figuração desse sonho e esta conhecida expressão popular: "Falar com o dedo mindinho". É possível, inclusive, que a história do Pequeno Polegar tenha relação com essa expressão. Lembremos bem quanto o Pequeno Polegar era astuto, sábio e tagarela. Quanto, dito de outro modo, a pequena voz mostrava-se regente da orquestra...

Aliás, a personagem em questão era de vários modos ingênua. É bem possível que ocorresse nela, com excepcional pureza, processo semelhante àquele capaz de gerar histórias infantis e expressões populares.

Mas o sonho diz mais. Havia uma menina em uma biblioteca. Aí estava, com toda certeza, a sabedoria dos séculos e dos antepassados, resumida e concentrada em um só aposento.

A paciente fora muito clara quanto a seus propósitos dentro da psicoterapia: queria aprender a distinguir o bem do mal a fim de realizar um e evitar o outro! Já a menina do sonho pensava de modo diferente, pois, segundo descrição complementar, ela parecia estar pondo livros embaixo da mesa, não na estante. Quiçá estivesse a menina guardando ou escondendo os livros, suprimindo assim a sabedoria tradicional para que o novo espírito pudesse emergir e falar na mente da sonhadora.

Ainda um detalhe deve constar: a figurinha final — embora apresentando aparência humana — era não só do tamanho do grande inseto como também pairava no ar. Quando lembramos a identidade entre espírito e vento, nada vemos de surpreendente nessa imagem;

temos nela, com muita clareza, *a própria figura da voz. A voz nasce na laringe, pequeno órgão humano composto de cartilagens semirrígidas e um número considerável de pequenos músculos, ligados, de muitas maneiras diferentes, a essas cartilagens; à laringe se segue a traqueia. Ante apreciação ingênua, facilmente poderíamos comparar esse conjunto a um inseto.*

Para aqueles que conhecem a anatomia e a sensação da laringe e da traqueia, a comparação dessa parte de nosso corpo com um inseto surgirá como de todo cabível. As cartilagens dessa região comportam-se — analogicamente — como as placas quitinosas dos insetos.

Qual é o vento capaz de fazer voar esse "inseto"? O vento respiratório. A força capaz de animar a palavra é a mesma capaz de fazer vibrar a laringe.

É muito possível que a paciente estivesse, no sonho, ouvindo a própria laringe e complementando, mais ou menos intencionalmente, sua função, acrescentando à vibração (inseto!) produzida ali pelo ar respiratório a articulação da palavra, feita na boca (ou na mente).

Esclareço: queixava-se a paciente de considerável incapacidade de falar; suponho que tenha ocorrido no sonho, primeiro, a exaltação da consciência de inibição laríngea (barbante), logo seguida de afrouxamento; esse afrouxamento favoreceu o longo e significativo diálogo com o Pequeno Polegar. Dormindo, a paciente pode falar — simplesmente (narcoanálise espontânea!).

Disse há pouco que a paciente havia se impressionado — suponho — com *minha* liberdade de expressão verbal; julguei importante esse fato em relação ao sonho. Vendo-me falar à vontade, seguindo a inspiração do momento, traçando analogias improvisadas, teria a sonhadora aprendido a primeira regra da sabedoria: fale as coisas como elas vêm à mente; não se preocupe inicialmente com a gramática, tampouco com a lógica. Fale livremente.

Não duvido que fosse esse o estímulo mais relevante para o sonho; esse pressuposto ganha evidência se considerarmos a dificuldade de verbalização da paciente, dificuldade oriunda do receio, não da ignorância; do medo de errar ou parecer inadequada, não da incultura.

Alguns sábios estultos afirmarão na certa que o sonho está cheio de alusões sexuais perversas.

O louva-a-deus seria o pênis, pois "paira no ar" (ereção), tem "cabelos compridos" e é "sujo" (na segunda cena do sonho).

Quem pensar assim que explique assim.

O AMANTE INVISÍVEL

No mesmo dia, no mesmo grupo, outra jovem mulher descreve o seguinte sonho:

> Sonhei que eu ia a um hotel de veraneio acompanhada de um homem. Chegamos ao hotel, arrumamos nossas coisas no quarto; falávamos continuamente — inclusive, chegamos a despertar suspeitas na dona do hotel. *Mas em nenhum momento do sonho eu vi o homem que me acompanhava* (grifo meu).

A paciente, nesse dia, manifestava algo bastante significativo para mim — e facilmente perceptível: *sua voz subia e descia, vibrava, soava mais aguda num ponto e mais grave em outro. Antes, sua voz era forçada: havia modulação limitada e preponderava um laconismo quase monossilábico.*

Quando eu a conhecera, alguns meses antes, além da perturbação de verbalização, havia suspiros frequentes e contínua opressão torácica. Na entrevista durante a qual o sonho foi relatado, a paciente se mostrava bastante espontânea e ao mesmo tempo séria e tranquila.

Quatro dias antes da reunião do grupo, havíamos tido entrevista particular, durante a qual nos esforçáramos a fim de bem definir nossos sentimentos recíprocos.

Ela começara falando de seu desagrado com a minha atitude habitual de "gozação" em relação a seus relatos e sua presença.

Eu a tratava com certa benevolência paternal, e com alguma superioridade divertida.

Reconhecido tal estado de coisas e dada sua esperança — explícita — de se fazer respeitar por mim, eu lhe propus que conquistasse tal respeito crescendo. De algum modo, meu desafio ecoou nela — eu sei.

Tal diálogo, direto, sincero e aberto, não estava, certamente, nos hábitos da paciente; tal diálogo se fez, para ela, modelo de um novo tipo de relacionamento, primeiro comigo, depois consigo mesma.

Ela encontrou um novo tipo de diálogo e começou a elaborá-lo com o próprio espírito. Dito de outro modo: a pessoa, durante o sonho, estava "falando consigo mesma" e aprendendo uma nova linguagem, isto é, compreendendo — e amando — sua "voz íntima". Por isso não via seu amante.

Porém, ela se mostrava ao mesmo tempo receosa do espírito tradicional, representado pela dona do hotel. Bem sabemos, ainda que essa afirmação pareça bastante engraçada, quanto os donos de hotéis são guardiões da decência e da moralidade pública! A dona do hotel é a voz de todos.

Não nego a provável relação dessa voz com minha influência sobre ela. Mas se nos ativermos aos fenômenos respiratórios e vocais, o sonho se tornará imediatamente compreensível, sem que se faça necessário praticar violências contra os fatos da vida e do sonho, para explicações tão deselegantes quanto inoperantes — como é regra na interpretação dita freudiana dos sonhos.

Se considerarmos que respirar é agitar o vento, encontraremos nova semelhança entre respirar e voar. Se não podemos dizer que vivemos *no* ar (voando), podemos afirmar que vivemos *do* ar; além disso, se não podemos ir ao encontro do vento (como a ave), fazemos o vento vir até nós.

Já ouvi um número considerável de sonhos e vi uma grande quantidade de desenhos em que aves, voos, anjos, asas e aviões representavam a respiração.

"Voo do espírito" é uma expressão tradicional. E temos a águia como figuração do espírito forte dos romanos, americanos, alemães e outros.

Ave voa.
Ave voa no ar.
Ave vive no invisível — e nele se move.

Ave sem ar não voa.
Mais precioso é o ar para a ave do que para mim.
Sem ar nós morreremos — eu e ela.
Mas sem ar ave não é — não tem sentido.
Por isso ave (pomba) é Espírito Santo — inspiração ideal.

Palavra também vive de ar e no ar. Só no ar.
Sem ar não há som.
Por isso palavra igual a ave.
Por isso anjo — que tem asas e voa, como a palavra — vem do termo grego que significa mensageiro.
A ave, como a palavra, vive do invisível; foram ambas feitas para ele.
Não se esqueça do seguinte fato anatômico fundamental: a cintura escapular, raiz dos braços e das asas, é parte do tórax.

A seguir, o exame da raiz PAND — lembra-se, leitor? — nos leva das asas para as velas — e as pétalas; velas infladas como o peito que aspira, pétalas que se abrem lentamente, do botão à flor, como tórax que se expande. As flores se expandem como as velas pandas e os peitos arfantes.

PAND, PANDUS: EXPANSÃO (DERIVADO)

Sonhei. Estava na sala de visitas de meu apartamento, com meu amigo Edmundo. Há na sala duas janelas iguais, ambas com cortinas de renda, ambas na mesma parede. O vento agita as cortinas, que tendem a sair pela janela. Seguro uma, mas a outra sai. Agora não são mais cortinas, mas velas — de náilon — de um veleiro. Meu amigo procura ajudar-me — ou assim parece. Com um ancinho — instrumento que se usa para pegar cabos e velas soltas em um veleiro — ele tenta trazer a cortina para dentro da sala. Ao tentar, rasga a vela, produzindo um longo talho horizontal.

O sonhador, bem-sucedido na vida à custa de esforços sem conta e de uma disciplina férrea, há poucos dias comprou um veleiro

— sonho de sua vida (o pai era marinheiro...). Tem sentido — fino que é — a sutil mudança a ocorrer em velhos amigos, vários deles ricos de berço, visto que ele de berço era modesto.

Aí está o sonho.

Carlos — vamos chamá-lo assim — está em franca e plena expansão... de vida. Alguns amigos estranham e perturbam essa expansão.

Carlos também. É do tipo que planeja alcançar certo patamar mas não planeja o que fazer quando o patamar for alcançado.

Quando chega ao ponto desejado, ele não sabe bem o que fazer.

Anseio contido. Expansão perturbada. É isso. O sonho é isso.

Duas janelas e duas cortinas, uma em cada janela.

Dois pulmões dentro da caixa torácica — ela também, como a parede com as duas janelas, é composta de duas metades iguais.

Um dos pulmões o próprio paciente controla. O outro precisa ser controlado pelo amigo. O paciente não confia no movimento expansivo, não se dá inteiro a ele.

No caso, a psicologia é fácil. Um dos princípios do paciente — que tem vários princípios e que é inteligente, lógico e realista — é este: jamais confiar incondicionalmente. Todos buscam a própria vantagem e simplesmente não podem fazer de outro modo. Não são maus, nem traidores; são apenas eles mesmos, são apenas assim.

O sonhador também — claro (assim pensa ele). Mas segundo o meu pensamento, o sonhador é também artista (note-se a beleza plástica e a síntese intelectual elegante que o sonho apresenta); é igualmente um bom sujeito — a pesar seu; é mais idealista, mais generoso e mais humano do que o ideal para os seus planos de sucesso. Por isso ele contém — até fere — a própria expansão.

Tem medo de ser bom.

Então explica tudo com a inveja dos amigos.

Bobo.

Talvez receie ser levado longe demais por seus sonhos.

O barco era um sonho.

Depois aconteceu.

Não dá medo?

E se outros sonhos começarem a acontecer — onde vamos parar? É mais prático — dizem até que é sábio — conter os próprios anseios. É mais sábio transformar desejos em angústias. É mais "real"!

Viva a sabedoria!

Na letra *F* do dicionário encontramos três raízes FL. Vale a pena citar as três, certamente relacionadas pelo som, que é idêntico, e provavelmente relacionadas quanto ao significado.

A primeira raiz FL significa "sopro dos ventos", sentido presente em *insuflar* e *flato*. A segunda raiz FL significa "bater, ferir", e dela derivam *aflito*, *conflito*. A terceira raiz FL, enfim, significa "*flor*", dando origem a *florir*, *floresta*, *florada* etc.

Como nasceu a segunda, "bater, ferir", eu não sei.

Quis que ela constasse aqui porque, de algum modo, liga-se ao sopro dos ventos e, de outra parte, liga-se a duas palavras por demais usadas na psicologia contemporânea: aflito e conflito. Poderia essa raiz ser de origem essencialmente marítima ou náutica? Nos primitivos — como nos atuais — barcos a vela (FL — sopro dos ventos), não só o barco se feria e batia contra a água, movido pelo vento, como eram atingidos e feriam-se os homens dentro do barco agitado pelo vento.

Não será intuitiva a semelhança entre o barco agitado e o tórax agitado — ambos pelo vento?

A essa altura talvez o leitor comece a admirar demais minha imaginação. Em defesa do que disse, lembro o seguinte: as três raízes etimológicas existem, e me parece descabido, em princípio, atribuir ao mesmo som sentidos totalmente desligados.

Depois, bater e ferir são momentos dramáticos, momentos que tendem a ser lembrados por todos. A batida e o ferimento produzidos por objetos movidos pelo vento e, mais do que isso, a simples existência do fato (objetos bem concretos e pesados movidos por uma "força invisível") deviam impressionar demais a nossos tataravós. *Nada mais parecido com os castigos de Jeová que uma tempestade no mar ou uma árvore que desaba sobre alguém, derrubada pelo vento. Nada mais misterioso e imprevisível que a ação do ar invisível.*

"O espírito sopra onde quer."

O grande espírito — de todo invisível — escolhe suas vítimas e as executa. Ante esse reparo — mais poético do que lógico —, talvez o leitor se incline um pouco mais para o meu lado. A poesia e a mitologia — sabemos — estão mais próximas da origem das coisas do que a ciência ou a filosofia.

Afora o apelo poético, existe um par de raízes em certo paralelismo com FL. Trata-se de PELL, "dirigir a palavra", do latim (dela nascem *apelo*, *interpelar*, *apelido* etc.), e de outra raiz PELL, significando "bater, chocar" (provindo dela temos *impelir*, *compelir*, *repelir*, *propelir*, entre outras). De sua corruptela PULS nasceu *pulso*, *expulso*, *impulso* etc.

Sabemos que a palavra, tanto quanto ou mais do que a ação, apela, impele, repele, expulsa, impulsiona etc. Sabemos que o vento tanto insufla e infla quanto convulsiona (conflito) e pressiona (aflito).

Clareza pouco maior obteremos adiante, ao discutirmos o falar e o fazer.

Depois das aves, das velas e das flores, o que falta?

Segundo Jung, o termo grego que deu origem a psique significa alma e também borboleta.

Para mim, é demasiadamente estranha essa dupla significação, tão díspar, do mesmo termo. Mas se observarmos de novo a respiração humana, será relativamente fácil estabelecer uma semelhança, quanto à forma, entre o movimento do peito quando respira e o adejar de uma borboleta ao vento. Não é muito diferente o que ocorre quando nosso pensamento "borboleteia" de cá para lá e de lá para cá.

Além disso, como vimos, é muito forte a relação entre o vento e as asas. Não é verdade que nos seja dado voar no ar, como as aves e as borboletas. Mas é inteiramente verídico que o ar voa para dentro de nós quando respiramos.

A diferença é exatamente a que existe entre as asas do avião e as hélices. A asa arrastada através do vento sustenta o avião no ar. As pás da hélice, agitando com violência o vento, levam o avião através do ar. Podemos dizer que a asa é levada pelo ar, e que a hélice traz o ar para o avião.

Voo e respiração.

A BORBOLETA E O VENTO — GRITO PRIMAL

— Não gosto do vento de agosto. Na verdade, não gosto de vento nenhum. Sempre, ao senti-lo no meu corpo, penso que gostaria que o vento fosse gente, para eu poder agarrá-lo ou bater nele. Doutor, o senhor sabe como as borboletas me impressionam. Qualquer figura de borboleta prende minha atenção. Já sonhei com borboletas, já desenhei borboletas. Será que existe alguma relação entre uma coisa e outra?

— Parece que sim. Você gostaria de ver o vento na figura de gente a fim de poder *alcançá-lo com as mãos*; convenhamos que uma figura humana é uma representação muito imprópria do vento. Proponho a você que encontre para o vento outra representação, menos imprópria.

A paciente reflete uns instantes e depois diz:

— Veio-me à mente uma libélula. O senhor conhece? Aquela de asinhas rígidas, que se encontra perto dos lugares onde há água?

— Sei. Mas parece que você *não* achou para o vento uma forma *que possa ser manipulada*; você achou uma forma que é *capaz de manipular o vento* — a libélula. Você inverteu o problema.

Logo notei que Violeta não conseguia perceber a diferença, apesar de tão evidente. Como de costume, ela estava sendo levada *pelos seus pensamentos*, e o que eu dizia era ouvido apenas pela metade.

— Será que eu sou parecida com uma borboleta?

— Acho que não! Você demonstra no seu agir uma persistência e uma tenacidade nada semelhantes ao zigue-zague imprevisível e caprichoso da borboleta. Mas — hesitei uns instantes enquanto uma ideia se fazia clara em minha mente —, mas *sua conversa* se parece demais com o borboletear duma borboleta. *Você, quando começa a expor um assunto, perde facilmente a noção de rumo, entra em um tema paralelo, acrescenta um detalhe irrelevante, faz comentários não relacionados, retorna ao tema, muda de novo...* Sabe? Para mim, que ouço você falar, a comparação entre o curso de suas palavras e o voo de uma borboleta é muito convincente. Já a libélula que você lembrou parece representar um outro lado seu, mais próximo do seu comportamento. A libélula tem um voo veloz; faz um círculo no ar, uma curva complicada, e logo paira bastante tempo, completamente imóvel, para em seguida partir para outro círculo. Nesse sentido, a libélula representa bastante bem alguma coisa sua. Considerado ingenuamente, o voo da libélula parece ao mesmo tempo *teimoso e impulsivo. Teimoso quando ela para, impulsivo quando ela altera o movimento.* Parece que a libélula, a fim de poder haver-se com o vento, acabou em parte se fazendo semelhante a ele. Sua conduta se parece muito com o voo da libélula.

Silenciamos.

— Olhe, valeria a pena você tentar um desenho no qual aparecesse uma figura que fosse ao mesmo tempo libélula e borboleta.

— Como se fosse um híbrido de libélula e borboleta?

— Isso mesmo. Se houver alguma verdade em nossa comparação, o ensaio de reunir uma borboleta e uma libélula representará uma síntese de sua conversa e sua conduta.

O trecho de consulta foi esse.

A paciente sofria de distúrbios respiratórios intensos que se manifestavam de três maneiras diferentes.

Primeiro, numa loquacidade por vezes incontrolável, importuna e perniciosa. Em paralelo com essa loquacidade, havia uma voz interior igualmente loquaz e inconsequente. Diante de qualquer fato vivido ou sofrido, Violeta passava a comentá-lo mentalmente de forma desordenada, quase sempre adversa a si mesma, quase sempre cheia de juízos depreciativos em relação a si, quase sempre cheia de dúvidas e incertezas penosas. Mas devo dizer: tanto a voz interior como a exterior *não eram da paciente*; essas duas vozes — que na verdade eram uma só —, antes de mais nada, discordavam bastante da conduta da moça; além disso, eram marcadamente adversas a ela. Não é muito razoável supor que uma pessoa possa usar seus pensamentos de modo tão contrário aos próprios interesses, inclusive tão contrário à própria integridade mental e física. Essas características da voz indicam, para mim, *que a paciente controlava sua fala tão pouco quanto seus pensamentos.* Violeta era, positivamente, levada pelas suas palavras, e, nesse sentido, a comparação com a borboleta é muito exata. Naturalmente, quem leva a borboleta é o vento. Se a borboleta representava a voz, então o vento era sua respiração. E eram os anseios contidos nessa respiração que inspiravam as palavras em sua mente; apesar de discordarem da conduta, tais palavras influíam sobre a própria conduta, complicando-a, tornando-a difícil, incerta e penosa.

A segunda manifestação desse distúrbio respiratório eram os frequentes sintomas precordiais da paciente, semelhantes à angina de peito, mas sem substrato orgânico. Diante de qualquer emoção violenta ou contrariedade, Violeta logo sentia dores no precórdio, opressão torácica, palpitações, sensação de peito "explodindo" ou, ao contrário, sensação de peito completamente preso, "fechado".

A paciente já havia representado essa opressão torácica uma vez, em desenho, na forma de uma panela de pressão.

Enfim, havia mais um sinal clínico dessa dificuldade respiratória: era a atitude habitual da metade superior do tórax e dos ombros. Os ombros mostravam-se sempre postos um pouco para trás, um pouco para cima e um pouco espremidos. Sinteticamente: posição de ombros de um lutador prestes ao ataque ou à defesa.

Diante dessas características clínicas, perfeitamente observáveis, todo o curioso diálogo em torno da libélula e da borboleta se substancializa de forma considerável.

Não seria fácil encontrar exemplo mais feliz da correlação entre o sopro de fora, que é o vento, e o sopro de dentro, que é a respiração. Tampouco seria simples encontrar exemplo mais feliz da relação tão íntima *entre o sopro de dentro e o espírito de dentro, que é o pensamento expresso na palavra.*

Voltemos às palavras.

Haurir é uma vetusta palavra, sinônimo erudito de inalar. Que diz Góis a respeito?

> HAUR, "tirar para fora"; raiz latina. Vê-se em *haurir, exaurir, inexaurível.* Corrompe-se em HAUST, formando, então, *hausto, exausto* etc.

Veja o leitor a importância dos nossos comentários à mecânica do guarda-chuva.

O sábio dicionarista *inverteu totalmente o sentido da raiz* ao defini-la, como o fazem todos os meus clientes ao definirem o sentido da própria respiração. Dizem eles — muitos — estar enchendo o pulmão quando o estão esvaziando e vice-versa; dizem eles — confusão mais sutil — estar enchendo o peito quando estão "chupando a barriga" (isto é, esvaziando o pulmão); dizem estar esvaziando o peito quando estão estufando a barriga (isto é, expandindo o pulmão).

Pior: pouquíssimas pessoas *têm noção clara* do processo respiratório; creem muitos, tacitamente (nunca pensaram no caso), que de algum modo é um inexistente sopro de ar atmosférico a força a estufar passivamente o pulmão, em analogia ingênua e *invertida* com o ato de encher uma bexiga. Essa analogia ingênua — e invertida — foi para todo o sempre consagrada por Adão, *que recebeu nas narinas o sopro de Jeová.*

Poucos sentem o esforço muscular do tórax como *agente* da expansão pulmonar e, por isso, agente da "in-flação" do pulmão, de seu enchimento por aspiração.

Não estranhemos, pois, a confusão do preclaro dicionarista. HAUR não equivale a "tirar para fora", como diz ele, e sim a "pôr para dentro" — aspirando. Haurir e hausto são sinônimos de inspirar e inspiração, respectivamente. Nem se dá conta o dicionarista das contradições contidas no seu verbete. Caso fosse verdadeira sua descrição, exaurir significaria "extrair o que está fora"! Algo semelhante (difícil até de imaginar) valeria para exausto e inexaurível. É evidente que exausto significa "sem nada mais que possa ser retirado" ou, mais simplesmente, "vazio". Por sua vez, inexaurível quer dizer "que não se consegue esvaziar" — com o sentido do movimento invertido pelo prefixo "in" (no caso, de negação).

O doutor Góis me desculpará a brincadeira. Quis apenas aproveitar a deixa para sublinhar quanto as pessoas sentem, concebem e enunciam mal os fatos referentes à respiração. Isso me importa — muito.

Já falamos bastante sobre a respiração pura — sobre o vento. Transitando do vento para a música e para a letra, detenhamo-nos nestas duas curiosas raízes CAN: a primeira é grega, de *kanon*, significa "lei" e dela surgiram *cânone* e *canônico*; a segunda, latina, de *can-o-ere*, significa "*cantar*", e de sua forma pura nasceu *canoro*. Transformada em CANT originou *canto* e *cantar*; de CANÇ nasceu *canção* e... *caçoada*.

Comecemos de trás para diante. De caçoada a cânone há muita diferença, mas talvez haja semelhança também. Crianças, principalmente quando em grupo, tendem a caçoar *em coro*, no triplo sentido de *todas juntas*, em voz *cantada* e tendendo a *compor um verso* com o xingamento. Esse verso é geralmente malfeito, mas a frase musical subjacente é de fato uma frase — conjunto de sons que tem certa unidade melódica. Enfim, é regra o xingamento cantado referir-se a uma óbvia diferença entre a vítima e o grupo, seja uma diferença *ad hoc* (perder a corrida, errar no brinquedo), seja uma diferença permanente (obesidade, uso de óculos, defeito físico, jeito ou o que seja).

"João-é-boo-bo."

"Qua-tro-o-lho."

"Goor-do."

E assim por diante.

(Participe, leitor, lendo essas frases ao modo como você as dizia...)

O cânone é formalmente semelhante. Em geral:

- é redigido em "versículos";
- é enunciado com sonora solenidade ou, de fato, cantado (por pajés, magos, advogados, Conselheiros Acácios...);
- representa a unanimidade do grupo contra o excepcional.

No cânone, tanto quanto na caçoada, está acentuado o elemento musical da voz — a forma respiratória.

Não raro, em ambos se procura, mais do que a sequência lógica, o acordo da letra com a música; alegoricamente, o acordo entre o *logos* e a *fisis*, a harmonia entre os sinais cabalísticos (palavras) e seu fundo instintivo-emocional. Entre o símbolo e a força que o criou e sustenta, símbolo, por sua vez, que manifesta, aplica e modela a força que o gerou.

A fim de bem apreciar essas afirmações é preciso lembrar as fórmulas de encantamento dos pajés, assim como a tradição oral dos povos originários, ou as profecias primitivas. Todas são obscuras, incoerentes e fragmentárias quando analisadas pelo seu conteúdo lógico, mas de muitas delas se evola certa harmonia profunda, inerente à música e ao ritmo das palavras.

Os hindus, mestres na introspecção *que visa influir* sobre as ocorrências interiores — e não na introspecção apenas descritiva —, de há muito ensaiaram formas *para tornar mais audível* a respiração à custa de fonemas "sem sentido", destinados apenas a caracterizar modos harmoniosos — integrados — de respirar: os mantras

São tantos os músculos a intervir na respiração e na articulação da palavra que seu controle voluntário individualizado — depois conjugado — é uma tarefa sem esperanças. Falando no limite de 180 palavras por minuto, executamos quinhentos movimentos diferentes com a língua.

Mais fácil é achar sons em torno dos quais o processo se organize espontaneamente.

Como muitos são os "bons" modos de respirar e como não há um modo de respirar que seja bom para tudo, inúmeras são as sílabas e as frases "mágicas", isto é, os sons capazes de harmonizar a consciência (presente na articulação da palavra) e o inconsciente (presente no sopro e na música).

O hindu está certo ao *não* dar valor significativo a tais fonemas.

Nós e nossos antepassados (até Freud) erramos *ao nos ocuparmos demais com o sentido intelectual da algaravia*; mais importante é a harmonia. Sabemos cientificamente mas não praticamente o valor da respiração.

Apesar de todo o nosso "realismo", a cantoria do pajé nos impressiona mais do que ao hindu — e nos impressiona absurdamente. *Não há sentido no que ele diz.* É preciso ouvir a música.

Já falamos, quanto a esses primórdios da palavra, sobre a raiz SU.

Vejamos a raiz HOM, "gênero humano", do latim.

Homo.

Dela provêm *homem, homenagem, humano, desumano, humanitário* etc.

O que me chamou a atenção nessa raiz foi sua identidade com a "sílaba mística" dos hindus: *om*.

Segundo eles, a correta pronúncia desse som, após treinamento infindável, traria para o iniciado algo de transcendente.

Não creio que para os hindus tal fonema signifique homem. Como pode essa unidade sonora, gerada independentemente em duas culturas tão diversas e significando coisas diferentes, terminar designando a mesma *entidade* profunda e incompreensível?

Não se ligarão o *hom* latino e o *om* hindu ao *amén* hebraico?

"Hom" poderia estar ligado ao "hum", interjeição comum capaz de exprimir admiração, semelhante a um suspiro de prazer ou gozo — aquilo que se sente ante grande harmonia.

Só há uma hipótese para explicar o fato: *esse som manifesta um modo de respirar inerentemente significativo*. Como a respiração é comum a todos os homens (a fonação também), a hipótese se faz plausível. O significado convencional do som por vezes não importa.

A linguística se beneficiaria demais se melhor considerasse a respiração, não só como ocorrência fisiológica mas também como fato inerentemente significativo; *o som seria um retrato da respiração, e esta, um retrato da disposição profunda da personalidade*. É com tal ideia em mente que faço essa apresentação etimológica.

É terreno comum ao linguista e ao psicólogo essa região, na qual *da respiração nasce a palavra* — e com ela o significado; com o significado nasce a inteligência — ou certa forma de inteligência.

Não se surpreenda, pois, o leitor, com minha ginástica explicativa. "No começo" tudo está misturado, é vago, sugestivo e ambíguo.

Subsiste, porém, contra toda a minha exposição, uma objeção sem resposta: por que seriam diferentes para os vários povos os fonemas designativos do *mesmo* fato interior?

Todos os fonemas ligados à respiração têm algo que ver com a noção de vento. Mas, para denominar o vento, os gregos dizem *ánemos*, os latinos dizem *spiritus* e os judeus dizem *anim*. Retornaremos.

Voltemos a CAN. Entre o *cânone* e a *caçoada* existe o *canto*, a forma quase pura de "música" da voz; aqui também, como na arenga do pajé, *o que se diz* não é muito importante.

O canto, mais do que a prosa, comunica estados interiores. Com um pouco de atenção ouviremos no canto (e na música), muito mais do que na prosa, as expressões primeiras do ser humano: o choro, o gemido, o lamento; ou o riso, o contentamento, a alacridade; também o rugido, o rosnar, o resfolegar; enfim, o arrulho, o sussurro e muito mais.

Respiração sonora — eis a música.

Reafirmemos: busca-se na canção (tanto quanto no cânone e na caçoada) uma correspondência harmoniosa entre letra e música, entre corpo e espírito; tenta-se unificar aquilo que quase sempre está dividido.

Vejamos agora como atua esse princípio na raiz *crep*, "estalar, produzir som".

Logo notamos o significado da raiz em *crepitar* e *estrépito*. Mas onde está ele em *increpar*, *discrepar* e *decrépito*? Eu crepito? Sou fogueira?

Pessoas exasperadas mostram uma respiração inquieta e "angulosa". *Seu dizer retrata essa inquietude* e se faz increpação.

A palavra estala, moldada pelos ângulos bruscos da respiração (o significado de "ângulos bruscos": se fizéssemos na ocasião um registro gráfico dos movimentos respiratórios da pessoa, obteríamos uma linha irregular angulosa e de alta frequência).

Aqui as correntes se dividem. Aqueles dispostos a excluir a individualidade humana das coisas do ser humano diriam assim: *ouvindo* uma fogueira crepitar, o ser humano associaria calor e destruição com esse ruído; ao sentir-se "quente" e disposto a destruir, o ser humano *imitaria* com a voz o crepitar da fogueira.

Na associação ruído-calor-destruição já se inclui algo do homem. Mas o circuito ainda funciona de algum modo automaticamente.

Minha descrição é algo diferente (sem excluir a prévia): agitado por vários impulsos incoordenados (raiva), todo o corpo oscila de maneira irregular, e a respiração com ele. Esse *modo* respiratório encontra no *ruído* crepitante uma forma adequada de exprimir-se. Respiração e voz podem entrar em correspondência e gerar uma unidade funcional.

De CREP resta decrépito, "sem ruído"; ainda aqui vale algo da respiração. O "ruído" mais característico do ser humano é a voz. Decrépito significa, pois, sem voz — respiração fraca. Pesa também o sentido alegórico — talvez. O velho "não tem voz" ante os mais jovens, ninguém ouve mais seus conselhos.

Passemos a CLAM. A primeira raiz é grega, significando "gritar", como se vê em *clamor*, *clamar*, *exclamar*, *proclamar*, *reclamar*. Corrompe-se em CHAM, donde, então, "chamar". A segunda é um advérbio latino, significando "oculto" ou "escondido". Daí, *clandestino*.

Vale a pena examinar conjuntamente a raiz de gritar. O dicionário aponta GR-IT — e não a define. Nem diz tratar-se de raiz onomatopaica — o que é evidente.

A palavra grito é pura sonorização de uma expiração forçada com a glote tensa, inicialmente fechada. Clamor é o grito de muitos. Exclamar corresponde a um grito menos agudo (com o som de A ou de O em vez de I).

Clamar é gritar com um pouco menos de tensão nas cordas vocais, com respiração menos veemente e mais prolongada e com esboços de articulação na voz. O puro sopro respiratório começa a moldar-se. Proclamar é dizer gritando (e impondo; a força do grito reforça a lei...); no dizer vai a palavra, no gritar a música. Reclamar é protestar gritando.

Mas o que me prendeu nessa raiz foi a comparação entre sua primeira acepção e a segunda. Não obstante sua origem diferente (grego/latim), há algo de sugestivo na oposição entre elas. CLAM-1 é tornar manifesto pelo som e CLAM-2 é precisamente o oposto de tornar manifesto: é esconder.

Melhor se evidenciará o paradoxo com o exame de CAL (provavelmente anterior a CLAM). CAL-1 significa "abaixar, arriar", como se vê em *calar* e *caluda*.

O dicionarista não assinala o que nos importa: CAL-1 é *baixar a voz* — respirar com cautela.

CAL-2 significa "chamar, convocar", isto é, *elevar a voz*, respirar ampla e fortemente.

Temos aí o mesmo paradoxo notado entre CLAM-1 e CLAM-2: manifestar com força e esconder.

CAL-2 sofreu várias alterações. De CIL surgiram *concílio* e *reconciliar*. Reconciliar significaria, então: conseguir unanimidade — conseguir uma só voz — sincronismo respiratório. Em CLA se vê melhor que CLAM seja derivada; de CLA nasceram grandes termos: *clamar*, *exclamar*, *proclamar* (todos já vistos).

Sempre pensei que a palavra *claro*, de algum ou de muitos modos, estivesse ligada aos olhos. O contrário de claro não é escuro ou obscuro — e escuro não se refere às trevas e à morte?

No entanto, claro se liga ao ouvido — aos sons — à palavra.

Situação clara é situação *bem dita*. Afirmação clara é sinônimo de... bom português.

Só quando o percebido é *bem dito* deixa ele o mundo das sombras e adquire dimensão especificamente humana.

Agora talvez possamos compreender o *clandestino* — que é oculto. Basta aprofundar um pouco o exame da relação entre o que é visto (ou experimentado) e o que é dito. Olhos e ouvidos são os sentidos mais discriminativos do ser humano, sendo capazes de perceber maior número de sinais. Nossos "anseios profundos" nós os denominamos assim por serem, precisamente, vagos, "obscuros", indefinidos. A todos agradaria tornar claro o obscuro, discriminar o indiscriminado, definir o indefinido, "resolver" ou decompor o global; a todos agradaria, se não por espírito de curiosidade, então pelo alívio de ver atenuadas ou afastadas as sombras que nos envolvem — tantas e tão assustadoras.

Exprimir as coisas pela visão levou os seres humanos à pintura e, depois, à escrita. Mas a representação visual será para sempre individual — exceto quando se faz sinal abstrato e convencional.

Representar as coisas pelos sons levou-os ao ritmo, depois à música e, enfim, à palavra — tão próxima da respiração.

A respiração está entre as vísceras e o cérebro. Pulsa como o coração e repta como os intestinos e os genitais; é de algum modo voluntária e pode variar consideravelmente quanto a forma e ritmo; a voz a retrata finamente. Ouvindo a própria voz, o ser humano ouve a si mesmo.

Leitor, você já ouviu a própria voz? Falo de ouvir simplesmente, sem complicações nem pressupostos. É muito estranho. Demais.

Por isso preferimos pensar no que falamos em vez de ouvir nossa voz — e nossos pensamentos. Porque nossos pensamentos — de todos, não só dos doentes mentais — são "falados" em nossa mente, eles "nos vêm", como nos vêm, prontas e integradas, a marcha ou a deglutição — basta "querer". A vontade, que existe, apenas aperta um botão; o resto acontece "sozinho".

As coisas que *ouvimos* dentro de nós — nossos pensamentos — quase nunca são nossas. O espírito que insufla pensamentos em nossa mente é muito semelhante ao aparelho neuromuscular que produz, mantém e regula nossa respiração. Esta — como o pensamento — *pode* ser voluntária, mas quase nunca o é. Nossos pensamentos "nos vêm" quase como a respiração. Frequentemente "vêm" sem que os chamemos ou procuremos. Podem surgir inclusive por força própria e contra nossa vontade grandes e pequenos pensamentos que preferiríamos não pensar. Dir-se-ia que um mau espírito insufla maus pensamentos em nossa consciência...

Prossigamos com as raízes etimológicas. Cada fonema é um modo respiratório elementar: deve tanto ter seu significado subjetivo quanto o objetivo. Nasceu o fonema não só para caracterizar coisas e processos exteriores como também, *ao mesmo tempo*, para caracterizar *nossa maneira de estar, sentir e... respirar* diante do processo ou da coisa. Isso é verdade — eu creio; mas evidenciar essa verdade não é fácil.

Já que falamos em voz de dentro, examinemos VOC, *som da voz humana*. Do latim. Há derivados fáceis de compreender: *vocal* (depois *vogal*), *vocalização*, *convocar* (reunir pela voz), *invocar*, *provocar* (desafiar com a voz).

Mas há outras menos simples. *Evocar* é recordar.

Diz a etimologia que nós recordamos as coisas falando-as à custa de uma voz (interna, supõe-se) que soa de novo. É o passado que fala em nós. O velho espírito...

Há também *irrevogável*: aquilo que não pode ser desfeito porque já foi vocalizado. Nesse termo se confundem falar e fazer.

Algo semelhante ocorre com a raiz F, latina, de *f-ari*, "ter a faculdade de falar". Dela provêm *infante*, *infantil*, *infância* e... *infantaria*.

O sentido desses termos é "o que ainda não fala" (quanto às crianças) e "o que não pode falar" (na acepção militar; essa segunda versão — já se vê — não é de Góis, mas minha...). Há outras belas palavras nessa família: *afável* ("aquele que consente que se lhe fale"), *inefável*, *eufemismo*, *blasfêmia*, *profecia*.

Não só palavras dela decorrem, como outras raízes também, particularmente FAC, raiz de fato e fazer.

Aí está a confusão entre falar e fazer. Na boca dos insensatos, essa confusão responde por muito do que a humanidade tem de mais tolo, estúpido, errado e inconsequente. E a confusão — expressa na etimologia — precisa ser vista mais de perto.

O conjunto muscular responsável pela palavra articulada parece mais complexo do que o conjunto muscular responsável pelos movimentos finos da mão, ainda que toda comparação, nesse campo, corra o risco de não ter sentido algum. Lembremos que para falar não basta o controle laríngeo e bucal; é preciso também o controle respiratório.

Aceitando-se que os fundamentos neuromotores de uma função sejam mais complexos que os da outra, daí se deduziria que os seres humanos deveriam começar a falar mais tarde do que começam. Além disso, o comando da mão não parece mais necessário para a vida do que o controle vocal? No entanto, muito antes de o comando da mão (e seu controle visual) funcionar plenamente, a verbalização já funciona satisfatoriamente. Estas, mais a posição ereta, são as três principais aquisições do ser humano — quando comparado com os outros animais. As três respondem, provavelmente por causa de sua complexidade, pela prolongada duração da maturação humana: posição ereta, fala, mão versátil.

Dos 2 aos 4 anos, a boca, na condição de parte do aparelho digestivo e de zona de prazer e de conhecimento, *vai cedendo lugar muito rapidamente à boca como parte essencial do aparelho fonador*. Nessa época ela se faz, a rigor, *parte do aparelho respiratório*, e a ele se integra. Para essa integração concorre a preparação prévia, o período expressivo não articulado, durante o qual, sem palavras, a criança influi sobre os próximos apenas com a música vocal, e os próximos já influíam sobre a criança por intermédio do mesmo instrumento.

Quando Freud nos falou da fase oral, nunca assinalou com a devida ênfase essa transição funcional. É a encarnação do verbo.

Não se trata de um pormenor. A palavra é constituinte fundamental e específico da personalidade humana.

Apelemos de novo para as raízes.

OR, "boca", do latim *os, oris*. Dela nascem *oral, oralmente* etc.

Mas dela nascem também — aqui surgem a mudança funcional e o mistério: *oração*, *oráculo*, *adorar* (e outros).

Vê-se logo a acentuada mudança no plano dos significados — certamente retrato da mudança funcional.

Há mais: outra raiz OR existe, significando "nascer". Também do latim (*orior, iri*). É possível que uma tenha provindo da outra.

Mas a definição do dicionarista — "nascer" — é bastante imprópria. Vejam-se as palavras derivadas: *oriente, orientar, desorientar, oriundo*, *origem* e *primórdio*. Note-se: o "nascer" contido em OR-2 nada tem que ver com o nascer elementar, biológico; não há, entre os derivados, nenhum termo referente a sexo, cópula, filhos, semente, fruto ou o que seja.

Todos os termos são bastante abstratos quando se referem a nascimento (*oriundo*, *primórdio*, *origem*, *oriente*). E alcançam, logo depois, este conceito fundamental: *orientação*. Vale a pena meditar sobre essas relações.

Que espécie de orientação pode estar ligada à boca? O que *nasce* dela? A palavra. "No princípio era o verbo [...]. E o verbo se fez carne."

São João me perdoará a versão: no princípio era o vento, depois o vivente deu forma ao vento.

Assim nasceram oração e adoração.

No princípio, o ser humano respirava; depois, com a substância da respiração — que é o vento invisível —, o ser humano "fez" a palavra, moldou o sopro e inventou a canção. Da oração e do cântico se fez a Lei — o cânone.

Espero que o leitor esteja tão perplexo — e tão maravilhado — quanto eu.

Mas substanciemos um pouco mais essa tessitura diáfana e fluida. Seria um exagero o uso da palavra "fluida" na frase anterior?

Vejamos a raiz VERS, "que verte ou se desloca", segundo Góis; na verdade, "que verte ou flui" seria bem mais exato.

Daí nasceu *verso*. Quer o dicionarista que verso tenha sido, no início, *sulco*, depois *traço*, e enfim *linha* (escrita, supõe-se, ainda que Góis não o diga).

É bem de gramático esta! Qualquer poeta sabe que só é verso aquilo que verte e flui, com ou sem linha escrita. É verdade que o verso verte num sulco — ritmo. Mais nenhum outro.

Também conversar vem de verter; no diálogo há um duplo verter, recíproco, de pensamento, sim, mas sobretudo de espírito e de música — ou não há diálogo.

Universo — da mesma raiz — é certamente o poema de Deus, vertido e fluindo eternamente — como a respiração, que flui em ondas infindas — como o mar.

Eu não disse na ocasião, mas há duas raízes HAL: a primeira gerou *anelo*; a segunda significando *mar*.

Belas coisas nascem da boca dos homens quando o espírito a anima.

Na boca do ser humano o vento se faz luz — e ouro. Não estranhe essa frase, leitor. Leia.

AUR, "brisa, vento brando"; dela nasceu *aura*.

Mas há outra raiz AUR, agora significando "ouvido, orelha", com quatro variantes: AUD, formando *auditivo*, *auditório*; OUV, *ouvir*, *ouvido*; AUS (forma primitiva), *auscultar*; OR, *orelha*.

E ainda outra raiz AUR existe, em geral presente na forma OUR, da qual vieram *ouro* e *dourado*.

Nem aqui termina o poema. Idêntica a AUS (raiz primitiva de AUR-2), existe outra, grega, significando "brilhar, queimar". Dela nasceu *Aurora* (originalmente, a divindade que presidia o romper do dia).

De novo o *claro* aplicado à palavra e ao espírito.

Estranha música, realmente líquida.

A cada instante parece que uma verdade pura vai emergir e permanecer; no instante seguinte, ela cintila e mergulha.

Deixem-me repetir: o estudo das raízes verbais é um estudo de coisas primitivas, indiferenciadas e, por isso, ambíguas. Não espere o leitor nenhuma fórmula final para essa digressão. Ela é apenas sugestiva e não pretende ser mais do que isso.

Há mais brisas por conhecer.

AO, "soprar, agitar o ar". Aparece, alterada, em *ave* e seus *derivados*; em *auspício* (*avis-spicere*, "adivinhação do futuro pelo voo das aves"), *augúrio* (*avis-gurere*, como no caso anterior), *inaugurar*.

Que belo ramalhete.

Por que os homens acharam que o voo das aves poderia dizer algo sobre seu próprio destino ou suas escolhas?

Não seria uma obscura intuição, análoga à que estamos perseguindo desde o começo, segundo a qual ave e voo se ligam à respiração e esta ao espírito e aos anseios humanos?

O voo da ave no ar é como o curso do pensamento na respiração.

Já vimos que essa hipótese — certamente vaga — é indispensável para o etimologista, dadas as inúmeras correlações dentro desse conjunto.

Há mais. Corruptela de AO é AV (que originou ave); há mais raízes AV, algumas das quais convém conhecer.

Uma delas significa "antepassado, ascendente", como se vê em *avô*, *avoengo* e *atávico*, o *triunvirato* que encarna o "velho espírito".

A outra, logo corrompida em AUD, tem o sentido de "tentativa", tendo gerado *audácia*. Não é difícil filiá-la, significativamente, à última e mais sugestiva das raízes AV, do latim *av-eo*. Na origem ela queria dizer "movimento de asa, aceno"; subsequentemente passou a significar "*desejo vivo*" ou "*estar em boa disposição*".

Dela provêm *ávido* e *avidez*. Sua origem é provavelmente exclamativa: o clássico "Ave", tanto dos romanos quanto dos Evangelhos.

Enfim, resta mais uma raiz relativa a vento.

É VENT, latina, origem de *vento*, *ventar*, *ventilar*.

Mas há mais duas raízes homógrafas e homófonas.

Uma delas significa "ventre", tendo gerado *ventral*, *ventrículo* e *ventríloquo*.

Não parece difícil relacioná-la com a primeira. A respiração tanto move o tórax quanto o ventre; classicamente, mais a este do que àquele. O ventre, pois, seria a sede do vento.

A terceira raiz VENT responde por *ventura*, *venturoso*, *bem-aventurado*. Curioso que essa raiz é derivada de outra, VEN, originalmente significando "graça, alegria". Dela provêm *Vênus*, *venusto*, *venéreo*, assim como *venerar*, *venerável* e *venerando*.

Atrás deixamos dois fios soltos; agora convém retornar a eles e desenvolvê-los.

Um era a complexidade e a maturação relativamente rápida do aparelho fonador. O outro era a função da boca como principal órgão da articulação da palavra. Lá havíamos afirmado o seguinte: a função nutritiva da boca é muito rapidamente sobrepujada (mas não excluída, é claro) pela função verbal. Assim, essa alteração funcional levaria a boca a fazer parte do aparelho respiratório.

Essas são expressões enfáticas mas inexatas.

A laringe, órgão que *produz* o som da voz, não é específica do ser humano. A capacidade de produzir sons e de fazer que variem existe na imensa maioria dos animais.

Para gerar a palavra é preciso o sopro pulmonar, a palheta ou vibrador laríngeo e a *boca humana*; é preciso contar, também, com o cérebro humano e sua capacidade não só de discriminar objetos e sinais como de responder com versatilidade.

A versatilidade *motora* do ser humano não recebeu até hoje a atenção devida. Dela decorre a capacidade de criar respostas diferentes, o que é provavelmente a essência da famosa criatividade humana. Se a área da projeção cortical motora da laringe, língua, istmo das fauces, faringe e lábios humanos não tivesse a extensão que tem, é quase certo que não falaríamos. Creio que existem, mas pessoalmente não conheço, estudos comparativos relativos à extensão dessa área no ser humano e nos outros animais.

Outro fato deve ser lembrado: a real mas obscura influência cortical sobre a respiração. *Sem um controle por vezes finíssimo da respiração, a voz e a palavra humana não seriam o que são.* Quanto a isso, da mesma forma, não sei se existem estudos comparativos.

Esse controle é duplamente difícil, porque o tom da palavra exige controle fino da respiração, o que pode ser observado com facilidade na atuação dos cantores; e, ainda, porque esse controle não pode ignorar as exigências do corpo em relação ao oxigênio. Enquanto falamos ou cantamos, precisamos respirar certo (para falar e cantar) e precisamos respirar o suficiente (para não entrar em asfixia).

Para os animais, com um número limitado de "fonemas", o problema é relativamente simples. No caso deles, vale o que tantas vezes afirmei: a voz é apenas uma forma audível de respiração — quase.

Para o ser humano — agora vem a afirmação exata que corrige as prévias —, *a palavra é uma função sem órgão específico.*

Ela está entre o aparelho digestivo (boca) e o respiratório. De novo esbarramos com algo aparentemente "imaterial" ligado à respiração e à palavra, novo argumento a favor da noção de espírito como algo não substancial. A voz é algo sine materia *porque nasce "do ar" e porque não tem órgão próprio. É um processo puro.*

Creio que essas reflexões — assaz simples e isentas de dúvidas — reafirmem a deficiência freudiana.

No exame da chamada "fase oral", deveríamos decompô-la assim:

1. *Fase respiratória, com expressão emocional vocal não verbal. (Fase "mágica", pois nela o desejo do sujeito atua diretamente sobre o mundo e por vezes influi sobre este.)*
2. *Fase oral nutritiva.*
3. *Fase de verbalização, que integra as duas anteriores (fase mágica — emocional, isto é, magia da palavra).*

Desde os seus primórdios a palavra é um sinal altamente "voluntário". Menos discriminada é a música da palavra, moldada, provavelmente, por influências extracorticais, "profundas". *A palavra depende da boca; a música, da respiração.*

Aqui está uma pequena razão para a maturação precoce do aparelho fonador: a respiração está presente desde o começo; a boca é educada desde cedo pela sua participação na alimentação.

Já as mãos — de educação igualmente difícil — não têm nem tal fundamento nem tal exercício necessário. Aliás, é fascinante observar crianças de 3 a 4 meses brincando de mexer as mãos e de olhar para elas. Estranho, porque o gesto "não serve para nada" e porque é espontâneo no mais puro sentido da palavra.

O mesmo não se dá com a boca e com a própria garganta, quer enquanto funcionam na sucção e deglutição, quer enquanto choram, riem ou gritam. Nos dois casos sabemos que a atividade tem certo propósito — e não a estranhamos tanto.

Outro fato que merece atenção é este: praticamente todos falam durante a *expiração*. No entanto, todos *podemos* falar durante a inspiração (com voz alterada, rouca e pouco modulada, em razão do inusitado do processo; é plausível que com treinamento se consiga um desempenho bem melhor).

Algumas palavras foram sobejamente repetidas neste capítulo: inspiração, anelo, aspiração e anseio.

Todas qualificam movimentos interiores obscuros — mas muito importantes — e, ao mesmo tempo, o movimento de *inalação do ar*.

O que "inspira" ao poeta *dir-se-ia ser o ar que ele aspira.*

Aqui surge um novo elemento para definir certo processo psicológico em paralelo com o processo respiratório — problema antes proposto. Vamos chamá-lo, segundo os termos disponíveis e consagrados, *processo de inspiração*, isto é, a voz que fala "para dentro".

É possível afirmar que nossos antepassados, *ignorando de onde vinham a palavra e o pensamento*, atribuíram ao "invisível" (o ar) *a propriedade de trazer ambos a eles.*

No momento seguinte — expiração —, o "espírito" inalado "insuflaria" pensamentos na mente e palavras na boca. O amante invisível!

Que o espírito invisível (ar) era "vital" eles o sabiam — os mortos não respiram. Nada de estranhar, pois, que os homens atribuíssem ao mesmo vento invisível que lhes sustentava a vida a propriedade, igualmente maravilhosa, de lhes trazer pensamentos à mente — ou palavras aos lábios.

Em raros — e felizes — momentos, dizemos a frase certa, de modo certo, na hora certa.

Percebemos então, se finura houver, além de honestidade, o que dissemos: compreendemos no ato a verdade *em nós nascida*, mas não *feita* por nós.

É preciso relembrar a importância da inspiração e dos inspirados na história da humanidade a fim de bem avaliar o papel desse processo. É preciso reconhecer — e isso é bem mais difícil — o valor da inspiração na vida de todos e de cada um de nós para sentir a relevância de tal processo.

Quase sempre roubamos o espírito, tendo como "feitos por nós" pensamentos que na verdade "nos vieram" à mente — na hora oportuna.

Hoje, quando não se acredita muito em inspiração, passamos a chamar de "nossos" os pensamentos que nos vêm!

Denomina-se usualmente "intuição" o processo de inspiração; os psicanalistas usam muito, para caracterizá-lo, a expressão *insight*. Narziß Ach chamava esse processo, com grande felicidade, de "vivência do Ah!" Não escapou ao experiente investigador dos processos intelectuais mais finos da personalidade sua correlação com a respiração. Aqui, no "Ah!", o começo de uma compreensão: sabemos todos que antes do "Ah!", do "entendi", houve uma inspiração (real, respiratória), muito peculiar, seguida de uma pausa igualmente significativa.

Atento, entender, conter — lembra-se, leitor?

Ainda falta algo à etimologia dos termos mediata ou imediatamente ligados à respiração.

Faltam os termos que se referem a calor, chama, fogo — talvez a luz, brilho.

Quando dizemos a chama da vida, a chama do amor, amor ardente, inflamado de ódio, rubro de raiva, e quando falamos duma afeição cálida ou mesmo em calor humano, referimo-nos a uma imediata sensação de calor e, implicitamente, àquilo que é seu principal agente — o oxigênio. Falamos, portanto, de respiração. *A vida é um processo de combustão organizada.* A combustão viva, diferente das combustões que ocorrem no mundo da matéria inanimada, se faz sempre dentro de limites bastante estreitos de temperatura, que no caso do ser humano oscilam aproximadamente entre 35°C e 40°C. Nós não queimamos como uma vela ou como gasolina, as quais, ao entrarem em combustão, aquecem rápida e violentamente o ambiente ao seu redor. *No corpo, o calor é liberado de forma muito cuidadosa, numa série considerável de etapas encadeadas.* Essa mágica muito peculiar ao ser vivo — de queimar-se aos poucos sem consumir-se no próprio calor — se faz à custa de sistemas bioquímicos numerosos e delicados, que atuam em cada célula viva e em todas as células vivas. Como todas as células vivas queimam devagar a própria substância, a fim de obter energia para a realização de suas funções, ao absorver o oxigênio do sangue elas influem na respiração. Esta envolve, portanto, medida rigorosa e precisa, seja da necessidade de oxigênio do corpo a cada instante, seja da soma das combustões orgânicas em curso (metabolismo basal).

Todas as células do corpo e cada uma delas intervêm na respiração.

Outro fato, bem conhecido mas nem sempre bem avaliado, é que toda substância viva liberta energia, isto é, queima-se, não apenas para existir ou sobreviver, mas também para se fazer.

É graças a oxidorreduções em cadeia que a célula viva não apenas faz aquilo que precisa, como faz a si mesma, ao mesmo tempo, em processos finamente encadeados, coordenados e reversíveis.

Enfim, é da combustão e da ressíntese da própria substância, feita à custa dessa combustão, que a substância viva não só subsiste e sobrevive como vai criando continuamente novas formas de substância e de existência.

No ser humano, esse fato se faz particularmente evidente no córtex cerebral. É lá, segundo tudo indica, que se realiza o principal das novas sínteses, originando novas maneiras de ser, de atuar, de existir. Não deve ser simples coincidência que o córtex cerebral seja, no corpo humano, a região mais sensível à falta de oxigênio.

Além das analogias familiares citadas sobre calor, recordemos duas raízes já examinadas.

A primeira é da família AUR (ou AUS); dela provêm *aura*, *orelha*, *ouro* e *aurora*. No último termo, aurora, a raiz AUS significa "queimar, brilhar" (em paralelo com OUR de ouro e dourado e com AUR de auréola). Por sua vez, à raiz CAL (da qual nascem clamar e claro) soma-se outra raiz CAL, também latina, da qual provêm *calor*, *cálido* e *quente* (CAL-ente).

Encerremos este apêndice com a citação de FOC, "*lume, lareira, lar*". Dela nasceu foco, originalmente o lume da lareira do lar; a lareira era o lugar do calor e da luz — da combustão —, servindo para aquecer os próximos e para orientar os extraviados. Corrompida em FOG, desta raiz nasceram *fogo*, *fogueira* e *fogão* — o fogo doméstico.

Parece oportuno lembrar que a primeira forma de energia natural conquistada pelo ser humano foi o fogo.

Muito provável, ainda, que essa conquista, a primeira no tempo, tenha sido também, globalmente, a primeira em importância — até nossos dias. Nenhuma deu ao ser humano tanto poder, pela razão evidente de ser o calor o maior agente conhecido de transformação das coisas. Nada se assemelha mais à aptidão humana de criar (na verdade, de transformar) do que a ação do fogo.

Até onde nos é dado saber, os animais não controlam voluntariamente a respiração. O controle do fogo exterior apresenta, na minha opinião, um evidente paralelo com o controle da respiração — controle que determina a soma das combustões orgânicas a cada instante, ao mesmo tempo que é determinado por elas.

Enfim, vimos que a palavra não poderia ter nascido antes do controle voluntário da respiração; a palavra *depende* do uso *não respiratório da respiração.*

O fogo da fogueira e do fogão — analogamente — representam o uso não tempestuoso do relâmpago.

De há muito a humanidade elaborou o ritual do fogo perpétuo, de conservação da chama. Provavelmente esse rito foi, no princípio, uma necessidade fundamental. Não sabendo *criar* o fogo — tão importante —, o ser humano o conservava ciosamente. Mas, para aqueles que só consideram as necessidades imediatas, pergunto: e depois, por que as vestais, a chama dos antepassados no lar, a chama olímpica? Por que chama de entusiasmo e chama da vida?

É provável que todo emprego simbólico do fogo dependesse de uma obscura intuição radicada na respiração. Os mortos, que não respiram, esfriam.

Deve ter surpreendido ao primitivo a *duração* do fogo em relação à *substância consumida*. Um pau de lenha queima longamente — esta a impressão ingênua. Não me pergunte o leitor: longamente em relação a que tempo? Não sei; mas é longamente.

Não era, pois, só a substância material que se consumia. Antes, algo invisível a animava — é tão viva a chama — enquanto a substância se consumia.

Assim o ser humano, sua vida, seu espírito e sua morte.

FUTEBOL INTELECTUAL

Do alto de uma muralha maciça, de bruços, contemplo o brinquedo de alguns homens muito fortes e grandes — parecem gigantes.

Chutam uma bola, bola comum, de futebol.

Na planície onde eles estão há muitas casas espalhadas, de teto bem oblíquo, casas de estilo tradicional europeu.

A cada chute bem dirigido, uma casa é atingida e se desfaz em pedaços. Os jogadores exultam e eu também rio, muito contente.

Gozo conscientemente da segurança de minha posição sobre a muralha indestrutível, mas uma bolada a atinge e ela começa a fender-se, a ceder... Acordo assustada.

Esse sonho foi tido pela esposa de um artista, sendo ela mesma uma intelectual acostumada a presenciar grandes tertúlias em sua casa, nas quais se reuniam frequentemente estudantes, professores e autores para debater temas da atualidade.

Nas discussões, grandes concepções intelectuais ultrapassadas — as casas tradicionais europeias — eram derrubadas impiedosamente pelos gigantes... intelectuais.

Por que explicação tão esdrúxula?

Por causa da bola, que é semelhante à palavra.

Quando vazia, a bola é uma coisa sem forma nem definição. Cheia *de ar* — como a forma verbal, quando *a enche* o sopro respiratório —, a bola se faz esférica (a forma perfeita dos antigos filósofos!), perfeitamente definida e consistente: um conceito!

Além disso, de que outro modo seria possível compreender o sonho?

As velhas concepções tradicionais já há algum tempo vinham ruindo para a paciente, principalmente as relativas à família. Ruíam de fato. Os gigantes intelectuais que frequentavam sua casa na certa explicavam a ela seu destino...

A paciente diverte-se bastante com suas visitas e seus chutes intelectuais espetaculares. Por motivo de temperamento e história pessoal, ela tem os homens em bem pobre conta; na verdade, despreza-os profundamente — e sabe disso. Daí a forma do sonho, todo ele uma caricatura da "força da inteligência" e uma solene gozação a respeito das verdades tradicionais (casas que caem pelo impacto de uma bola de futebol!).

No entanto, não falta à sonhadora sensibilidade para apreciar um espetáculo intelectual, nem imaginação para transformá-lo em um espetáculo futebolístico...

Ela — a sonhadora — via-se no alto de uma muralha, invulnerável. Do alto de seu orgulho, certamente orgulho capaz de fazê-la sentir-se muito superior ao futebol inconsequente daqueles intelectuais ridículos e pretensiosos, convictos de estar a "demolir" grandes verdades à custa de chutes...

Chutar, sabemos, significa, popularmente, opinar sem fundamento suficiente.

Mas um chute alcança a muralha.

O meu.

Há tempos já, só falo quando tenho o que dizer. Só falo assim quando estou pensando assim — e vice-versa.

Minha sinceridade tocou-a, comprometendo toda a atitude por ela edificada contra os homens.

QUANDO O VENTO NÃO SOPRA ONDE QUER...[14]

Sonhei. Começou a chover e eu me refugiei sob uma máquina de costura... Aqui está ruim (aponta a boca do estômago). Queria pôr para fora.

— É difícil pôr para fora; é você, são suas entranhas. Será que é tão ruim mesmo?

— É.

— Acho que pode não ser. Se você põe um sapato apertado e o pé dói, você diz que o pé é ruim?

Ela não diz nada. *Está com um curioso jeito de menina teimosa que vê as coisas mas não quer reconhecer o erro. Algo perplexa, também. E interessada.*

— Por doer, nós achamos que o pé é ruim. Mas ruim mesmo é o sapato apertado.

Ela faz uma pergunta com o olhar.

— Eu sei. Aqui na barriga não parece ter sapato apertando. Mas tem. Você está dura aqui (barriga) e aqui (tórax). Você está respirando pouco. Todo o seu tronco parece uma caixa dura com entranhas apertadas dentro. Você não sente... a máquina de costura sob a qual você está — no sonho, lembra? "Você", no seu sonho, seu "eu", é isso aí que

14. Este caso, estudado com maior amplitude, foi publicado na *Revista de Psicologia Normal e Patológica*, ano I, vols. 3-4, p. 490-503, out. 1955, e ano II, v. 1, p. 76-102, jan.-mar. 1956, sob o título "Interpretação psicofisiológica do símbolo 'água'".

incomoda dentro da barriga. Por fora tem tábua e ferro — apertando. Por isso é ruim. Por causa da caixa fechada. Quer ver?

Ela está deitada; eu ao lado.

Aproximo minha mão de seu epigástrio, com os dedos dispostos em garra. Ela recua, em sobressalto, e diz:

— Não! O polvo... O polvo...

E fica toda tesa, prevenida.

— O polvo... Claro que ele se contorce às vezes. Você o fecha numa caixa. Ele se convulsiona e você se assusta (o polvo era uma das figuras de seu susto). Aqui há uma caixa — e aponto o epigástrio e o tórax —, com uma chaminé — e aponto o trajeto da traqueia. O polvo está dentro... Vez por outra você fecha o alto da chaminé e o polvo, temeroso, agita-se.

Volta a seu rosto o ar de menina teimosa — *e de desafio*; essa expressão de desafio está me dizendo que estou afirmando coisas sem nexo.

— Sabe qual é a abertura da chaminé?

Ela faz que não com a cabeça.

— Que é isto? — pergunto.

— O nariz.

— Para que serve?

— Para nada.

— Posso fechá-lo, então?

E preparo-me para fazê-lo.

— Não.

— Ué! Se não serve para nada, tanto faz deixá-lo aberto ou fechado.

Ela está assustada, temendo que eu feche mesmo suas narinas. E enraivecida. Parece agora uma menina que defende um segredo — desconfiada.

— Vou lhe mostrar que as narinas servem para alguma coisa.

Acendo um fósforo e achego-o às suas narinas, com cuidado. Eu esperava que o fluxo de ar fizesse tremer a chama.

Havia esquecido a teimosia da menina.

Quando aproximei o fósforo de seu nariz, ela visivelmente controlou a respiração (controlou mais seria o certo), fazendo-a quase nula.

Desisti dessa prova. Acendi outro fósforo e aproximei-o do meu nariz. Ao mesmo tempo, tomei a mão dela e a coloquei sobre o meu epigástrio. A chama oscilava, meu peito movia-se e ela... olhava sem interesse. *Estava distraída. Um pouco amargurada. A menina teimosa havia se retirado.*

Ela disse, como quem revela afinal o segredo por ver que é inútil continuar tentando guardá-lo:

— Eu sei que tem vento. Eu sei. Ainda menina eu aprendi a segurar o vento...

— Por quê?

— Porque se eu não seguro é ruim.

— Sempre?

— Sempre.

— Não pode ser. Muitas vezes você veio aqui bem mal. Sempre que conseguimos libertar o vento, você saiu daqui melhor, ou boa de todo.

Ela ouve meio interessada, mas ainda distante.

— Você não gosta de dançar?

Seu rosto se anima e ela responde que sim com ênfase.

— Sempre que você dançou aqui, seu peito se soltou como vela de barco. Enfunada. Arfante...

O argumento funcionou. Ela está interessada (dançar, no caso, era movimentação espontânea — técnica de Reich).

— Sempre que você dançou, respirou bastante. Da última vez, a dança foi bonita, você respirou como nunca e, no meio da movimentação, você disse, com determinação e contentamento: "Estou perdendo o medo do vento". Será que respirar é sempre ruim?

Ela está hesitante. Continua amargurada. E prevenida.

Apesar de tudo, seu tórax está finamente controlado, como se ela fizesse e desfizesse por querer cada movimento respiratório.

— Só à respiração você prestava atenção?

— Só.

— Mais nada?

— Mais nada.

— Por quê?

— Já disse. Era ruim quando eu não segurava.

— A respiração?

— Sim.

Ligeiramente irritada. Meu questionar era irritante de propósito.

— Mentira. Controlando a respiração você regula seus sentimentos e todos os apegos com o mundo. Não é assim?

— Não. É só a respiração.

— Olhe, acho que você não fez um bom negócio. Em criança você segurava o vento a fim de se magoar menos, não sofrer demais, não reagir em excesso. Depois que você se acostumou a segurar o vento, aqueles sentimentos pungentes e penosos desapareceram. Se isso fosse tudo, eu concordaria com você e diria: "Se isso a faz menos infeliz e afasta complicações, continue a segurar o vento". Mas não foi assim. Seus sentimentos se atenuaram e, no lugar deles, pouco a pouco, foram surgindo aquelas coisas estranhas, amorfas e apavorantes que trouxeram você aqui, até mim. Você não fez bom negócio ao segurar o vento. Os sentimentos não morreram, mas transformaram-se em monstros, cobras, polvos, "eles", e tantas outras coisas que fascinam e assustam você.

Agora ela está muito séria; aos poucos, *em seu rosto se estampa uma tristeza harmônica — de certo modo bela — que se aprofunda pouco a pouco e logo alcança a plena expressão de desamparo.* Um gesto seu de mão leva minha mão até a sua.

É uma criança profundamente triste, que menos triste se sentiria se houvesse alguém a seu lado.

Depois do rosto e das mãos, amolece o corpo também. A paciente abandona-se à mágoa, numa atitude frouxa, mas, apesar disso, bem--composta e íntegra, diferente de todos os seus estados prévios de hipotonia, que faziam dela uma pasta amorfa e sem consistência.

O abandono, porém, não dura mais de um minuto. Logo sua mão se crispa e foge da minha. Um instante de hesitação perplexa e, antes que a paciente se dê conta de suas atitudes, seu corpo deitado no divã gira com violência em direção a mim e suas mãos, juntas, atacam meu rosto. Ataque quase sem forma, mas animado de fúria e violência cega. Não é um tapa nem um soco. Seria a agressão de uma criança de 5 ou 6 meses.

Machuca-me de leve sob o olho esquerdo.

Mas dessa vez não me perdi (houve outras). Seguro rapidamente suas mãos, com força; logo as solto, porque vejo que a paciente caiu em si e reassumiu o controle.

— ...

— Por que fez isso?

— ?

— Raiva de mim?

— Não.

— Eu sei que não foi. Foi porque você soltou o vento.

— ?

— No momento de tristeza — quando você começou a notar que segurar seus sentimentos era ruim —, nesse momento você soltou o vento. Por um minuto você deixou seu corpo em paz, respirando como ele queria. Mas sob a mágoa estava a raiva e, quando o vento soprou livre, o fogo acendeu-se e você... queimou-me. Por isso você segura o vento. Desde criança. Para conter seus sentimentos. Está tudo no seu sonho. A mágoa é a chuva — gotas de chuva, lágrimas... A raiva é a máquina — você me atacou mecanicamente. Antes do ataque você "ficou sob a máquina", isto é, encolhida e imóvel — catatônica.

Ainda há mágoa no rosto da paciente, com alguma perplexidade. Mas já se pode ver nele um brilho de compreensão.

Na entrevista seguinte, após um demorado silêncio durante o qual nos olhamos nos olhos, digo a ela:

— Hoje seu rosto está bom. Mas vejo nele algo que antes não tinha visto. Muitas vezes me pareceu, enquanto nos fitávamos, que você estava olhando *para mim*. Na verdade, você não estava me olhando como eu estou olhando para você agora, com meus olhos convergindo para os seus olhos. Você olhava aparentemente através de mim; na realidade, estava olhando para si, para seu íntimo, atenta como alguém que espera a repetição de uma cólica. Entende o que eu digo?

— Sim.

Mais do que o monossílabo, falava a expressão de seu rosto. Curiosa expressão. Perplexa e surpresa, como de quem diz: "Mas só agora ele percebe isso? Pensei que soubesse desde o início!" Logo acrescentou, pondo a expressão fisionômica em palavras:

— Estou sempre assim. Vivo assim.

— A que você está sempre atenta?

— Aqui (aponta o peito). Ao vento. Desde pequena quase não percebo outra coisa.

Muitos meses depois ocorreu outro episódio significativo.

Inúmeras vezes lidamos com seu pescoço. Quase no fim desse trabalho com tensões musculares locais, ela começou, em determinada entrevista, a mover deliberadamente o pescoço — previamente rígido —, testando-o até atingir certa posição, na qual se imobilizou. Sob a inspiração de um caso de Reich, eu lhe disse, após uma pausa longa:

— A enforcada...

Ela, antes perplexa com sua posição, agora se mostrava preocupada. Imitei sua atitude e depois passei um cordel em volta de seu pescoço para que ela experimentasse plenamente o significado de sua atitude.

Contrariamente à minha expectativa, meu gesto não a assustou. Havia mesmo certo ar de triunfo em seu rosto enquanto eu sustinha e apertava o cordel. Mas ela não conseguia falar — e a tensão do cordel nada tinha a ver com seu silêncio.

Desisti do cordel e passei a imitar um estrangulador.

Nada aconteceu.

Mantive o gesto e intensifiquei a força.

Ainda o ar de triunfo passivo, do escravo que não grita de dor sob o chicote para não "dar esse gosto" ao agressor — orgulho do que aguenta, bem diferente do orgulho do atacante (ativo). Intensifiquei ainda mais o gesto, começando a interferir na respiração, que passou a ofegar no peito e a sibilar na garganta.

O orgulho da vítima durou um pouco mais, e logo se iniciou entre nós uma luta viva, destinada a livrá-la do "agressor": a luta mais viva e mais bem organizada que eu vira na paciente até então.

Intervalo de silêncio — e descanso — ofegante (dois minutos). Volto a "estrangulá-la". Repete-se a defesa, agora pronta. Repetimos o ciclo mais uma vez e sossegamos ambos — definitivamente.

Explico:

— Você se deixou sufocar a vida toda. Deixou-se asfixiar. A posição que você assumiu espontaneamente mostra que você terminou colocando-se do lado do agressor; na verdade, acabou assumindo esse papel ante si mesma. "Eles" — certas figuras vagas, a encarnação de seu temor — a querem matar, o que é ruim; mas *você deseja se deixar* matar — o que é pior ainda. Melhor morrer como vítima do mundo cruel do que lutar contra "eles". Melhor ser vítima inocente do que assassino...

Esperei. Vi que ela estava compreendendo, mas tinha objeções. Tranquila e séria.

— Que acha?

— Nada.

Examino de novo seu pescoço — nuca, esternoclidomastoídeo, região submandibular, infra-hioidea. Tudo rígido. Olho para ela meio desorientado. Esperava encontrar essas regiões relaxadas.

A custo ela resmoneia:

— "Eles" pensam que vão me estrangular, mas eu sei resistir. "Eles" não conseguirão!

Faz-se luz em meu espírito; respondo veemente:

— Sua bocó! Imbecil! Você não percebe?

— ?

— Você não vê que, ao se defender deles endurecendo o pescoço — para que "eles" não a estrangulem —, você está fazendo exatamente o que "eles" querem? Não percebe que, no seu orgulho bobo de resistir a "eles" e provar que não conseguem te suprimir, você estrangula a si mesma e os deixa sem emprego?

— ?

— Meu Deus! Você é uma pasmada sem remédio! Solte essa garganta! (Comecei a ajudá-la passando a mão em seu pescoço, em movimentos que iam da carícia à massagem.) Solte! Respire! "Eles" são seus músculos contraídos de medo. Olhe aqui. Veja! (Arpejava os esternocleidos e a traqueia.) Sente?

— Um pouco.

— Sinta mais, veja, solte.

Ela soltou um pouco mais — não tudo, porém. Tivemos um diálogo razoável. Ela entendeu bem o que eu lhe disse. Mas não de todo, pois sua propriocepção — percepção de si — era a coisa mais precária que eu já tinha visto.

Essa foi a consulta, reproduzida bastante fielmente no essencial, inclusive ao se referir à minha linguagem desabrida e à "técnica" algo violenta, que fazia bem à paciente quando oportuna.

(Ela precisava perder o medo das atitudes veementes, e, como me dissera muitas vezes, eu era seu "espelho": tudo que começava a lhe acontecer ela via primeiro em mim. *Eu* ficava logo "meio esquisito"...)

A ordem dos fatores, quando "explicamos" nossos mal-estares, em geral é invertida em relação à realidade, como ocorreu com a paciente.

No caso: "Fico com o pescoço duro para que eles não consigam me sufocar". Realidade: eles são a tensão dos músculos do pescoço, e é essa tensão que a sufoca, chegando até a impedir a fala.

Muitas e muitas vezes, além dessa, lidamos com sua respiração impossível. Vezes sem conta eu a vi praticamente imóvel, o corpo inteiro parado e rígido, o tórax duro como uma caixa de madeira. Com muito custo e de muitos modos conseguimos, trabalhando juntos, fazê-la respirar um pouco mais ou um pouco melhor.

Ao longo desse trabalho, frases soltas eram ditas por ela, perguntas soltas eram feitas por mim.

Das muitas conclusões parciais, às quais íamos chegando passo a passo, uma delas foi-se salientando — pouco a pouco. Só assim podia a conclusão fazer-se clara, tão estranha era ela, aquela verdade contida nos monossílabos grunhidos, nos olhares desconfiados da paciente, em sua oposição ao próprio respirar.

A conclusão era esta: "Muitas vezes não deixo meu peito livre porque, se eu for apanhada desprevenida, alguma coisa insuflará ar em mim até fazer que meus pulmões estourem".

Talvez eu possa simplificar e esquematizar esse caso, excessivamente longo. Inicio dizendo que todos os movimentos involuntários da paciente — instintivos, reflexos ou automáticos — encontravam em sua vontade, na sua capacidade de fazer movimentos intencionais, uma oposição instantânea. A essa oposição instantânea eu chamo "vontade da paciente", não porque ela fizesse o movimento por querer em sentido próprio, mas porque seu "eu" sintoniza fácil e prontamente com essa vontade.

Em certos momentos — provavelmente na iminência de explosões emocionais —, a respiração da paciente tendia, como a de todos nós, a se fazer mais ampla e mais profunda, à custa de processos reflexos bem conhecidos, cujo ponto crítico se encontra em área cerebral pré-frontal.

Essa agitação torácica — assim o fato era experimentado e sentido pela paciente — a assustava demais; ela temia, acima de tudo, explodir.

Sim, explodir.

Mas não se trata de uma explosão pulmonar, e sim de uma explosão de ira, de fúria, de destruição, de choro, de desespero.

A paciente aprendera, por conta própria e desde muito cedo, a exercer um controle férreo sobre si mesma.

Se nós a descrevêssemos segundo a tipologia de Jung, na certa a colocaríamos entre os tipos introvertidos acentuados, com forte predomínio da intuição sobre todos os demais processos psicológicos. A intuição introvertida, desde muito cedo, trazia para essa jovem mulher, partindo das pessoas ou de si mesma, impressões estranhíssimas, com as quais ela nunca soube lidar. Daí seu controle férreo.

Podemos, nesse caso, dizer que o espírito da paciente era sua intuição. E também que a paciente havia desenvolvido furiosamente uma resistência ao próprio espírito, para o bem próprio e alheio.

Sua doença, resultado de uma excessiva oposição a si mesma, estava longe de ser um absurdo — como à primeira vista poderia parecer. Se ela desse livre curso às palavras que lhe vinham à mente ao perceber certas coisas em si ou nos outros, e se ela se rendesse aos impulsos que experimentava dentro de certos lugares ou diante de certos personagens, seria tida, indubitavelmente, como alienada completa.

Teria sido necessário em sua vida um parente de excepcional sensibilidade e rara coragem para que suas manifestações pudessem, de algum modo, ser acolhidas ou compreendidas. Teve um pouco do que precisava — mas não o suficiente.

Posso bem imaginar os pais dessa estranhíssima criatura olhando, perplexos, para a filha, capaz de dizer e de fazer coisas tão inesperadas.

Assim postas as coisas, podemos resumir o que se passava com a paciente, retificando sua frase, da seguinte forma: "Se eu não controlar minha respiração — se eu não contiver meu pulmão —, então meu pulmão me fará explodir".

Esse temor era verdadeiro.

É preciso resistir ao espírito — que sopra onde quer.

(Depois, eu que me arranje como puder!)

O espírito sopra sempre em lugares tão estranhos, em horas tão impróprias — e com que força!

Não pode faltar à nossa explicação o que já dissemos sobre a inconsciência de todos em matéria de respiração. Não percebendo com clareza seu esforço respiratório e tendendo continuamente a *resistir a ele*, parece-me fácil imaginar que a paciente temesse a força do vento (igual e contrária ao esforço continuamente feito por ela).

Contra toda a nossa digressão etimológica é possível levantar objeção parcial de monta.

Valem tais correlações apenas para o português, suas línguas irmãs e sua língua-mãe (o latim)?

Passo a palavra a Jung.

> Os nomes dados pelas pessoas à própria experiência não raro se mostram muito reveladores. Qual a origem da palavra *Seele* ["alma" em alemão]? O termo inglês *soul* provém do gótico *saiwala* e do velho germânico *saiwalo*, relacionando-se ambos, etimologicamente, com o grego *aiolos*, de movimento rápido, veloz, iridescente. O termo grego *psyche* significa também borboleta. *Saiwalo*, de outra parte, liga-se ao velho eslavônico *sila*, isto é, "força" (*strength*).

Essas correlações lançam luz sobre o sentido original da palavra *soul*: força que move, isto é, força de vida.

As palavras latinas *animus* — espírito — e *anima* — alma — são idênticas ao *anemos* grego — vento. A outra palavra grega para vento, *pneuma*, também significa espírito.

No gótico encontramos a mesma palavra em *us-anan*, soprar, com o equivalente latino *anhelare* — ofegar (*to pant*).

No velho germânico alto, Espírito Santo foi vertido para *atum*, respiro (*breath*).

Em arábico, vento é *rih* e *ruh* é alma, espírito.

A palavra grega *psyche* mostra conexões semelhantes; relaciona-se com *psychein* — respirar; *psychos* — fresco; *psychoros* — frio; e *physa* — fole.

Essas conexões mostram claramente como em latim, grego e arábico os nomes dados à alma relacionam-se com a noção de ar em movimento, "o hálito frio dos espíritos".[15]

15. Jung, C. G. "Basic postulates of analytical psychology", em *The collected works of C. G. Jung*, Londres: Routledge & Kegan Paul, v. VIII, 1960, p. 345.

SENTIDO UNIVERSAL E SINGULAR DA PALAVRA

Entre palavra e expressão não verbal vigoram relações de forma/fundo. Por isso a palavra pode ser ao mesmo tempo sempre a mesma e sempre diferente; *sempre o mesmo* é seu sentido segundo a definição constante do dicionário (enquanto não for lido por ninguém...); e é único de acordo com a situação na qual a palavra é dita, de acordo com a pessoa que a diz, de acordo com o modo como ela é dita — tom de voz, sorriso, gesto, olhar, atitude. *Por isso, só por isso e só assim, a palavra consegue gozar dessas propriedades à primeira vista contraditórias: universalidade e singularidade.*

O teórico da linguagem erra ao considerar a palavra "em si". Nenhuma palavra existe em isolamento, sem contexto, sem voz que a diga ou sem consciência que a pense. O mesmo se pode dizer do processo intelectual subjacente à palavra, a abstração. Tampouco esta é perfeita, tampouco esta isola certo objeto ou certo aspecto da realidade de modo completo. O que de fato se faz ao abstrair é colocar mentalmente certo objeto ou certo aspecto da realidade *em outro contexto* ou "fundo", diferente do usual. Nesse contexto novo, o objeto abstraído — a ideia — apenas aparece *de outro modo*, certamente em nova função e com outro sentido; mas esse sentido é tão relativo quanto o original, tão dependente do novo contexto (outras palavras) como o anterior dependia das coisas próximas.

Para ilustrar essas considerações, assim como para aprofundá-las, proponho dois modelos experimentais.

Tomemos de uma palavra ou de uma frase e escrevamo-la com letras de diferentes tipos, tamanhos e cores; essas variáveis estão em correspondência com os elementos paraverbais da palavra. Coloquemos depois essa palavra ou frase em posições diferentes sobre o plano de uma folha de papel e variemos também esta quanto ao tamanho, à forma, à cor; teremos desse modo um análogo da situação, assim como — literalmente — da "posição" da palavra nessa situação.

O outro modelo refere-se à interpretação de desenhos. Trata-se de colocar a mesma figura, mas com dimensões variáveis, em vários lugares de uma cena; subsequentemente, em várias cenas.

O MÁGICO E O LÓGICO

Pensamento mágico é o pensamento antiestatístico.

Na maior parte das vezes, quando dizemos que algo é lógico, racional, real ou objetivo, estamos apenas afirmando que o objeto ou o processo ao qual nos referimos é o mais frequente.

Podemos tanto fazer uma afirmação, tomando como base verificações cuidadosas e bem quantificadas, como se faz em trabalhos científicos, como podemos — e mais vezes este é o caso — estar nos referindo seja ao que todo mundo faz ou diz, seja à nossa experiência pessoal. Mas subsiste a noção: sensato e racional é o mais frequente.

O lógico é o preponderante, o mais comum, o usual, o conhecido.

Já pudemos ver bem: lógico é o re-conhecido, aquilo que se conhece *outra* vez, o que se repete. Quanto mais conhecido, mais repetido, e vice-versa.

Com a repetição, o conhecido passa a hábito e o mais frequente se faz estrutura. É sobre essa estrutura ou contra esse fundo que o novo surge como novo. Só em função do conhecido ele pode ser de algum modo reconhecido...

Mágico é o contrário do estatístico; pensamento mágico é o oposto do pensamento lógico, pelo método da negação da tese.

O indivíduo e o momento, sendo únicos, imprevisíveis ou inesperados, são o antilógico por excelência.

Nesse sentido, só o mágico é real...

Só se alcança alguma medida da própria individualidade quando se consegue deixar de ser lógico.

O indivíduo — criador do novo — posto ante o momento — o novo pronto a acontecer — é o único a fazer a tessitura concreta do universo, e só ele é a realidade primeira.

DIALÉTICA ESSENCIAL

Talvez o processo dialético fundamental do ser humano, e portanto do universo conhecido, seja o solilóquio. Falar sozinho talvez seja dialogar com o universo — literalmente.

Como para todos os animais, o comportamento humano é regido pela percepção de diferenças que atuam como sinais. Mas além das diferenças que atuam sobre todos os animais, atuam sobre o ser humano as diferenças que ele mesmo inventa e propõe — os símbolos propriamente ditos. Para todos os seres vivos o mundo é um conjunto de sinais; para o ser humano, o mundo é um conjunto de sinais mais um conjunto de símbolos. Dizer que o ser humano é um animal simbólico define muito bem a essência desse ser tão peculiar. Animal simbólico quer dizer animal que é símbolo — algo sem nenhum sentido inerente e, por isso, capaz de significar tudo, indeterminado o bastante para se fazer todas as coisas; trata-se de ser capaz de tudo transformar, tornando realidade os símbolos que concebe — sinais das coisas por vir —, e, depois, de ver no símbolo já feito coisa um novo símbolo...

O ser humano: promessa pura, sempre promessa, nada mais que promessa.

O ser humano é o mais analítico e o mais discriminativo dos seres conhecidos; o mais capaz de diferenciar-se, e o mais sensível às diferenças dos fatos entre si e das coisas entre si.

Mais: a palavra, apanágio exclusivo dessa promessa sem fim, só pode ser usada quando se refere a coisas ou processos sensivelmente iguais ou muito semelhantes; caso contrário ela não teria sentido. A palavra só serve e só pode servir para caracterizar regularidades, constâncias, repetições. Portanto, tudo quanto pode ser posto em palavras — filosofia, ciência, razão, lógica — *é extrato do contrário das diferenças*, às quais o ser humano é tão sensível.

Ao se definir o ser humano perde-se.

Mas logo encontra, em nova diferença percebida, estímulo para a formação de outro símbolo, semente de um novo mundo. Às vezes ele percebe a diferença no instante seguinte, às vezes um milênio depois. Que importa? Ele não caminha sempre? Um dia chegará.

Quando e enquanto diferenças e semelhanças brincam dentro de nós, falamos sozinhos. Cada semelhança é uma palavra. Logo, o "outro" indica uma diferença. O outro, isto é, as coisas, o mundo, a experiência prévia, o agora, as vísceras, as estrelas, o mar, as flores, principalmente o outro...

O diálogo é eterno.

Mas não façamos confusão.

O mundo é igual, eu sou a diferença.

O mundo é a palavra, eu sou o silêncio.

Se for assim, então sou eu.

Se for ao contrário, então sou mundo.

O melhor é alternar — dançar.

"Eu sou o Verbo, que dançando e brincando fez todas as coisas. Aquele que não dançar não saberá o que está sendo feito."[16]

RETORNANDO, INVERTENDO E CONCLUINDO

Vimos anteriormente como fenômenos atmosféricos podem ser símbolos respiratórios. Aqui retomamos o tema, o aprofundamos e, por fim, o invertemos.

O céu é o painel mais amplo — ninguém discute — para as projeções dos temores e das esperanças humanas. O céu, o "teto do mundo" dos antigos — o teto da casa da humanidade.

16. De um evangelho apócrifo, *apud* UNDERHILL, E. *Mysticism*. Nova York: Noonday Press, 1955, p. 234.

Pela mesma razão, o céu é um dos principais *modeladores* da realidade psicológica, sendo, de há muito e espontaneamente, concebido por todos como cheio de espírito (ventos, influências invisíveis), figuras/imagens (nuvens, aves), sons/palavras (que perpassam incessantemente por ele — INVISÍVEIS), luzes e cores (do sol, do crepúsculo, do raio, da lua).

Isto é: os homens concebem a consciência como o céu.

Mesmo o mais empedernido dos cosmopolitas provavelmente já se deteve muitas vezes para "olhar o céu", para observar as nuvens que se formam e deformam, que andam, param, juntam-se, separam-se.

COMO OS NOSSOS PENSAMENTOS,
que são palavras, imagens[17], sons e movimentos.
Também os nossos movimentos, como os das nuvens,
são mágicos. "Basta querer" e o movimento se faz,
por influências tão invisíveis e tão operantes quanto
a dos ventos.

O GRANDE ESPÍRITO — A ATMOSFERA — A ASTROLOGIA

O clima, a atmosfera, o tempo — isso é geofísica ou psicologia?

A atmosfera do congresso... o clima do encontro... tempo quente no sindicato... ela estava tão fria... você está tão sombrio...

A mais comum dentre todas as conversas é... sobre o tempo. É possível dizer, pelo *modo* como as pessoas falam da chuva e do sol, que o estado da atmosfera tem quase tudo que ver com... *estados de espírito*, de *humor* ou de *consciência*. Se as pessoas não sintonizam com o tempo, então brigam com ele — mas sempre reagem *pessoalmente* à chuva e ao sol.

"Mas justo hoje que eu ia para a praia é que amanhece encoberto?!" ("Como a atmosfera ousa contrariar-me?")

Logo, a atmosfera é pessoal — parece gente —, com caprichos e surpresas como os nossos.

17. Neste livro, IMAGEM quer dizer *figura*, imagem visual de objetos ou de fantasias (olhos olhando para fora ou para dentro).

O ser humano inveja a estabilidade e a duração das montanhas e das pedras, e, na mesma medida, "desdenha" ou ressente-se dos "caprichos" do tempo, que por isso se fez

SÍMBOLO (MODELO) NATURAL
dos afetos e paixões humanas.

O mundo das coisas sólidas é a estrutura, a lei, a ordem (e as palavras — principalmente as escritas —, que são sempre as mesmas). O modo do ar e da água é o próprio reino do INESPERADO, daquilo em que NÃO SE PODE confiar (como os sentimentos...). *Mas essas* são as *forças* que alteram a *estrutura* (são os ventos, as águas, o calor e o frio que alteram a *face do planeta*). Quero ser claríssimo: tudo que estou dizendo pode parecer justificativa (desnecessária) para *comparações poéticas* entre sentimentos/paixões humanos e os fenômenos atmosféricos.

NÃO É ISSO QUE ESTOU DIZENDO.
Estou dizendo que os fatos do grande espírito (a atmosfera)
MODELARAM NOSSO MODO DE SENTIR E
CONCEBER A NÓS MESMOS.

Nós pensamos/sentimos em analogia com o que, ainda hoje, é o campo visual mais frequente de todos, para todas as pessoas.

Mais um fato, DOS MAIS FUNDAMENTAIS, cabe aqui: o céu é onde mais coisas acontecem por unidade de tempo, porque as nuvens modificam-se com facilidade e rapidez. Há grandes cenários naturais (desertos, regiões rochosas) praticamente invariáveis. As florestas, quando não há vento, são muito quietas. Mas sempre que houver nuvens no céu, elas prenderão a atenção do nativo e do camponês.

Primeiro, porque tudo que está em movimento chama o olhar (o que está parado não interessa, porque não ameaça).

Depois, porque os primeiros sinais de mudança de tempo surgem nas nuvens — ou com as nuvens.

E é preciso lembrar que ainda hoje a alimentação do mundo vem da terra e depende dos céus (do sol e da atmosfera).

O GRANDE ESPÍRITO SÓ PODE SER A ATMOSFERA, que, portanto, não é apenas *símbolo* de fenômenos interiores; não é apenas *modelo* para a construção/concepção da personalidade, mas é

DE FATO

nosso Deus.

O que cria ou dá a vida, e a sustenta. Nossa primeira relação é com a terra/céu,

Que estão presentes desde o primeiro ser vivo que se formou,

Que o modelaram estrutural e funcionalmente,

Que o constituem substancialmente,

Que lhe fornecem a energia necessária à sua permanência.

Para não se perder é preciso partir sempre do evidente. Quero dizer que ainda hoje a alimentação da humanidade (fase oral de Freud...) depende do sol, da chuva, do frio e do calor. Também assim o grande espírito nos protege/ameaça.

E de outras formas ainda, poderosas e incontroláveis: a seca, a tempestade, a inundação.

Enfim, o acontecimento raro: a estrela cadente, o arco-íris, o cometa, a aurora boreal, o raio; também eles se fazem modeladores para a personalidade humana, como se observa nas comparações literárias que — estamos vendo — são literais — são a própria verdade.

Os orientais desde há muito, e os psicólogos ocidentais desde Freud/Jung/Perls, declaram que *o ser humano vê de acordo com ele mesmo*, que o mundo é uma espécie de construção do pequeno espírito de cada um. Concordo.

Mas recordo: o que hoje eu penso/sinto depende de *tudo aquilo que me fez*, e o que fez e o de *que* sou feito equivalem às substâncias e forças do mundo.

Se for verdade que cabe ao ser humano *dar voz a todas as coisas* — como queria São Paulo —, será igualmente verdade que as *coisas nos fizeram*. São nosso ser e nosso operar; o que "subjetivamos" materialmente (ar, comida, água), nós "objetivamos" simbolicamente, nós vemos/sentimos na consciência, no mundo e nas coisas. A correspondência ou harmonia secreta entre nós e o mundo *não é* uma hipótese. É o ensinamento maciço e radical da biologia, da bioquímica e do evolucionismo. Se não houvesse essa harmonia não estaríamos aqui.

Depois há o dia e a noite, o céu cheio de luz e o céu escuro. Praticamente todos os seres vivos estão profundamente marcados por esse fato, cuja culminação está no ritmo complementar vigília/sono; e os sonhos, que são o dia de dentro ocorrendo dentro da noite de fora — demonstração gloriosa da força da luz interior, da força do pequeno espírito, que é o de cada um de nós. E a noite — quando muitas vezes as nuvens mal são vistas — se fez a tela negra onde os homens pintaram todos os seus temores com mais pureza. Porque de dia só cabe no céu o que a luz permite ver. De noite cabe mais. À noite a ação é sempre mais difícil, por isso o medo é maior. Sem a luz do grande espírito, o pequeno espírito se sente perdido e assustado. Cego, desorientado.

Oriente: lugar onde nasce o sol. Voltar-se para o oriente é reconhecer o primeiro e o mais fundamental dos pontos cardeais — a chave de toda e qualquer orientação.

Enfim, nasceram a astrologia e a astronomia, que, durante muitos milênios, foram uma coisa só. Quando a luz desaparece (quando a consciência *visual* se faz inútil) surge... o inconsciente. Isto é, à noite, no escuro, no sonho, surgem os... "ventos" interiores, os mais constantes e profundos, os que mantêm ou modificam a configuração da nuvem que chamamos de personalidade.

(Na verdade, contemplando os astros — meditando no escuro —, os homens concebem o que são, captam o que de dia não se percebe, porque há luz demais; *sentem* suas forças ocultas e como elas operam.)

Os astros — sua disposição — modelam as almas.

Astrologia é meditação sobre o mistério das forças invisíveis que modelam os homens e a história.

É preciso falar um pouco mais das nuvens.

Declaração básica: as nuvens tornam

VISÍVEL o espírito.

O espírito (vento) não se vê. Mas, quando há nuvens no céu, as intenções do grande espírito podem ser compreendidas, imaginadas ou adivinhadas. A nuvens não são o espírito, porém mostram o que ele está fazendo.

Elas mostram a
OPERAÇÃO
das forças invisíveis
— dos ventos.
Fumaça — forma do espírito.

O DIVINO VAZIO CRIADOR

Os budistas expressam a ideia de que a realidade última — Sunyata ("vazio" ou "vácuo") — é um vazio vivo que gera todas as formas do mundo dos fenômenos. Os taoístas conferem semelhante criatividade infinita e eterna ao Tao e, uma vez mais, chamam-na de vazio. "O Tao do Céu é vazio e sem forma", afirma o Kun Tse.

Lao Tse utiliza várias metáforas para ilustrar este vazio, comparando o Tao a um vaso permanentemente vazio, e que possui o potencial de conter uma infinidade de coisas.

Apesar de lançar mão de termos como vazio e vácuo, os sábios orientais deixam bem claro que não se referem ao vazio usual quando falam acerca de Brahman, de Sunyata ou de Tao; ao contrário, referem-se a um vácuo que possui um potencial criativo e infinito. Assim, o Vácuo dos místicos orientais pode ser facilmente comparado ao campo quântico da física subatômica.

À semelhança deste, aquele origina uma variedade infinita de formas que mantém ou, eventualmente, reabsorve.

As manifestações fenomênicas do Vácuo místico, à semelhança das partículas subatômicas, não são estáticas nem permanentes, mas dinâmicas e transitórias, surgindo e desaparecendo numa dança incessante de movimento e energia. À semelhança do mundo subatômico do físico, o mundo fenomênico do místico oriental é um mundo de Samsara (dança), de nascimento e morte contínuos. Por serem manifestações do Vácuo, as coisas neste mundo não possuem qualquer identidade fundamental. Este ponto é enfatizado

> particularmente na filosofia budista, que nega a existência de qualquer substância material e igualmente sustenta que a ideia de um Si-mesmo constante, e que passa por experiências sucessivas, é uma ilusão.
>
> Na filosofia chinesa, a ideia de campo não está implícita apenas na noção do Tao como algo vazio e sem forma, contudo gerador de todas as formas, mas é igualmente expressa, de maneira explícita, no conceito de Ch'i. Este termo desempenhou um papel importante em quase todas as escolas chinesas de filosofia natural, em particular no Neoconfucionismo, a escola que tentou chegou a uma síntese do Confucionismo, do Budismo e do Taoísmo.
>
> A palavra Ch'i significa literalmente "gás" ou "éter", e era utilizada na China antiga para denotar o sopro vital ou a energia que anima o Cosmos. No corpo humano, os "caminhos do Ch'i" constituem a base da medicina tradicional chinesa. O objetivo da acupuntura consiste em estimular o fluxo do Ch'i através destes canais.
>
> O Ch'i é concebido como uma forma tênue e não perceptível de matéria, presente em todo o espaço e que pode condensar-se em objetos materiais sólidos. O Ch'i se condensa e se processa ritmicamente, gerando todas as formas que eventualmente se dissolvem no vácuo.[18]

É de admirar que o autor, mais do que erudito, não faça alusão alguma à respiração, apesar de todas as citações feitas aplicarem-se à ela, tanto metafórica quanto realmente.

E veja-se a confusão: "A palavra Ch'i significa literalmente 'gás' ou 'éter', e era utilizada na China antiga para denotar o sopro vital ou a energia que anima o Cosmos". Essa frase contém o que estamos dizendo, mas, estranhamente, é o único momento em que o autor explicita o dado.

O pulmão — vimos — é um vazio cheio de *ch'i* (ar). Dele depende cada uma das células do corpo, que sem ele nem teriam sido feitas, sem ele se imobilizariam e morreriam — em tempo bem curto. O córtex cerebral deixa de funcionar bem após dois ou três segundos por falta de *ch'i*!

18. Capra, Fritjof. *O tao da física*. São Paulo: Cultrix, 1983, p. 163.

Ao sair do vazio (pulmão), o *ch'i* ainda pode se fazer palavra — se a pessoa falar. Então ele gera, resume e transmite tudo que o espírito do ser humano sabe e é.

Gera, até, as palavras do citado físico, o qual, como Freud, não percebe o espírito que verdadeiramente lhe dá vida, passando então a *existir* metafisicamente, isto é, além de si mesmo — ou aquém!

A LETRA-MÚSICA-DANÇA QUE É A PALAVRA

Quando se pensa no conceito precioso de couraça muscular do caráter, quando se considera que a couraça está ou pode estar em *qualquer* conjunto muscular estriado, logo se vê a complexidade das relações entre respiração e caráter.

E, então, talvez se possa perceber melhor por que este livro aborda tantos problemas e situações humanas.

Porque a respiração se liga a tudo que é vivo em nós, a tudo que se move em nós; liga-se, depois — ou ao mesmo tempo —, a todo o mundo convencional pelas palavras, que são a própria convenção e nunca são

APENAS
palavras.
São letras — palavras articuladas;
São música — pontuação — entonação...
São dança — gestos — caras — atitudes
Numa cena.
A palavra, pois, está — ou pode estar — no corpo todo,
e então ela se faz

seu espírito — na letra;
sua alma — na música;
seu modo de estar no mundo — na atitude-gesto-dança
Numa cena!
O centro — inspirador...

O CORAÇÃO, A INDIVIDUALIDADE E AS EMOÇÕES

Este livro falou pouco a respeito da fenomenologia e da psicologia do coração e da circulação.

É uma injustiça (!), mas o fato é que, há muitos anos, fascinei-me pela respiração e nela permaneci até muito recentemente.

Mas o mal não é tão grande assim. Pulmões, coração e circulação compõem uma unidade funcional, a tal ponto que nenhum deles tem sentido sem o outro — nem sentido lógico, nem sentido concreto.

A primeira função da circulação — a mais urgente, sempre — é o transporte dos gases respiratórios. Mais urgente porque não conseguimos armazenar oxigênio nem neutralizar de todo o gás carbônico. E a falta de um ou o excesso do outro se mostram *muito* rapidamente ameaçadores da vida; poucos segundos já bastam para que essa ameaça desencadeie reflexos protetores, todos eles mais poderosos do que quaisquer outros reflexos. Quero dizer que, na iminência da falta de oxigênio, qualquer outra necessidade orgânica — psicológica, social — passa imediatamente para segundo plano, *até que a ameaça gasosa seja afastada*. Quem está sendo estrangulado não consegue pensar em mais nada.

Para nossa tese — ligação da respiração com a angústia —, essa reflexão já basta.

Mas o sangue, além dos gases, transporta numerosas substâncias, todas vitais; nenhuma, porém, tão urgente quanto os gases respiratórios. Não fosse a necessidade gasosa de nosso organismo, a circulação poderia ser muito mais lenta do que é, o coração viveria bem mais sossegado do que vive e a pressão arterial seria bem mais baixa.

A ligação circulação-cérebro é outra correlação urgentíssima entre o aparelho cardiocirculatório e o resto do organismo. Citamos alhures fatos mostrando que o cérebro *começa a deixar de funcionar adequadamente desde o primeiro segundo de falta de oxigênio.* E o cérebro é nosso guardião vital. Ou seja: na caçada interminável que é a vida, quem não reagir depressa e quem não mantiver velocidade alta durante um bom tempo será fatalmente comido... Cérebro para *coordenar* a corrida, o ataque ou a fuga — quanto mais velozmente melhor; músculos com alto consumo de oxigênio — para o mesmo fim. Estas as duas exigências que aceleraram a vida até o nível de nosso organismo — em oposição aos animais de sangue frio, que, em relação a nós, vivem muito definidamente em "câmera lenta".

Coordenação motora e oxigenação abundante e rápida são as duas metas primárias na luta pela sobrevivência. Como na corrida armamentista, a vida foi desenvolvendo modos cada vez mais rápidos de perseguir e de atacar, de responder a ameaças. O poderio militar da era industrial não é tão original quanto parece, pois se baseia no mesmo balanço de medo/ódio ou ataque/fuga. Estados Unidos *versus* União Soviética!

Para quem já tenha visto o coração funcionando — na TV ou na internet —, deve parecer incrível que a gente não o sinta, dado seu volume, sua força e sua rapidez (de pulsação). Mas essa insensibilidade usual é facilmente desfeita pela emoção, cujo primeiro sinal é, por certo, uma mudança na frequência ou no volume cardíaco — e aí ele se faz perceber, e assusta.

Temos tão pouca familiaridade com nosso coração que, ao senti-lo, logo nos achamos doentes. De cada dez vezes que ele se faz sentir, nove se devem a alguma emoção, a um desejo ou a um temor presentes aqui e agora.

Será que nos assustamos com o coração ou com o desejo — que tanto complica a vida?

O já famoso morto-vivo — o normopata insensível — tem sua paz eterna quebrada muitas vezes pelos restos de vida que o animam — e assusta-se. Evidentemente, ele prefere morrer em paz a sentir emoções.

EMBRIOLOGIA

O coração começa a pulsar na quarta semana de vida fetal, quando o embrião tem pouquíssimos milímetros de comprimento.

Até então, a mãe fornecia tudo que fosse necessário, e a única coisa que o embrião fazia era operar o milagre do autodesenvolvimento, a autoformação. Em relação ao que necessitava para viver, ele era inteiramente dependente da mãe.

As pulsações cardíacas do embrião são o primeiro sinal — e o primeiro fato — de sua independência. É a primeira função que o embrião realiza com os próprios meios e em benefício próprio — função interna distributiva, pois a circulação faz exatamente isso: distribuir materiais sólidos, líquidos e gasosos... Primeira função de todo *interna* na sua finalidade, feita *para* o indivíduo.

Ao longo de toda a vida, o coração conserva essa função, e basta que ele hesite ou se detenha em uma pulsação para que logo o percebamos — e nos assustemos. Se ele deixar de realizar *uns poucos batimentos*, já teremos um sinal de que a vida vai terminar.

A circulação *do adulto é feita* pela respiração. São os primeiros movimentos respiratórios do recém-nascido que, aspirando fortemente o sangue para a circulação pulmonar, alteram as pressões no aparelho circulatório e fazem o sangue mudar de percurso. É difícil para nós, adultos, imaginar as sensações experimentadas pelo feto ao nascer. Em poucos *minutos* completa-se nele uma mudança radical na respiração e na circulação. Freud omitiu de todo esse fato, e mesmo Rank — em *O trauma do nascimento* (1924) — não considerou tal aspecto da situação.

A verdade orgânica primária é esta: a individualidade começa no coração e completa-se na respiração, mais um motivo para se dar a essas funções um valor psicológico que lhes tem sido negado até o presente.

O "eu" vivo é cardiopulmonar. Se omitimos esse fato até hoje é por não querermos saber que estamos vivos, e que nossa vida é a emoção; preferimos, desde que nos civilizamos, o que chamamos de segurança (garantia de nutrição, de alimentos — fase oral).

A aventura nasce no peito — e a revolução, e o protesto, e o desejo. Mas a aventura é o contrário da segurança. O medo à aventura — assim como a falta de cuidado! — é radicalmente avesso ao fenômeno vivo, visto que nossa segurança de civilizados acabou gerando os maiores riscos a que a vida já se viu exposta.

Nosso imoderado desejo de segurança é péssimo.

Também a generosidade nasce no peito. Não sei como. Ela é a contraparte dialética do apego, do estar agarrado ou agarrar-se ao que quer que seja para se sentir protegido, seguro, "tranquilo"... (Tranquilo sob o guarda-chuva atômico!)

Em suma: muito dinheiro, eis a segurança; logo, o lucro é legítimo, mesmo quando ele ultrapassa milhões de vezes o necessário para a vida...

Nas páginas seguintes será esboçada uma embriologia da individualidade, que é, ao mesmo tempo, uma embriologia do ego e das emoções. Depois faremos um relato pessoal de nosso encontro com nosso coração.

Há evidência direta de que a circulação cerebral, na área motora, aumenta instantaneamente quando o indivíduo *tem a intenção* de começar a mover-se. Quase que ao mesmo tempo começa a aceleração cardíaca e respiratória.

Quando a ação, em vez de decidida por deliberação, é decidida porque o momento exige (emergência), a preparação é mais ampla: o cérebro, ativado pela situação de alarme, provoca em poucos instantes uma descarga de adrenalina no sangue, e é essa substância que faz a preparação para o encontro; taquicardia, respiração acelerada, palidez, hipertonia (preparação) muscular, hiperglicemia e contração do baço (injetando mais meio litro de sangue na circulação) são algumas das principais variações biológicas produzidas pela adrenalina. Essas modificações ocorrem quase que instantaneamente nas situações de emergência, sendo importante assinalar que elas demoram dez, quinze ou vinte minutos para desaparecer (é o tempo de inativação da adrenalina circulante). Portanto, quando se leva um susto forte, ou quando se passa por muito medo, não adianta muito tentar tranquilizar as pessoas *logo* depois. O melhor jeito de tranquilizar pessoas muito agitadas por um susto seria sugerir que corressem desabaladamente durante uns poucos minutos. Assim elas consumiriam a preparação orgânica que nelas se fez antecipando o ataque ou a fuga.

Se considerarmos todas as variações observadas nas funções cardiorrespiratórias, as velocidades, os volumes e as pressões, veremos como o aparelho cardiorrespiratório é poderoso, sensível, veloz e versátil. É o "aparelho da emoção".

Levando-se em conta que 45% do peso do corpo do ser humano médio é constituído de músculos, e que o tecido muscular é o que mais consome oxigênio quando em atividade, imediatamente entenderemos: para alimentar essa máquina poderosa é preciso outra máquina poderosa.

Bem podemos dizer que Freud estudou todas as apetências que no ser humano ligam-se ao abdome — digestão e sexo; na verdade, nenhuma das duas tem "velocidade vital" comparável à das funções torácicas. Nenhuma delas exige adaptação rápida ou intensa.

Concluo mais uma vez: todas as emoções do aqui e agora estão essencial e profundamente ligadas ao aparelho cardiorrespiratório. Se não levarmos em consideração a consciência da respiração e a consciência da circulação, teremos no nosso esquema de pensamento uma falha de dimensão considerável, e tudo mais que se diga, depois, sobre emoções na certa se ressentirá dessa falha.

A mais dramática revolução do nascimento é a revolução circulatória.

Não vou importunar o leitor com nomes de artérias e veias e direções de circulação, visto que todos podem encontrar esses dados facilmente na internet.

Vamos dizer apenas que, em sua vida no útero, o feto praticamente não tem pulmão. O feto não tem circulação pulmonar pela óbvia razão de estar imerso em líquido e fechado numa câmara estanque. Ele não pode respirar. Por isso, a circulação do sangue no neonato dá algumas voltas que a circulação do adulto não dá — e vice-versa.

O dramático dessa alteração circulatória, no nascimento, é que ela *ocorre em poucos minutos* e, se examinarmos bem alguns esquemas, veremos que as mudanças são profundas.

Eu me pergunto quantas emoções estranhíssimas experimenta a criança logo ao nascer, quando se inicia nela a evolução respiratória e circulatória. Esta última é mais veloz, mais perigosa e, portanto, mais ameaçadora. Se o coração erra durante alguns instantes ou se ele para, tudo para. Se na respiração podemos esperar alguns segundos — em grandes urgências, quatro ou cinco minutos —, no caso do coração não se pode esperar mais do que o equivalente a uns poucos batimentos.

Portanto, conclui-se o que é óbvio desde sempre: a ameaça ao coração é a primeira das ameaças vitais.

Se ela vem de dentro, então, é o limite do drama.

Voltemos, porém, ao feto, pois temos mais o que aprender.

Dissemos que a mãe é a circulação do feto, o que é verdade somente até o fim do primeiro mês; então começam os batimentos cardíacos e inicia-se a circulação do feto.

Vamos marcar bem: o primeiro sinal de *autonomia orgânica* do feto é a existência e o funcionamento do coração como centro de uma *circulação própria.*

Poderíamos dizer também: a primeira marca da individualidade que pode de algum modo ser sentida pelo feto — sabe Deus como — é o início da função cardíaca. Assim, o "eu" praticamente começa com a primeira pulsação cardíaca; digamos, em palavras fáceis: o "eu" profundo.

Trata-se da primeira função orgânica importante que o eu (!) assume (ou que forma o eu). Até então, eu era deveras um parasita materno total: minha mãe fazia tudo por mim. Quando começa a pulsar, o coração do feto já está fazendo alguma coisa por ele. Além disso, o movimento cardíaco é sempre muito forte. Cada movimento cardíaco é uma contração violenta que dura três décimos de segundo — e muito menos tempo no feto. Envolve uma massa muscular importante que se contrai em conjunto e com toda a força. Algo tão explosivo quanto um chute; porém, um chute a cada oito décimos de segundo — sendo esse intervalo muito menor no feto, cuja frequência cardíaca é bem maior do que a nossa.

Esse fato torna a pulsação cardíaca uma sensação ou um conjunto de sensações de fácil percepção. Tudo que varia muito depressa nos chama muito a atenção. Tudo que é muito forte também nos chama a atenção. Assim, não duvido que, se houver alguma espécie de consciência ou de intenção no feto, essa consciência esteja associada, ou talvez comece, com a pulsação cardíaca.

Antes da pulsação, tudo é muito homogêneo, não há diferença entre mãe e feto. Com a pulsação cardíaca *começam duas circulações*, dois "ciclos" ou ritmos *diferentes*. Tendo em mente que a circulação alcança os menores recantos do corpo, já é possível perceber a importância dessa autonomia funcional do feto, e já se começa a imaginar o que seja a raiz profunda do "eu" autêntico — ou talvez o self.

O "eu" primário está ligado às pulsações cardíacas. Depois do nascimento, liga-se às pulsações respiratórias.

Portanto, tudo que não pulsa é "não eu". Tudo que é rígido não é vivo.

Dissemos que tudo que ocorre com força e violência frequentemente chama muito a atenção; no entanto, praticamente ninguém tem consciência do funcionamento do próprio coração, o qual, repito, é de uma violência inaudita. Ver um coração pulsar causa um espanto verdadeiro.

Desse modo, esse esforço brutal não é percebido praticamente por ninguém em tempo algum, a não ser quando ele perde o passo, em condições de esforço excessivo ou doença. Porque, parece evidente, ele é o mais antigo dos nossos hábitos — se pudermos dizer assim. Também poderíamos dizer que ele é o primeiro dos "instintos da individualidade" — é o *centro sensível* da vida que me anima.

No decorrer da vida, ele não se faz muito presente conscientemente, mas emerge com facilidade em qualquer estado emocional. Na verdade, parcela muito importante do medo que a maior parte das pessoas experimenta ao se sentir emocionada deve-se às sensações que vêm do coração. A maioria de nós, ao perceber emoções fortes, sente que alguma coisa está atacando ou ameaçando o coração. É porque, nessas horas, o coração de fato *se faz* perceber pela mudança fundamental de ritmo e de volume de sangue por batimento (débito cardíaco).

Quando conseguimos destravar-nos um pouco e dar-nos um pouco mais às nossas emoções, então podemos ver com clareza como o centro da emoção é o coração.

Centro dessa onda forte de alteração orgânica, a qual envolve medo, raiva, amor, tristeza — coisas que nos tocam, que nos comovem profundamente, que "nos atingem"(!), que nos modificam sobremaneira nesses momentos. Passamos, então, a outro estado de consciência; na verdade, não a outro estado, mas sim a mil outros estados, porque as emoções que de algum modo discriminamos surgem quase sempre "misturadas". Misturadas, note-se, nas respostas (comportamentos) que despertam. Medo-raiva é uma associação clássica; amor-raiva, também.

No ataque-fuga, os gestos são fortes, agudos, velozes, intensos, extremamente preparados, partindo de uma base sólida: o corpo bem PLANTADO — no chão.

Nesse cenário, assim vejo o coração: late como um cão ou galopa como um cavalo. Estou me referindo a momentos extremos de medo e raiva, ódio ou vontade de sobreviver — ou vontade de viver, não sei. Estou pensando nos soldados antigos, na véspera da batalha ou na iminência do ataque — ou, ainda, no começo do ataque. Essa noção-sensação de prontidão (alta concentração!) é de origem certamente *muito* emocional. Quando caçávamos para sobreviver corríamos risco de vida diariamente — durante tantos anos!

As emoções de medo e raiva compõem a energia que dá vida aos comportamentos motores de ataque e fuga. "Dá vida" quer dizer ativa a circulação e a respiração para que o indivíduo possa brigar muito ou fugir muito. Trata-se, verdadeiramente, de uma *pré-visão* — biologicamente MUITO útil na luta, que é o centro da vida. Soado o alarme, é deflagrada uma inundação no sangue de tudo que a pessoa (ou animal) precisa para agir de imediato. Claro que quem leva esse preparo ao corpo todo é a circulação. Portanto, se a respiração não melhorar, não adiantará nada oferecer combustível.

Essas emoções estão, pois, *fortemente no peito*. Medo e raiva, ou medo e coragem, ou medo e idealismo — e quem sabe haja mais nomes a serem dados. "Peito aberto", "entrar de peito", "peitar" uma causa ou partido: expectativa (*pect*, "peito", em latim).

No amor, como na tristeza flutuante, os movimentos tendem a ser redondos, ondulantes, de tônus homogêneo, com algo de pastoso significando, de algum modo, apaziguamento, serenidade, sensualidade, sensibilidade, espreguiçamento, indolência.

Essa categoria de movimentos certamente exige menos energia do que o sistema ataque-fuga, mas acredito que eles também elevem o metabolismo, pois, embora não atuem muito duramente em certas direções, como nos movimentos agressivos, eles, na verdade, atuam *sobre todo o sistema motor* — nessa forma de ondulação extensa que também deve consumir mais energia do que quando a pessoa está em repouso.

Recapitulando: então, é no primeiro mês da vida intrauterina que começa a autonomia do indivíduo, com o início das pulsações cardíacas. O indivíduo assume sua circulação. Ou: *já começa a existir um limite funcional entre o feto e a mãe.*

Durante o nascimento, nos primeiros instantes em que o cordão umbilical deixa de pulsar, ocorre — em uns poucos minutos — uma intensa mudança circulatória. Essa mudança está estreitamente ligada à mudança respiratória. A abertura rápida da circulação pulmonar é a responsável por quase todas as outras modificações circulatórias que ocorrem no feto.

A individualidade se propõe, então, com o coração; e, no *momento* do nascimento, o coração renasce como sensação — forte, na certa. É um coração que renasce porque todos os seus esforços se distribuem de outro modo.

Essas sensações, na verdade inevitavelmente tumultuosas e turbulentas, são chamadas de "o primeiro cantar dos ventos nas velas da vida" — as primeiras respirações do recém-nascido. E entre o soprar do vento respiratório e o ondular da circulação cresce a individualidade, em pouquíssimos instantes — como emoção pura. É *apenas* movimento do coração e do peito. Verdadeiramente o espírito "desce sobre as águas", ele que antes "pairava sobre o abismo".

É assim que nasce, para a mais obscura ou incompreensível das consciências — a do recém-nascido —, a sensação de si, a sensação viva da própria existência: é o coração que já não precisa mais de ninguém. Se sou uma respiração, só preciso do ar. Não é preciso que ninguém respire por mim, não é preciso que ninguém me dê ar ou me traga ar. Desse modo, como o ar está em todo lugar e o recém-nascido já sabe respirar, ele *se dá* espírito.

Repitamos: ele *se dá* espírito. Ar. Ele *se dá* vida e a *distribui pelo corpo todo.*

E assim, mais uma vez, o coração se mostra e se sente como um importante centro da personalidade.

O CORAÇÃO E AS EMOÇÕES

Somos dos que dizem assim (há quem comece de outro modo): em certas situações, nossos processos orgânicos se aceleram, elevando ao máximo nossa energia disponível, na forma de sangue ricamente oxigenado e hipertonia difusa do corpo. Qualquer emoção tem sempre alguma coisa que ver com a *reação de alarme.* Ela é sempre um *despertar.*

Até mesmo as emoções amorosas ou tristes de algum modo nos tornam mais vivos do que naqueles momentos em que não sentimos emoção alguma.

Quando não há emoção, só há movimento involuntário ou automático. Um movimento que vem com a sensação de necessidade de fazer força (sensação de DEVER); ou que vem e acontece — automaticamente — antes que se perceba o que se está fazendo. Penoso o querer e perigoso o deixar-se levar. Fazer não cansa; o que cansa é fazer quando não se tem nenhuma disposição, nenhuma vontade ou interesse.

O que cansa é o esforço de obrigar-se a fazer.

Quando o sistema ataque-fuga é ativado, o organismo deixa ao alcance do animal (ou do ser humano) tudo que há de disponível para o sucesso da luta ou da fuga.

Claro que essa aceleração orgânica tem de ser veloz, senão ela se mostrará inútil. As brigas pela vida entre os animais não se passam em câmera lenta — muito pelo contrário. São corridas desabaladas e lutas frenéticas, com intensíssima movimentação corporal. Portanto, é preciso um sistema que supra rapidamente todo esse enorme consumo de energia ligado ao ataque ou à fuga.

O mesmo sistema é ativado, em graus muito variáveis, quando nossa atenção é atraída por alguma coisa que nos prenda, nos toque, nos importe ou interesse.

Se, pelo contrário, o que encontramos é uma situação de confiança ou de intimidade, o organismo se desarma, mas se prepara logo em seguida para outro tipo de atitude ou de atividade (cessa a excitação ortossimpática e aumenta a influência parassimpática).

A função cardiorrespiratória é *inerentemente muito rápida em suas variações funcionais*. Sempre nos será dado perceber qualquer mudança emocional, isto é, *qualquer mudança na circulação e na respiração*.

Queremos elucidar com vagar esse ponto, esclarecendo, antes e inclusive, por que queremos elucidá-lo.

Ninguém mais discute o valor da noção-sensação do aqui-agora. É praticamente uniforme em toda a literatura psicodinâmica — e filosófica — a importância dessa vivência.

O oposto dialético (antítese) da noção-sensação de estar aqui-agora é tudo aquilo que Freud chamou de transferência. Comportamentos transferidos são aqueles que se originam em certa situação e em certo tempo, tendendo, mais tarde, a se repetir muitas outras vezes, com maior ou menor oportunidade, guardando sempre a marca da sua origem.

A fim de compreender a transferência, Freud, tardiamente, formulou a hipótese da "compulsão repetitiva", noção de valor biológico mais do que precário — nenhum animal repetirá constantemente o mesmo comportamento se ele não tiver nenhuma função *atual*. O único exemplo que conheço é o da abelha operária. Se o experimentador (que NÃO existe na natureza) furar o fundo do favo, a abelha continuará pondo mel nele por séculos e séculos. Mas só assim — graças à astúcia e à "má-fé" do experimentador...

Se houver uma manifestação associada ao passado, será em razão da existência de elementos de semelhança com o passado.

Senão, o comportamento de transferência não se repete.

O problema crítico da interpretação da transferência não é perceber ou descobrir qual é a falsa noção que o outro tem de mim em função da sua experiência passada com papai, mamãe e outros. Importante na interpretação da transferência é perceber *o que ela tem de verdadeira*: o que é que eu, terapeuta, aqui e agora, estou fazendo de semelhante ao que papai, mamãe ou alguma autoridade fizeram no passado.

Repito: a transferência nada tem de compulsiva em sentido literal. Ela não é cega nem imprópria. Ela é em certa medida (em certa medida) inadequada. Ou seja: somente quando descobrimos *até que ponto ela é adequada* é que conseguimos "dissolvê-la".

Os estudos de cinegrafia em câmera lenta envolvendo situações humanas comuns (entrevista psicoterápica, reunião social, diálogo entre amigos) vêm mostrando que nossas microdicas — nossas pequenas expressões de mãos, face e tons de voz — mantêm-se em correspondência recíproca com as microdicas do outro (isso quando estamos nos entendendo bem).

Ray Birdwhistle, grande estudioso dessas danças gestuais, declarou que o comportamento das pessoas — no sentido da movimentação, do não verbal — *está sempre finamente adaptado ao outro e à situação.*

O que muitas vezes está "fora do presente" é a percepção ou a intenção consciente, em regra expressa na fala, nas palavras.

O aqui-agora é, na verdade, a realidade mais importante. O passado não existe mais, o futuro ainda não existe, e as palavras NÃO SÃO coisas, nem atos.

Os animais que não perceberam o aqui-agora dos *movimentos* e da adaptação *efetiva* foram comidos — ou não encontraram comida e morreram!

Quase tudo que Freud chama de inconsciente está nesse microcomportamento motor — como tentamos mostrar em vários estudos nossos.

O problema crítico é o da emoção na psicoterapia. Posso dizer que experimento diante do terapeuta uma emoção que experimento diante do meu pai? Será que a emoção pode ser transferida? A meu ver, não; ela só pode nascer aqui e agora e ela morre aqui e agora. Se ela aparecer outra vez, é porque *nasceu do novo*.

Como disse antes, a emoção é para mim a alteração visceral que acompanha qualquer encontro ou situação importante para o sujeito.

Sua importância está justamente no fato de provocar uma emoção, isto é, uma preparação.

Moreno dizia que a angústia é o medo de entrar em cena: havendo uma situação desconhecida, as pessoas não ousam entrar nela. Enquanto ficam esperando, sentem-se fortemente angustiadas.

Perls — o homem da Gestalt — diz praticamente a mesma coisa: toda angústia é um *stage fright* — medo de entrar em cena, medo de entrar, de comprometer-se, de atuar.

Podemos dizer que a angústia é o resultado de uma tentativa de repressão da excitação (*excitement*). A excitação é um preparar-se biológico (automático/involuntário) para o momento: o corpo se prepara para entrar na nova situação; ele se põe alerta, acelera seus processos de atenção e se organiza para agir.

Se eu me deixar tomar e levar por essa excitação, provavelmente atuarei bem na situação, não só com lucidez intelectual, mas também com paixão, com força, com energia. Se, depois de ser preparado, eu não começar a atuar, a excitação se transformará em ansiedade.

A psicanálise ignorou completamente esse fato da preparação para o encontro, seja o encontro com o outro, seja o encontro de uma nova situação. No entanto, é claro que este tem fundamentação biológica das mais profundas, envolvendo mecanismos fisiológicos dos mais fundamentais: todos os animais que não tiveram preparação adequada — e RÁPIDA — para a hora do encontro biológico foram comidos, e seus descendentes não nasceram.

Todos os seres vivos contam com mecanismos de preparação para encontros extremamente velozes e poderosos. Cada vez acredito mais que o que nós chamamos emoção é principalmente esse mecanismo preparatório para o encontro.

Voltemos, então: toda emoção só existe aqui e agora.

Nesse ponto surge a pergunta: por que valorizo a demonstração que farei logo mais? A carência amorosa, a frustração afetiva crônica, a necessidade de uma mãe, de amor, de prestígio são todas manifestações biologicamente *lentas*.

Quero dizer com isso que nenhuma dessas coisas mata de repente. Pode até matar a longo prazo, mas nunca de repente. No entanto, se falha a preparação cardíaca ou respiratória, nós podemos morrer em poucos instantes. Aí está todo o segredo da emoção no aqui e agora.

Podemos dizer que toda emoção sentida aqui e agora é essencialmente cardiocirculatória, sendo o primeiro sinal, o mais fino, o mais forte, o mais profundo da preparação do organismo para o encontro.

Como se vê, toda preparação ocorre naquela parte do corpo a respeito da qual Freud nunca falou: o tórax.

O ser humano freudiano não tem tórax.

Convém, então, termos uma ideia numérica da força e da rapidez dos processos de preparação fisiológica para o encontro.

Quanto *demora* a circulação? Se marcarmos um glóbulo vermelho quando ele passar pelo coração, quanto tempo levará para voltar a passar por ali? O tempo médio de circulação *é de 25 segundos*, variando com a distância do destino considerado em relação ao coração; para ir até o cérebro e voltar, menos de dez segundos; para ir até o pé e voltar, cinquenta segundos. A cada 25 segundos *todo* o sangue do corpo (cinco litros) passa pelo coração.

Consideremos, em especial, a circulação pulmonar, a chamada pequena circulação; ela demora *cinco segundos*. O tempo que o sangue tem para trocar seus gases no pulmão é de *um segundo*!

No exercício físico, assim como durante emoções fortes, esses tempos podem se fazer até 50% menores.

A quantidade de sangue contida no tórax é de cerca de 1,8 litro (36% do volume sanguíneo); estão incluídos, nesse total, o sangue contido no coração, nos grandes vasos da base do coração e no pulmão.

A quantidade de ar contida no tórax é bastante variável de pessoa para pessoa e de momento a momento. Nunca menos de meio litro, em regra dois litros e, no limite superior, cinco a seis litros.

Em repouso, ventilamos o pulmão com cinco a sete litros de ar por minuto; no exercício intenso de um atleta treinado, podem passar pelo pulmão duzentos litros.

Por litro de ar inspirado em repouso, os músculos respiratórios consomem 0,5 cc de oxigênio; no exercício extenuante, esse consumo pode alcançar 250 cc: quinhentas vezes mais!

A seguir, valores relativos a pressões geradas exclusivamente pelos músculos respiratórios (todos estriados), potencialmente voluntários:

	repouso	**respiração forçada**
inspiração	– 1 (negativa)	– 57 (negativa)
expiração	+ 2 ou 3	+ 150

Observações: dados expressos em milímetros de mercúrio (mm Hg); pressões medidas na entrada das narinas — passagem mais estreita das vias aéreas.

Como a densidade do mercúrio (Hg) é de 13,6 g/L, o esforço respiratório forçado envolve pressões da ordem de *dois metros* de água.

Quanto às pressões intrapulmonares máximas — quando se faz esforço máximo com a glote (cordas vocais) fechada (como na evacuação difícil) — podemos citar os seguintes números:

- ocorrida voluntariamente, por um ou dois segundos: 110 mm Hg (um metro e meio de água);
- ocorrida involuntariamente — na tosse, por exemplo —, pode-se chegar a 300 mm Hg (*quatro metros* de água!).

A pressão intra-abdominal pode chegar, na tosse, a 200 mm Hg.

O débito cardíaco — a quantidade de sangue que o coração ejeta na circulação — é de cinco a seis litros por minuto, podendo chegar a 25 ou 30 no exercício exaustivo.

Os "ocos" torácicos — preenchidos com ar ou sangue — são bem maiores do que os "cheios", preenchidos com substância pulmonar, cardíaca ou vascular.

O pulmão é uma esponja aerossanguínea. Essa esponja contém cerca de 300 milhões de "bolhas de ar" — os alvéolos pulmonares; sua área total no ser humano é de setenta a oitenta metros quadrados. Cada milímetro cúbico de pulmão contém cerca de cem alvéolos.

A rede capilar do pulmão é a mais densa do corpo, podendo-se contar, para *cada* alvéolo, cerca de mil segmentos capilares.

O que acontece nos músculos, que perfazem 45% de nosso peso e contam com uma circulação muito variável mas sempre abundante? Em repouso, o fluxo sanguíneo muscular é de dois centímetros cúbicos (cc) por cem gramas de músculo por minuto; no exercício intenso, esse número chega a duzentos (cem vezes mais).

A maior parte das pessoas não faz ideia das forças, pressões e velocidades envolvidas nos processos cardiocirculatórios. Em poucos e quaisquer instantes esses fluxos podem variar muito e muito depressa, acompanhando as necessidades do organismo, as exigências da situação e a resposta da personalidade ao momento presente.

O coração impulsiona o sangue, que transporta gases e substâncias nutritivas. Quanto aos gases, pode-se dizer que eles ficam supercomprimidos; quanto às substâncias nutritivas, mantêm-se, idealmente, bem dosadas e sempre constantes, por mais que variem a ingestão e o consumo.

"Gases supercomprimidos" é uma expressão analógica. Concretamente, significa: o sangue leva 0,3 cc de O_2 dissolvidos em 100 cc, mas, por causa dos eritrócitos (glóbulos vermelhos), na verdade ele transporta setenta vezes mais; é como se o sangue levasse gases supercomprimidos.

Com o gás carbônico (CO_2), o caso torna-se bem mais complicado, visto que os números finais são os seguintes: o sangue transporta cerca de 2,5 cc de CO_2 dissolvidos em 100 cc, mas, em virtude de outras formas de transporte, o sangue na verdade carrega cerca de vinte vezes mais desse gás, resíduo quase universal da degradação metabólica.

Vale ressaltar que a troca de gases é MUITÍSSIMO mais veloz do que as trocas nutritivas entre o sangue e as células. Apenas para tornar o conceito mais concreto, podemos dizer que, enquanto as trocas gasosas duram UM SEGUNDO ou *menos*, as trocas nutritivas duram minutos (entre o sangue e as células) e muitas horas (entre a ingestão de alimentos e seu uso final pelo corpo).

Para todos os efeitos práticos, as trocas gasosas podem ser consideradas INSTANTÂNEAS — duram UM segundo!

Por que insistimos tanto nesses números? Porque eles mostram:

- que a vida é complexa, intensa e rápida;
- que o fenômeno vivo varia a cada instante;
- que as células do organismo são atendidas idealmente em suas necessidades, envolvidas que estão em líquidos altamente nutritivos e bem arejados, em renovação constante.

As variações dos fenômenos vitais PODEM SER SENTIDAS?

Ou: o fenômeno vivo se retrata de algum modo na consciência?

O que nos importa, afinal, é saber *o que podemos sentir desse fenômeno no tórax.*

Como vimos, a respiração podemos senti-la inteira, pois seus órgãos são ricos em terminações nervosas bastante variadas, capazes tanto de produzir sensações como de desencadear reflexos importantes.

A circulação podemos senti-la como palpitação (coração acelerado), extrassístole (pulsação fora do compasso), taquicardia (coração acelerado), sensação de dor proveniente de ferida no coração (mágoa), dor (genericamente), sensação de opressão ou aperto do coração.

Da combinação entre as sensações respiratórias e cardiocirculatórias nascem analogias e metáforas que todos entendem.

apertado e solto
preso e livre
tranquilo e agitado
superficial e profundo
sensível e insensível
complacente e inacessível

armado e desarmado
quente e frio
em contato e distante
arfante e empedernido
aspirante e resignado

aberto e fechado
suave e duro
manso e violento
entusiasmado e desanimado
vivo e morto
parado e móvel

A voz-palavra gera novas categorias emocionais: o dizer e o não dizer; declarar ou não; "vontade de" chorar, gritar, suspirar, gemer, cantar, acusar, protestar, suplicar, murmurar.

As emoções sentidas no tórax estão ligadas a *alterações rápidas* das variáveis fisiológicas; por isso, elas são fáceis de perceber. Na verdade, é difícil ignorá-las. Dizendo de outro modo: *o primeiro* sinal de emoção/desejo é a aceleração cardíaca (por menor que seja), acompanhada da variação respiratória — de ritmo, de amplitude, de forma. Todo desejo acelera o coração e toda inibição prende a respiração. As emoções torácicas são, por isso, os sinalizadores mais finos, os *mais velozes*, da repressão ou liberação.

Neste livro, em momento algum abordei o tema da *patologia orgânica* do coração ou da respiração; falei sempre e apenas de sensações/emoções que se dão no tórax "normal" — sem patologia ostensiva. Quando ocorrem, quase todos as sentem como algo doentio e ameaçador, perigoso. Em parte, com razão: esses órgãos e as sensações que eles provocam têm tudo que ver com a *morte rápida* — a que provém de perturbações agudas e graves de funções que *não podem falhar* por mais de pouquíssimos segundos (coração) ou minutos (respiração).

Pensemos em outro esquema, complementar ao que já temos. As funções do aparelho cardiorrespiratório podem ser consideradas "auxiliares gerais do desejo" (de *qualquer* desejo). As funções torácicas servem a todas as demais funções orgânicas, *alimentando-as — ou não*. Sem oxigênio, pouco se faz em nosso corpo, ou o que está acontecendo dura pouco. Se o aparelho de transporte gasoso não responde, o desejo, na certa, não amadurece, e não se realiza. Aborta.

Falta ao desejo A FORÇA — da paixão — que mora no peito.

O desejo pode até ser percebido, identificado, compreendido, mas ele não se realiza — A NÃO SER NA FANTASIA, porque na fantasia não fazemos A MESMA força que faríamos caso fôssemos de fato realizar a *ação* desejada.

Se alguém sonha com agulhas espetadas nos músculos, observa-se que o sonhador contrai todos os músculos necessários ao movimento *sonhado*; porém, as contrações são fracas e, em regra, não chegam a movê-lo efetivamente. É como se o sonho fosse determinado apenas por nossas *intenções*, e NÃO por nossos *movimentos*.

A diferença entre o sonho (e a fantasia) e a realidade é a ventilação pulmonar...

Reich mostrou com clareza como são verdadeiras essas declarações — em clínica: "Não há repressão sem restrição respiratória" — um dos fundamentos de toda compreensão e de toda atuação psicoterápica.

Recordemos o que Reich nos disse a respeito das emoções torácicas; seriam basicamente duas:

- raiva avassaladora (*raving rage*, em inglês);
- sofrimento profundo (*deep sorrow*).

A raiva avassaladora tem tudo que ver com o medo e com a coragem. Essas emoções correspondem ao sistema de ataque-fuga, bem descrito pelos fisiologistas. A fuga é o comportamento ditado — e alimentado — pelo medo; medo é o que sinto quando AMEAÇADO.

Não posso (não consigo, acho que não devo) fugir, sair correndo, ir embora, aumentar a distância entre mim e o que me ameaça. Aí o coração fica apertado, fechado, oprimido, "assustado". Ele acelera para alimentar uma grande resposta orgânica QUE NÃO OCORRE.

Se, quando assustado ou angustiado (não separo esses dois sentimentos), eu tiver a coragem de sair correndo — para longe do que me assusta —, NÃO SENTIREI medo (nem angústia). Nesse caso, toda a aceleração orgânica é consumida no grande esforço de fugir, visto que para isso é que se liberou tanta energia.

Raiva é o que sinto quando — ameaçado — decido reagir, lutar, agredir; aí o coração se avoluma e acelera — galopa — heroicamente!

O sofrimento profundo de que nos fala Reich é com certeza a MÁGOA — de amor, amor-próprio ferido, humilhação, rejeição, carência, solidão, separação e/ou abandono, impotência, desespero.

Essa mágoa está bem representada na figura do Sagrado Coração de Jesus, antigamente encontrada em grande número de lares. Nela, além do coração ferido, vê-se uma coroa de espinhos na base do coração (no sulco coronário!), mostrando o sofrimento crônico — o coração apertado, o coração que a gente não deixa pulsar/viver, que a gente retém, bloqueia e segura. Enfim, na mesma figura se vê fogo saindo do coração — a paixão, o calor, a força de viver e lutar.

Que Jesus mais apaixonado!

É importante, e difícil, tentar distinguir a expressão de emoções agudas e a expressão de emoções crônicas no tórax.

Restrições permanentes à respiração impõem à pessoa um regime de vida pouco mais do que vegetativo. Quem respira pouco não pode fazer quase nada, e isso não é apenas um sentimento, é uma sensação que retrata a real incapacidade da pessoa.

Limite: pessoa obesa que passa da cama para a poltrona e da poltrona para a cama; se essa pessoa tiver de atravessar dois ou três aposentos correndo, subir um lance de escadas ou andar meio quarteirão, ela terá crises de angina e uma acentuada dispneia; uma pessoa assim se comporta, em suma, como alguém com insuficiência cardíaca II, mesmo que não apresente nenhuma moléstia cardíaca propriamente dita. Eis os efeitos das restrições funcionais crônicas da respiração.

O ansioso crônico que, ao menor pensamento sobre fazer *seja lá o que for*, sente piora em sua angústia difere muito pouco de um cardíaco ou de um pneumopata crônico. Se ele for forçado a "vencer" seu medo de uma vez à custa de um esforço intenso (como o querem alguns terapeutas), poderá morrer. De angústia.

As emoções crônicas se referem à "expressão" do tórax, ligam se à sua posição habitual e ao modo como a postura torácica se integra à postura corporal. Essas expressões são sempre restritivas — cronicamente restritivas. Os exemplos mais claros e clássicos: a insuficiência EXPIRATÓRIA do orgulhoso crônico (que nunca se entrega, nunca expira de todo); e o depressivo crônico, inclinado para a frente, com os ombros tendendo a fechar-se, restrito em todos os movimentos respiratórios.

É sobre esse fundo postural que se instalam as variações agudas da respiração.

O fundo de tensão postural do tronco fornece os parâmetros dentro dos quais as variações podem ocorrer.

- ANEL TORÁCICO (quarto anel da couraça muscular do caráter)
- ANEL DIAFRAGMÁTICO (quinto anel da couraça muscular do caráter)
- ANEL ABDOMINAL (sexto anel da couraça muscular do caráter)

Reich foi influência dominante em minha formação pessoal, intelectual (crítica) e profissional. Este livro, porém, sofreu forte influência também de Jung, de minha formação religiosa na juventude e de minha formação médica. Desta ficou-me a paixão vitalícia pela fisiologia e anatomia do corpo humano, e depois — ou antes — por todos os seres vivos e pela vida que me anima. Em função dos ensinamentos de Reich, afirmo que meu texto estuda os três anéis da couraça citados. Foram excluídos, porém, o estudo dos braços, que também fazem parte do anel torácico, e o do conteúdo visceral do abdome. Ficamos com as funções vegetativas dos dois primeiros anéis: respiração e circulação.

Em relação a eles, temos a comentar um aspecto importante, ligado aos músculos (é a eles que se refere, primariamente, a fenomenologia da couraça muscular do caráter).

Se levarmos em conta, como parece acertado fazer, *todos* os músculos potencialmente responsáveis pela respiração, seremos obrigados a rever a noção de anel. Na respiração de repouso, os músculos respiratórios são o diafragma e os intercostais, bem ligados e circunscritos ao tórax.[19] Até então o anel anatomofuncional concorda com

19. Até mesmo essa declaração é duvidosa. Parece que os escalenos (pescoço) também participam.

a noção quase geométrica de anel — uma "faixa" ou fatia horizontal do corpo.

Mas, quando a respiração precisa se ampliar, quando entram em ação os músculos respiratórios auxiliares, o anel torácico invade o pescoço (escalenos e esternoclidomastoides) e toma conta do tronco todo, chegando à raiz dos quatro membros.

Esse fato, somado à importância única dos gases respiratórios, torna o anel toracodiafragmático um dos mais complexos dentro do esquema reichiano, o qual, em essência, parece-me uma boa descrição de nossa motricidade, funcional, útil e até didática.

Concretizemos: TODOS os músculos das paredes anterior e laterais *do abdome* (anel abdominal) são músculos EXPIRATÓRIOS auxiliares. Além disso, solidarizam funcionalmente tórax e bacia (pelve).

O grande dorsal, dado nos textos de anatomia como músculo adutor do braço, é um músculo inspirador, assim como o grande e o pequeno peitoral. Ora, o grande dorsal prende-se *também* na bacia óssea (sétimo anel!).

De outro modo se pode mostrar o mesmo fato. A *forma* de nossa respiração varia com a *forma do corpo a cada instante*. Se estou sentado, respiro de um modo; se me recosto, de outro; se me apoio mais sobre o cotovelo esquerdo (no braço da poltrona), de outro; se me levanto, se ando, se paro, se mudo o pé de apoio, se estendo o braço...

PORQUE TODOS os músculos AUXILIARES

da respiração são AO MESMO TEMPO músculos motores dos braços e do tronco, e influem poderosamente *sobre a estabilidade da bacia*; portanto, coordenam-se *necessariamente* com os músculos dos membros inferiores. Cada vez percebemos melhor — nós que lidamos com o corpo — a importância das relações entre a "boa postura" e a "boa respiração".

A respiração — O ATO DE RESPIRAR — está

NO CORPO TODO.

Logo, são razoavelmente verdadeiras as seguintes afirmações:

- a mecânica respiratória está no *corpo todo*;
- *lidar com* o anel torácico envolve a lida, no mínimo, com o *tronco todo, mais o pescoço*;
- a noção de anel como uma faixa ou fatia corporal contida entre limites paralelos é insustentável;
- a ignorância de tantos terapeutas corporais em relação ao corpo pode levá-los a não compreender bem Reich — e fazer coisas descabidas —, se eles se deixarem levar pela noção "intuitiva" (geométrica) de anel anatomofuncional.[20]

O problema ou a dificuldade é: a respiração usa, sempre e apenas, músculos estriados — "voluntarizáveis" —, *diferentemente de todas as demais funções viscerais.* Todos os músculos respiratórios servem *a outras* funções mecânicas, além de servirem à respiração. Todas essas funções mecânico-posturais influem sobre a respiração — ajudam-na ou a atrapalham.

20. Um terapeuta corporal com longa formação em Londres, ao ver alguns *slides* anatômicos mostrando o diafragma de vários ângulos, confessou, com louvável ingenuidade: "Nunca imaginei que o diafragma tivesse essa forma e estivesse aí onde está".

A ESSÊNCIA DE MINHA ALMA NÃO É MINHA — NEM SOU EU!

Algumas das últimas propostas da biologia são fascinantes.

Primeiro, o carbono, com sua capacidade quase infinita de ligar-se a si mesmo, formando estruturas moleculares mirabolantes — primeiro sinal dos "caprichos" da natureza viva, que se compraz em criar um número deveras infinito de formas.

Diz Carl Sagan:

> O carbono — sem o qual a vida no planeta é inconcebível — se forma quando TRÊS núcleos de hélio colidem *simultaneamente* — em um milionésimo de milionésimo de segundo!
>
> TODOS os átomos de carbono de TODAS as criaturas viventes formaram-se em resultado dessa colisão tão fantasticamente improvável.

Depois do carbono, o segundo passo portentoso no préstito da vida foi a síntese da clorofila, mãe de todos nós — de todos os animais viventes. Mãe verdadeira, primeira — a nutritiva.

Já é muito que sejam as plantas o alimento último de todos os animais.

Mas, além de formar seu corpo, são as plantas que lhe dão respiração — espírito e alma, pois.

A clorofila apareceu no mundo na forma de uma alga verde — verde sabe Deus como, ou por quê. Mas verde — graças a Deus! —, um verde deveras maravilhoso — ou miraculoso. Ela é capaz da suprema arte — a de usar a força do Sol para separar e juntar substâncias.

Assim surgiram as primeiras moléculas orgânicas, as primeiras estruturas da vida e as primeiras moléculas da energia que move tudo que se move nos seres vivos.

Eu sou movimento — criação contínua — instabilidade total — incerteza permanente. Estou vivo.

De onde vem essa grandeza sem par? Da clorofila, única substância capaz de aprisionar a luz do sol e obrigá-la a animar tudo que vive. A miraculosa substância, porém, faz parte de um dos mais humildes representantes da vida, partícula de ácido nucleico com um envoltório — e pouco mais. No entanto, um desses seres humílimos da natureza associou-se a outros corpúsculos também capazes de se dividir e, assim, de multiplicar-se! Simbioses primárias que terminaram por "construir" as primeiras células.

Desde o começo eram comunidades, e não indivíduos — simbiontes. E de então até nós foram construindo-se conjuntos cooperativos cada vez mais complexos, até que se chegasse à espantosa complexidade que somos nós.

Só a clorofila, o cloroplasto — esse humílimo proto-ser vivo que se integra à vida da célula vegetal como um de seus constituintes —, é capaz de prender o oxigênio a muitas outras substâncias, que mais cedo ou mais tarde serão nosso alimento.

EPÍLOGO

Mas o milagre é ainda maior. Ao mesmo tempo que enchia o mundo com as primeiras substâncias próprias dos seres vivos, a clorofila liberava oxigênio, CRIANDO ASSIM A ATMOSFERA ATUAL, na qual e da qual vivemos. Porque todo o oxigênio do ar, que nos dá vida, veio dos seres vivos, assim como todo o nitrogênio.

E, em nós, o que é capaz de usar oxigênio do ar — que vem pelo sangue — a fim de decompor e recompor interminavelmente as substâncias de que somos feitos e os combustíveis — as moléculas ricas em energia — que animam essa máquina fantástica? Outro proto-ser vivo, nos dizem os biólogos. Seres que também fazem parte de nós de um modo obscuro, pois, de outra parte, são, de novo, o espírito da nossa vida — o próprio.

Isto é, só esses corpúsculos — as mitocôndrias, chamadas de "as usinas da célula" — são os geradores primários de todo o combustível que a célula usa para suas mil e uma funções. Como fazem? Usam — e só eles são capazes de usar — o oxigênio trazido pelo sangue! De novo, a essência de nosso espírito não é nossa, isto é, são esses corpúsculos e só eles que "nos dão" — ou são — nosso alento...

As mitocôndrias são bactérias que vivem simbioticamente em nossas células.

Dizem os biólogos que, se somarmos todas as mitocôndrias de todas as nossas células, obteremos um volume que chega perto da metade de nossa massa. Tampouco essa substância somos nós.

O espírito que nos anima não nos pertence. Antes, pertencemos a ele. Se "ele" falhar, por um instante que seja, morreremos — instantaneamente. É o que acontece na intoxicação pelo ácido cianídrico, que anula a capacidade das células de usar o oxigênio. Morte instantânea!

Somos deveras filhos do sol, da água, do verde e — qual novo deus nesse Olimpo da natureza — da mitocôndria.

Mas filhos não apenas em nossa *origem* planetária e pessoal. A CADA INSTANTE, filhos dessas deidades benevolentes que de fato e a cada instante nos dão vida.

O universo vivo vive em simbiose deveras profunda — e íntima.

Amém.

Meu vitalismo:

oração final

Nunca se viram na Terra, em quatro bilhões e meio de anos,
Dois crepúsculos ou duas auroras que fossem iguais
nas cores,
nas luzes,
nos tons,

nas formas,
nos movimentos...

O grande espírito que nos anima jamais permanece igual a si mesmo.

Ele é o pai de toda variação,
de toda diversidade,
de toda metamorfose.

Hosana nas alturas
E paz na terra para os homens,
Se — e quando —
resolvermos cuidar dela.

RENASCIMENTO

Uma técnica respiratória capaz de favorecer o desenvolvimento emocional e espiritual dos seres humanos.

Leitor:

Ninguém consegue dizer tudo de uma vez...

A maior desvantagem da palavra em relação à visão é essa.

Se ao ler algum trecho você encontrar uma frase difícil, muito sintética, meio obscura, siga em frente.

É certo que em algum outro lugar do texto você encontrará essa mesma noção expandida e esmiuçada.

Mesmo no que se refere a assuntos pouco familiares, como a fisiologia mais fina da respiração.

Espero que você saiba que a respiração — a externa — acontece nos pulmões; porém, vale mencionar desde já que quem FAZ os pulmões expandirem-se são vários músculos voluntários.

Quando há paralisias musculares, a pessoa morre asfixiada, como acontecia com os indivíduos envenenados pelo *curare*, o veneno que nossos índios usavam em suas flechas.

Nossa viagem é longa e minuciosa, talvez exigente, mas é também compensadora.

Vamos estudar, aprender (em palavras!) e compreender uma técnica preciosa para favorecer o desenvolvimento da personalidade e livrar-nos de mil entraves em nós criados pela nossa assim chamada educação, e pelos nossos assim chamados bons costumes.

Melhor dizendo, pelas nossas deformações e nossos péssimos costumes, ou "sagradas" tradições de dominação, exploração e guerra eterna.

Em dez mil anos de sagradas tradições, nunca houve um ano de paz na terra.

E todas as guerras não passaram de assaltos coletivos e outras aberrações feitas em nome de Deus.

Tanto a humanidade como todos nós precisamos começar a acontecer de novo; temo muito — eu e muitos outros — que venhamos a ser, caso nada mude, a mais original das espécies, a que não precisou de mais nada e de mais ninguém para desaparecer do planeta.

Somos tão estúpidos e cruéis a ponto de caminharmos para o suicídio, o que deve ocorrer se não renascermos.

Boa viagem.

Neste texto usamos como sinônimos:

renascimento;
respiração holotrópica;
hiperventilação (HPV);
respiração circular.

Também são sinônimos:

- medo;
- ansiedade;
- angústia.

ORIGENS

Há milênios os filósofos-místicos orientais vêm estudando e aperfeiçoando, de uma parte, modos de perceber com finura e de influenciar voluntariamente os fenômenos interiores, as emoções, sensações, ideias e fantasias; de outra, formas de desenvolver o controle preciso dos movimentos e posições corporais — o que foi feito principalmente pelos mestres das artes marciais, do tai chi, da hataioga etc.

Desde o começo, muitos deles perceberam a posição central da respiração em qualquer tentativa de aperfeiçoamento interior.

Convém notar que o autoaperfeiçoamento é uma consequência clara, ainda que sutil, do processo contínuo de crescimento e renovação presente em todos os seres vivos.

CRESCER E DESENVOLVER-SE É A ATIVIDADE FUNDAMENTAL E CARACTERÍSTICA DE TODOS OS SERES VIVOS.

A pergunta a ser feita não é por que desejamos/buscamos o aperfeiçoamento, mas o que nos levou a crer na constância de nosso comportamento ou crer que, uma vez "adultos", nada mais vai modificar-nos...

Por que falamos tanto do medo da mudança, do novo, ou do risco se estamos mudando o tempo todo? Na verdade, é bem possível que nosso maior risco e nossa maior desgraça concentrem-se em nossos esforços incansáveis para permanecermos os mesmos — nossa luta ingente pela "segurança" —, para que tudo continue sempre igual e sempre o mesmo — "como sempre foi"...

Daí se deduz que todas as técnicas e conselhos destinados ao autoaperfeiçoamento — inclusive o renascimento — têm como ponto primordial levar-nos a perceber, isolar e, se possível, desfazer os entraves ao crescimento gerados pelas exigências da chamada educação e pelas expectativas sociais — ambas pressionando-nos na direção da constância do comportamento, de uma vida semelhante à dos insetos sociais, sempre iguais há muitos milhões de anos...

Com esses estudos e pesquisas — no Oriente e no Ocidente —, logo se começou a perceber que a respiração tinha tudo que ver com as chamadas emoções, das mais agitadas às mais tranquilizantes, e, assaz paradoxalmente, com o exercício da vontade — da vontade de viver — e com o desenvolvimento espiritual. Adiante retornaremos ao tema, esclarecendo e apontando as raízes biológicas dessas declarações.

Pode-se dizer que, em todas as técnicas e práticas "espirituais" do Oriente, trabalhar com a respiração é uma das atividades básicas.

Aqui no Ocidente, Leonard Orr, neurofisiologista, filósofo e psicoterapeuta, estudando os efeitos da imersão do corpo em água morna sobre a personalidade, acabou percebendo que esses efeitos dependiam muito mais da respiração do que do banho morno, o que o levou ao desenvolvimento da técnica do renascimento.

Ele é tido como o "inventor" dessa técnica — o que não faz justiça a muitos outros personagens, como estamos mostrando.

Onde e como nasceu a inspiração para a mensagem *Nascer sorrindo*, de Frederick Leboyer, sobre como receber condignamente esse serzinho tão frágil que todos nós fomos um dia ao nascer?

Nasceu na Índia, onde Leboyer experimentou a técnica do renascimento, podendo sentir de novo todo o drama dessa hora tão difícil. Difícil nem tanto por natureza, mas sim porque nossos hospitais e nosso modo de NÃO compreender o recém-nascido — principalmente nas maternidades — tornam o momento, de longe, muito mais sofrido do que a natureza o fez.

As maternidades, ignorando culposamente exigências biológicas e afetivas profundas do recém-nascido e de suas ligações orgânicas com a mãe, podem ser acusadas de criminosas ao se organizarem em função dos médicos e da "empresa", sem consideração alguma por aquela que é a razão de sua existência — a criança humana.

Continuando com os predecessores da técnica, lembramos Wilhelm Reich, sofrido batalhador, discípulo e depois dissidente de Freud, e seus profundos estudos sobre a psicologia das expressões corporais, sobre o significado objetivo e subjetivo das posições, gestos, faces e tons de voz. Reich lançou os fundamentos da psicanálise do corpo.

Ele mostrou para quem quisesse ver que o "inconsciente" de mestre Freud está inteiro no corpo ou simplesmente é o corpo, cujos movimentos e posições o sujeito mal percebe (são inconscientes para ele) —, mas que o outro vê continuamente.

Não nos vemos "por fora", mas é apenas "por fora" que o outro nos vê, nascendo dessa dupla figura de nós mesmos a maior parte dos desentendimentos humanos. Podemos dizer que Reich fez a análise ou a psicanálise da comunicação não verbal, mostrando que nela reside, bem visível, a soma dos misteriosos "mecanismos inconscientes" de Freud.

Reich foi o primeiro a salientar o papel fundamental da respiração em todos os fenômenos da *repressão dos desejos* e das emoções. Nos últimos anos de prática clínica, Reich começava a sessão solicitando ao cliente que respirasse bem mais do que o necessário (hiperventilação), para observar, de um lado, seu modo de respirar e, de outro, os outros movimentos ou interrupções de movimentos ocorridos durante essa respiração.

Usando a nomenclatura freudiana, podemos dizer que a hiperventilação funciona como um estímulo ao *id* — sendo a melhor técnica quando se tem esse objetivo. Em termos usuais: assim conseguimos estimular desejos e emoções inconscientes e, no mesmo ato, evidenciar os modos de a pessoa lutar contra seus desejos, os esforços que ela faz para conter-se — reprimir-se; enfim, assim podemos "ativar os conflitos entre as forças internas".

Podemos abordar esses mesmos fatos "pelo avesso": a repressão atinge sempre a respiração, restringindo, assim, o fornecimento de oxigênio necessário para a realização das ações ditadas pelos desejos, tornando mais fácil sua contenção. Adiante voltaremos ao tema. A nosso ver, é mestre Reich quem nos permite compreender melhor as manifestações observadas durante o renascimento, assim como pôr em paralelo essas manifestações com as noções de "carma" e os conflitos inconscientes ligados aos complexos familiares.

Pode-se dizer também que a hiperventilação facilita a recordação e a reexperiência de traumas e emoções infantis reprimidas, de experiências de vidas passadas, além da emergência de arquétipos, da regressão e da reativação de formas instintivas de comportamento.

Adiante veremos uma descrição de boa parte do que pode acontecer quando se hiperventila (HPV).

Encerrando este segmento sobre as origens da técnica, lembramos Stanislav Grof, médico mundialmente famoso por seus estudos acerca dos efeitos do LSD (ácido lisérgico) sobre a personalidade sadia e/ou mentalmente perturbada. Podemos dizer que as alterações produzidas no cérebro pela HPV são comparáveis às que se observam após a ingestão do ácido, com a evidente vantagem de dispensar-se o uso de substância alheia ao organismo (de um tóxico). São comparáveis, porém menos dramáticas e menos coloridas.

Concluindo, alguns esclarecimentos sobre nossa inserção nesse contexto. Há cerca de seis anos, minha mulher, Leela Gaiarsa, vivendo então um período conturbado, decidiu experimentar a técnica. O destino a favoreceu. Chegava a Brasília, vinda da Alemanha, Samvara Bodewig, psicóloga e instrutora autorizada para o ensino dessa técnica. Foram vinte dias com doze horas de atividades diárias, com dois períodos de renascimento ao dia, mais outras técnicas complementares — havendo quarenta aprendizes. Um ano depois, mais dez dias de "retiro espiritual" e checagem do aprendizado, contando cada aluno, a essa altura, com uma razoável bagagem de experiência, pela prática consigo mesmo e com outras pessoas. Foi o que de melhor poderia ter acontecido às pessoas. Foi o que de melhor poderia ter acontecido com Leela. Não só voltou estabilizada como encontrou no renascimento um motivo de vida para si mesma e para os que o procuram. Ao lado de sua amiga e assistente, Mônica Maciel, é o que ela tem feito durante os últimos anos, e conta hoje com milhares de horas de prática.

Quanto a mim, o que sei de renascimento aprendi com ela, mas, graças aos meus estudos prévios sobre respiração e minha longa familiaridade com Reich, mal comecei a praticá-lo e logo percebi o valor do processo. Tenho três livros publicados sobre respiração (publicados antes de conhecer a técnica): *Respiração e inspiração* (1968), *Respiração e angústia* (1971) e *Respiração e circulação* (1987).

Após cinquenta anos de atividade profissional, com inúmeras buscas e experiências, vi no renascimento a melhor opção para a resolução de problemas emocionais de quem quer que seja, qualquer que seja a natureza do problema. Mais: a prática frequente estimula um processo contínuo de mudança, bastante semelhante ao de uma psicoterapia bem dirigida e bem-sucedida.

Mas devo acrescentar: a segunda técnica — na escala de eficiência — é a prática de alongamentos (algo parecido com a ioga). Mas dessa técnica cuido em outros escritos, em especial em meu livro *Couraça muscular do caráter*[21].

É fácil respirar de acordo com a técnica do renascimento. Ser "renascedor" seria por demais simples se tudo se resumisse a ensinar esse modo de respirar. Se a formação dos técnicos especializados exige cerca de trezentas horas, é primeiro para que experimentem o processo muitas vezes; depois, para que aprendam a observar, estimular e, eventualmente, corrigir o modo de respirar dos participantes, a fim de que façam "como se deve", pois respirar é fácil, mas respirar uma hora seguida do mesmo modo já não é. Porém, a função mais difícil do renascedor é acostumar-se com expressões emocionais muitas vezes dramáticas e veementes, até assustadoras. Nessas ocasiões, muito frequentes, é preciso gozar de uma boa estabilidade emocional para perceber e acolher as manifestações dos nascituros sem que elas sejam desnaturadas. Por vezes, surge no técnico — e surgiria em qualquer pessoa — o desejo de ajudar algum participante envolvido em evidente sofrimento. Essa ajuda é crítica, e o ideal é que seja o *menor possível.* O técnico fica ao lado e disponível, *muitas vezes insiste a fim de que a respiração não seja interrompida*, ou aconselha variações respiratórias que acelerem a passagem pelo "túnel" da angústia viva.

TÉCNICA

Definição do renascimento: *é o que se experimenta ao respirar, voluntariamente, mais do que o necessário, durante muitos minutos.*

Existe certa variedade de procedimentos que recebem o nome de renascimento. Além dos vários conselhos sobre *como* respirar e por quanto tempo, também há variedade nos objetivos. Orr, Leboyer e — suponho — os hindus visam conseguir com a hiperventilação o aparecimento de sinais e movimentos que lembrem os de um

21. Gaiarsa, J. A. *Couraça muscular do caráter*. São Paulo: Ágora, 2019.

recém-nascido, ou mesmo de um feto a termo, mas ainda dentro do útero. Quando esses sinais ocorrem — e eles ocorrem diversas vezes —, cria-se uma espécie de psicodrama, em que os procedimentos do parto são repetidos.

Leela aprendeu assim e agiu desse modo muitas vezes — inclusive experimentando em si mesma essas sensações e emoções. Mas aos poucos foi desistindo desse caminho. Várias coisas acontecem durante a HPV, e mostrou-se melhor técnica acompanhar o que acontece, em vez de tentar direcionar o processo.

Durante anos conversamos sobre o que acontecia. E várias vezes participamos juntos de grupos de fim de semana (atualmente eu não participo deles). Referir-me-ei a esse complexo de fatos como "nossas técnicas" e "nossos resultados".

Muitas vezes, o reexperimentar do próprio parto impõe-se com força: então acompanhamos e complementamos a movimentação e o apelo do participante.

Queremos assinalar que, em alguns casos de reexperimentação do próprio parto, pudemos checar com os pais ou com relatos da própria pessoa pormenores por demais exatos em relação ao parto real. Estamos convencidos de que, por vezes, a reexperiência do parto é de todo real.

Qual é a respiração desejada ou solicitada pelos indivíduos que se dão à técnica?

A pessoa deve ficar deitada *em decúbito dorsal, tão relaxada quanto possível e mexendo-se o menos possível durante o período de HPV*. Se solicitado, um suporte para os joelhos será oferecido. *Boca entreaberta e respiração torácica, "alta", mais costal do que diafragmática. Sem pausas*, seja "no alto" da inspiração ou "embaixo" — na expiração. Abreviadamente: *respiração circular*. Se bem executada — e não é difícil respirar assim —, a pessoa parecerá estar ansiando, aspirando ou desejando algo com certa premência. Parece a respiração de alguém que fez muita força e está retomando o fôlego. Solicita-se aos participantes que respirem assim *durante uma hora aproximadamente* (com variações).

Segue-se meia hora de relaxamento. Durante todo o tempo de HPV e do relaxamento ouvimos música, sendo de nossa preferência o tipo *new age*. *Não propomos o ritmo*, se mais ou menos acelerado; *deixamos que cada um encontre e siga o seu*, contanto que seja de boca aberta e de forma circular.

Depois é servido um chá com bolachas, enquanto as pessoas se refazem e retornam da "viagem". Os participantes são, então, convidados *a relatar o que experimentaram durante a HPV*. Conversas paralelas, no estilo da psicoterapia de grupo — analítica ou outra —, são desestimuladas, até coibidas, no caso de haver um participante mais monopolizador. *No decorrer da HPV, aconselha-se que o foco da atenção seja mantido na própria respiração, aconteça o que acontecer.* Após o relaxamento, o foco permanece naquilo que foi experimentado *durante a respiração*.

Poderíamos denominar nossa técnica de "meditação respiratória" ou "meditação sobre a hiperventilação".

Ponto obscuro: não sabemos se a hiperventilação ocorre sempre. Há pessoas que respiram — ante nossa observação — de forma assaz limitada e mesmo assim os fenômenos ocorrem. Nas últimas páginas deste estudo, usando elementos espalhados por ele todo, retornaremos a essa questão. Lá a resolveremos. Não obstante, seria ótimo que alguém se propusesse a dosar os gases respiratórios (oxigênio e gás carbônico) em vários momentos da HPV.

Preferimos trabalhar em grupo por uma boa razão: quando as pessoas conseguem seguir as instruções e começar a respirar, ao cabo de dez a quinze minutos começam, quase todas, a sentir fenômenos estranhos (adiante descritos). Se a pessoa estiver sozinha, ou mesmo com um instrutor, pensará que as manifestações são apenas dela e ficará muito assustada, podendo desistir do trabalho por medo. Se ela estiver em grupo, perceberá que quase todos exibem comportamentos inusitados — que, portanto, se devem à técnica e não ao indivíduo —, e isso lhe dará coragem para continuar.

Entretanto, é claro que o processo pode ser feito individualmente — com assistente treinado, um "renascedor".

Há dois modos de aproveitar o que acontece durante a respiração. A técnica de Leela, seguindo a original, aconselha a imobilidade e o aguçamento da percepção de tudo que a pessoa possa sentir durante o processo. De minha parte, e usando o que aprendi com Reich, favoreço a movimentação espontânea, quando ela surge, pedindo insistentemente à pessoa que procure separar o *movimento verdadeiramente espontâneo* daquilo que pode parecer *uma encenação*, ou, ainda, *movimentos feitos "de propósito"*, a fim de livrar-se de qualquer sensação ou emoção, estranha ou dolorosa. É evidente que nesses casos — envolvendo movimentos — o observador também ficará atento para que possa separar essas três espécies de movimentação.

Não vejo oposição entre essas técnicas; ao contrário: podem ser complementares, cabendo uma ou outra conforme o momento ou a personalidade do indivíduo.

A HPV — feita do modo que for — intensifica tudo que estiver envolvido no momento: exercícios físicos, emoções, imaginação, visto que seu efeito pode ser sentido até quando se assiste à TV ou a um filme no cinema. Tudo se faz então mais vivo, mais colorido e mais emocionante; após certa prática em HPV, podemos empregá-la até como brinquedo.

Diversos técnicos preferem, ainda hoje, o caminho do renascimento dramatizado, pondo a reexperiência do parto no centro das expectativas. De nossa parte, preferimos ir acompanhando o que acontece, sem esperar nem induzir objetivos determinados.

Também há variedade nas instruções sobre a *forma* de respirar; existem técnicos que, durante o trabalho em grupo, reproduzem sons respiratórios, solicitando que os participantes acompanhem o ritmo apresentado. Esse procedimento não nos parece aconselhável, pois nosso propósito último é alcançar a *liberdade respiratória* — ideal difícil de ser atingido, mas sinal seguro de ausência de qualquer repressão emocional.

Dissemos que não esperamos nada, e logo falamos de nossa expectativa de obtenção da respiração livre — ou desimpedida. Ao acompanharmos uma pessoa que respira, vamos nos atendo ao que aparece; porém é óbvio que o organismo "busca" a liberdade respiratória, pois vai trazendo à tona, gradualmente, todos os entraves que a prejudicavam. A rigor, não buscamos a liberdade respiratória; ela vai se propondo sozinha, passo a passo. Mas insistimos: estamos descrevendo um caso por certo ideal e que raramente acontece; esse resultado só ocorre após muitas e muitas tentativas, ou durante alguns períodos — apenas.

Como nossa ampla experiência prévia seguia orientações de Reich, pudemos acrescentar à técnica do renascimento muitos elementos importantes que os promotores do método ignoravam. Eis a noção final de Reich: a mais vital das repressões é a respiratória, e a ela se ligam todas as outras — como se ela fosse o centro da teia de nossas amarras. Adiante daremos exemplos que esclarecerão essas noções.

O CÉREBRO E O OXIGÊNIO

O cérebro, cuja massa é de 2% da massa do corpo, consome, o tempo todo, dia e noite, 20% *do oxigênio que inalamos* (e 80% da glicose circulante).

Numerosas experiências bem controladas demonstram que algumas funções cerebrais se mostram perturbadas, mesmo após *poucos segundos*, nas falhas eventuais de fornecimento de oxigênio.

Até mesmo uma falha parcial nos faz perder a consciência em sete segundos. Essa perturbação — dita anóxica ("sem oxigênio") — atinge o cérebro em cascata, isto é, as funções ditas superiores são afetadas por deficiências mínimas no fornecimento de oxigênio, enquanto as inferiores podem resistir por muitos minutos.

Distinguem-se "degraus" nessa cascata.

1. Córtex cerebral: estrutura onde se localizam muitos dos condicionamentos sociais, dos estímulos e das reações treinadas ou aprendidas (costumes e preconceitos estabelecidos). O funcionamento do córtex pode ser perturbado por pouquíssimos segundos de carência de oxigênio — como dissemos.

As funções mais concretas do córtex são o equilíbrio do corpo no espaço (somos altos e nossa base é estreita...), a movimentação precisa e delicada, a visão e audição nítidas. Os neurônios cerebrais morrem após cinco a sete minutos de falta total de oxigênio. Observação: não se deve confundir a *morte* do neurônio com a sua *perturbação funcional.*

2. Núcleos da base (motores automáticos) e tálamo (sensorial e afetivo): aqui temos o nosso cérebro mamífero, onde se formam as primeiras sensações corporais e se elaboram emoções. Esses elementos demoram bem mais para morrer e toleram melhor — muitos segundos — a redução no fornecimento de oxigênio.
3. Circunvolução límbica e sistema hipotálamo-hipofisário: os circuitos profundos do cérebro, responsáveis pelas funções mais primitivas, como fome e saciedade, sexo, sono e vigília, ataque e defesa, respiração e circulação. (Estas duas últimas também contam com controles inferiores, no bulbo.)
4. Medula: responsável pelos reflexos primários da marcha quadrúpede, da postura e dos movimentos primários de equilíbrio e reações locais de defesa.
5. Gânglios simpáticos: os elementos nervosos mais resistentes à falta de oxigênio, capazes de sobreviver por até quarenta minutos sem ele.

O valor desses dados se tornará evidente no momento em que falarmos das alterações nas taxas dos gases respiratórios produzidas pela respiração holotrópica.

PSICOLOGIA DA BIOQUÍMICA DA HIPERVENTILAÇÃO

A *respiração holotrópica* reduz consideravelmente a taxa de gás carbônico no sangue, o que produz uma vasoconstrição cerebral e, ao mesmo tempo, um aumento no consumo de oxigênio pelo cérebro.

O que acontece *com a personalidade* quando essas alterações nos gases sanguíneos são produzidas voluntariamente?

O córtex cerebral, repositório de muitos hábitos (se não de todos), automatismos e condicionamentos *adquiridos*, fica perturbado mesmo diante de carências mínimas de oxigênio. Dissemos que os grandes núcleos da base do cérebro são mais resistentes e continuam a funcionar plenamente mesmo com certo tempo de carência do O_2. Eles respondem por nossos automatismos *congênitos*, complexos, ligados à postura e às sensações e emoções semielaboradas.

Convém lembrar que os automatismos posturais são a base natural das posições e expressões corporais e das atitudes — agora de todo psicológicas. Enfim, temos a circunvolução límbica e o sistema hipotálamo-hipofisário, que resistem a muitos minutos de certa carência de oxigênio e respondem pelos nossos impulsos, necessidades e instintos mais fundamentais (compõem o chamado cérebro reptiliano, nome bem sugestivo, a nos dizer o que temos em comum com as cobras e lagartos...).

Somando-se os núcleos da base, o tálamo e os últimos elementos lembrados, podemos dizer que eles são, em nós, os responsáveis *por tudo quanto temos de infantil, de primitivo e de animal.*

A HPV reduz a taxa de CO_2 circulante a níveis mínimos, acarretando vasoconstrição cerebral e certo grau de hipoxia cortical, o que reduz a força de nossas inibições adquiridas ou impostas pela educação e pela socialização. Mas os centros mais primitivos do cérebro continuam a funcionar, por serem, em relação ao córtex, bem menos sensíveis à falta de oxigênio, resistindo mais tempo a ela.

Outros dois efeitos da HPV, verificados em laboratório, *são a redução da taxa de cálcio no sangue e um aumento na alcalinidade sanguínea*. Esses dois fatos, juntos, contribuem para uma *exaltação espontânea da excitabilidade nervosa.*

Agora o cenário está completo: todas as forças de inibições condicionadas (corticais) se atenuam, enquanto as funções mais primitivas se intensificam. E isso ocorre de dois modos: pela liberação dos controles superiores e pela exaltação de sua excitabilidade.

Como esses fatos, que ocorrem durante uma hora, podem produzir efeitos permanentes na personalidade?

Para responder a essa pergunta, vamos recordar a teoria de Ladislas J. von Meduna — famoso psiquiatra — sobre os efeitos da insulinoterapia na esquizofrenia.

O cérebro é tão sensível à falta de O_2 quanto à falta de glicose. Ele consome entre 70% e 80% da glicose presente no sangue — o tempo todo!

A insulina, injetada em dose adequada, ao baixar continuamente a glicemia (açúcar do sangue), produz em câmara lenta (três a quatro horas) aquilo que a falta de oxigênio produz em minutos.

Nos dois casos, *inibe-se a inibição*, o que lembra um dito popular já famoso: "É proibido proibir".

Dizia Meduna: "Como os circuitos cerebrais responsáveis pelos distúrbios esquizofrênicos estão em grande atividade — tanto que mascaram ou reduzem o funcionamento dos circuitos normais —, eles se ressentem muito mais da falta de glicose do que estes, os circuitos normais". Vale lembrar que os circuitos anômalos dominam a consciência e o comportamento — e assim pomos em paralelo fisiologia e psicologia.

Acreditamos que a carência de O_2 cortical produz uma inibição das funções mais ativas, isto é, dos processos neuróticos, que inibem, contêm e controlam a personalidade e representam, no cérebro, todas as exigências sociais absurdas que nos são impressas na alma pelo que chamamos educação. É bom lembrar: educação, em nosso mundo, é igual a repressão, controle, restrição de movimentos, de afetos e até da inteligência.

Repetindo: a HPV, de um lado, reduz nossos controles pedagógicos e nossos condicionamentos sociais, nosso "adulto" (o normopata, o morto-vivo, como já foi chamado); de outro, dá forças à nossa criança, ao nosso primitivo e ao nosso animal.

Pessoas pouco familiarizadas com as conclusões da psicossociopatologia estranharão essa declaração; os mais versados na crítica social, na crítica à nossa educação e nas conclusões de todas as escolas de terapia compreenderão melhor o assunto.

Toda neurose, todas as perturbações de caráter, todas as doenças psicossomáticas têm raízes na infância, começam antes dos 5 anos, acontecem no lar e quase sempre por influência materna — ou paterna!

A HPV nos permite atenuar todas essas influências — ela nos permite começar de novo, renascer.

Adiante mostraremos que o renascimento produz também um despertar espiritual e um avivamento notável de bons sentimentos. Essa hipótese do que ocorre durante a HPV talvez pareça muito elaborada, mas o principal é que esclarece o que se observa no processo.

Argumento adicional de peso a favor dessa tese: quando o praticante da HPV dá mostras de medo, hesita em prosseguir, seu primeiro movimento é parar de respirar. O conselho do instrutor, nessas conjunturas, é: "Respire mais rápida e mais superficialmente! Você passará mais rapidamente pelo mau pedaço". E é o que acontece.

Essa respiração mais rápida e superficial foi por muito tempo chamada de "respiração de cachorrinho cansado". Foi descoberta pelos estudiosos do parto que desenvolveram as noções e práticas do "parto sem medo". Aí temos outro uso da HPV, descoberto de modo independente por esses parteiros.

Ora, *respirar desse modo elimina CO_2 em grande quantidade e muito rapidamente* (o gás carbônico se difunde trezentas vezes mais depressa do que o oxigênio).

Vamos repetir essas explicações em outras palavras; elas são muito importantes e podem ser mal compreendidas por muitas pessoas. Ao mesmo tempo, entenderemos melhor os benefícios dessa técnica.

A HPV "lesa" funcionalmente o cérebro, "asfixiando" funções tidas como as mais "elevadas" da personalidade; na verdade, funções adicionadas ("imprintadas") à personalidade natural pela chamada educação familiar, escolar e social. A HPV pode atenuar nosso pensamento coletivo compulsivo, isto é, o eterno e tedioso solilóquio: "Quem é o culpado?"; "De quem é a obrigação?"; "O que eu fiz está certo ou errado?"; "Agi assim porque não tinha outra alternativa, porque fui obrigado"; "Que infeliz eu sou!"; "Sou tão bom e os outros não compreendem..." Sempre as mesmas ideias se repetindo incansavelmente em nossa mente, todas as regras de boa conduta, de bom comportamento, de "boa educação". Isto é, tudo aquilo que nos amarra, limita, controla, ameaça e assusta.

Se suficientemente repetida, a HPV tem força para atenuar *tudo que nos foi imposto*, tudo aquilo que fomos obrigados a fazer, a pensar, a dizer e até a sentir.

Se o leitor ainda tiver dúvida a esse respeito, só me restará apelar para a sabedoria de todos os iluminados: "Se não vos fizerdes crianças outra vez, não entrareis no reino de Deus".

Logo, a tarefa da vida é desaprender ou eliminar tudo que nos foi ao mesmo tempo ensinado e imposto.

Convém lembrar ainda que o batismo, primeiro dos sacramentos católicos, simboliza a morte da pessoa velha, do poder e da opressão e o nascimento do ser humano novo — aquele do amor, da sensibilidade e da cooperação; que a essência do batismo consiste na morte do idoso *por asfixia*, isto é, imersão em água — afogamento. Portanto, *sem a asfixia não nasce o ser humano novo*. O batismo simboliza e antecipa o renascimento.

Convém deixar bem claro: "inibição funcional" dos neurônios corticais NÃO significa asfixia e/ou morte desses elementos.

A hipoxia apenas atenua seu funcionamento durante algum tempo, dando oportunidade para a formação de outros circuitos, mais próximos do que poderíamos chamar de naturais (em oposição aos culturais e pedagógicos).

Essa hipótese explicativa dos efeitos da HPV responde também a objeções de fisiologistas à técnica. Ela é considerada perigosa por alterar demasiadamente o equilíbrio acidobásico do sangue e quase esgotar a reserva alcalina (sempre pela eliminação maciça de CO_2, que, no sangue, assume a forma de um ácido, o ácido carbônico — H_2CO_3).

É óbvio que se o organismo elimina muito ácido, ele fica muito básico. O pior, para eles, seria a baixa no fornecimento de oxigênio para o córtex e o aumento considerável da resistência cerebrovascular.

Já respondemos em parte a essas objeções, e bem no fim acrescentaremos novos argumentos a nosso favor. De momento, dizemos apenas: o renascimento já foi feito literalmente milhões de vezes por milhões de pessoas, e não há relato de efeitos maléficos, a não ser em casos extremos de pessoas gravemente doentes, física ou mentalmente, que foram vitimadas por erros grosseiros dos instrutores no processo de avaliação dos candidatos.

Acompanhamos pessoas durante milhares de horas de HPV e nada temos a dizer sobre efeitos maléficos definitivos.

É claro que pessoas gravemente enfermas — cardíacos descompensados, pneumopatas graves, indivíduos em estados avançados de moléstias crônicas — não podem fazer a HPV padrão (cerca de uma hora). Talvez possam executá-la se acompanhados individualmente, e com dosagem do tempo. Tivemos relatos e experiências pessoais sugestivos de que o processo é capaz de beneficiar também pessoas bastante enfermas, ou contribuir para melhorar crises dolorosas intensas. A técnica é igualmente contraindicada para mulheres grávidas (nos primeiros e nos últimos três meses de gravidez) pelo risco de aborto.

Já acompanhamos três epilépticos ao realizarem a HPV e nenhum deles sofreu crise convulsiva no decorrer do processo.

Falemos agora dos benefícios. Dado que a HPV é, até hoje, o melhor método para a obtenção de liberações emocionais e desbloqueios da personalidade, ela pode ser combinada com várias outras técnicas para a superação de traumas infantis, de carências afetivas crônicas, de deformações precoces do caráter; pode ser útil para regressões, busca de vidas passadas, cura de neuroses traumáticas, reorganização de constelações arquetípicas. Sempre que o objetivo for reavivar emoções, a HPV será a técnica de escolha. O que fazer durante ou depois dependerá do terapeuta ou do técnico, de sua orientação ou linha de pensamento.

Outrossim, a HPV pode ser usada de modos muito positivos para produzir "viagens" de fantasia ativa, buscas interiores, tentativas de ressíntese da personalidade e mais.

Não gostamos de considerar o renascimento uma "terapia", nem pensamos em usá-lo apenas para aliviar ou "curar" doenças. Ele é muito mais do que isso. Num futuro não muito distante, ele será aprendido nas escolas, da mesma forma que, nas pré-escolas, se aprende a escovar os dentes, a lavar as mãos, a se alimentar etc.

A respiração holotrópica é o método mais fácil e seguro de abrandar ou dissolver a ansiedade e de propiciar o desenvolvimento da personalidade.

POR QUE A RESPIRAÇÃO GOZA DE PROPRIEDADES TÃO ESPECIAIS?

Bem cabe essa pergunta depois de tudo quanto já se disse sobre a respiração, no Oriente e no Ocidente.

O primeiro sinal que percebemos, quando emocionados, é alguma alteração da respiração, para mais ou para menos. Na verdade, a primeira mesmo é a alteração cardíaca; mas, quando ligeira, esta não é percebida. Além disso, podemos respirar de muitos modos *por querer*, mas não conseguimos influir voluntariamente sobre o funcionamento cardíaco. Por isso, ante a percepção imediata, o primeiro ato e a primeira sensação quando sentimos o início de uma emoção é a mudança da respiração, que pode acelerar-se, retardar-se, ampliar-se, restringir-se ou deter-se.

Quando a situação apresenta algum tipo de ameaça, ou promete algum benefício ou prazer, o corpo se prepara para agir, para afastar-se do mal e aproximar-se do bem.

É preciso sublinhar: a preparação se faz por força e habilidade do sistema nervoso vegetativo e dos centros nervosos motores automáticos. Essa preparação, além de ser independente da vontade, ocorre muito rapidamente — em pouquíssimos segundos. É ver e reagir — ou preparar-se para agir. O pensar vem depois.

Mas antes de explicar as qualidades bem peculiares da respiração e por que ela tem efeitos tão marcantes sobre a personalidade, será muito útil definir a ansiedade.

O QUE É A ANSIEDADE?

(Lembramos a sinonímia entre ansiedade, angústia, aflição e medo.)

As funções corporais quando estamos em repouso, em atividade moderada ou em atividade máxima são bem diferentes.

O coração bate normalmente de setenta a oitenta vezes por minuto, a pressão arterial normal é de oito a doze centímetros de mercúrio, a respiração apresenta entre quinze e vinte movimentos por minuto. Quando "entramos em ação", todas essas variáveis aumentam de valor, a fim de sustentar a atividade intensificada.

Vale a pena recordar a maior parte das alterações produzidas pelo sistema adrenérgico, constituído pela suprarrenal e pelos gânglios simpáticos, responsáveis pelas reações de ataque e fuga; ou melhor, pelas alterações orgânicas automáticas que *dão suporte* a esses estados de atividade vital exaltada. Essas alterações têm tudo que ver com a ansiedade. O coração pode chegar a pulsar 170 vezes por minuto, o débito cardíaco (volume de sangue ejetado pelo coração a cada pulsação) pode ir dos 70 ml (para cada ventrículo) ao triplo desse valor. O coração não aumenta muito de volume, mas se esvazia quase completamente a cada pulsação (quando em repouso, "sobra" muito sangue no coração entre as pulsações); a pressão arterial pode chegar a duzentos milímetros de mercúrio — a pressão diastólica, porém, não sobe proporcionalmente; aumenta a chamada pressão diferencial — ligada ao aumento do débito cardíaco. A respiração passa de quinze a vinte para oitenta, noventa ou mais movimentos por minuto; o volume de sangue aumenta na circulação pela contração do baço (sangue muito rico em glóbulos vermelhos) e pela redução do volume sanguíneo normalmente contido nos pulmões. Aumentam também a taxa de glicose do sangue, a circulação e o tônus dos músculos; reduz-se a circulação da pele e do abdome.

Essas modificações podem ser de graus muito diferentes; assinalamos as taxas *máximas*.

Ninguém conseguiria correr cem metros sem respirar — afora atletas altamente treinados. Se o coração, como no mal de Chagas, não pulsa mais de quarenta vezes por minuto, a pessoa não conseguirá subir dois lances de escada sem parar para "tomar fôlego". O mesmo acontece no caso da insuficiência cardíaca, quando o coração já está dando tudo que pode, e nada mais se pode esperar dele. O que limita a atividade das pessoas nesses dois casos é essa impossibilidade de fazer que as funções de emergência (cardiorrespiratórias) variem em circunstâncias de esforço aumentado.

O aumento difuso da tensão muscular prepara a ação de ataque, de fuga, de abordagem ou até de choro. Didaticamente, é interessante distinguir a preparação visceral da preparação muscular; esta é muito extensa, com base postural bem configurada para as ações que se fizerem necessárias.

Repetindo: emoção é uma alteração visceral e motora, que ocorre espontânea e muito rapidamente, sempre que nos vemos diante de uma ameaça ou uma promessa — sejam elas quais forem. Emoções podem surgir perante fatos ou personagens tanto reais como fictícios (cenas de novela, filmes, notícias e preocupações — até recordações, sonhos ou fantasias).

Se eu seguir na direção da promessa ou fugir da ameaça, *não sentirei a emoção correspondente*. Se, com medo, saio correndo, não sinto o medo; se estou com raiva e brigo, não sinto a raiva; se estou enamorado e posso me achegar, não percebo o sentimento — ele se integra à ação, já que nasceu para alimentá-la. Mas se estou com medo e preciso ficar onde estou (como o filho pequeno diante da mãe zangada), então, sinto ANSIEDADE ou angústia.

TODA ANGÚSTIA É UM DESEJO OU NECESSIDADE DE REALIZAR ALGUMA AÇÃO, TOMAR UMA DECISÃO OU ASSUMIR UMA ATITUDE — QUE EU NÃO REALIZO, NÃO TOMO, NEM ASSUMO.

As piores ansiedades e as mais frequentes são as que sentimos "sem saber por quê". O motivo — ou "causa" — fica reprimido por preconceitos.

"Odeio meu pai" é algo que jamais se diz — mesmo quando verdade. Sequer se pensa!

Só se sente a ansiedade — mais nada.

Se pusermos uma onça com um engradado onde estiver preso um cabrito, este morrerá de angústia — ou de ansiedade —, pois, apesar de estar *inteiramente preparado para sair em disparada*, o engradado *não deixará que ele se mova*. A rigor, trata-se nesse caso de medo ligado a uma ameaça de todo concreta e evidente. Convém reservar o termo ansiedade para o medo associado a ameaça não aparente, o que a torna um problema psicológico complicado. Sentimos muito medo ou até pânico e "não sabemos por quê". Há dezenas de tratados sobre a ansiedade, e um bom número deles diz que ela é uma doença imaginária, que a pessoa está "pondo minhocas na cabeça". Algumas pessoas — até médicos — chegam a dizer que é uma bobagem e que é preciso "tirar isso da cabeça", ou "usar a força de vontade contra esse fantasma ridículo".

Nenhuma ansiedade é imaginária nem se refere ao passado. Onde há ansiedade, existe uma ameaça (às vezes uma promessa).

A pior tolice que se pode fazer contra a ansiedade é considerá-la uma tolice.

Analisemos o caso do pai severo, aquele que controla a família com olhares carregados. Imaginemos a família à mesa — almoçando. Em certo momento, um dos filhos, num gesto desastrado, derruba um copo de refrigerante na mesa, manchando a toalha. Nesse momento exato e na fração mínima de segundo que se segue ao "desastre", todos os filhos ficam "armados", isto é, imóveis, tensos, com a respiração parada e o coração acelerado. Na verdade, ficam alerta, prontos para se encolherem mais ainda se o olhar paterno fixar-se em algum deles — como de fato acontece com o "criminoso". Repetindo: não é preciso "pensar" em nada, nem daria tempo; a *percepção do momento desperta essa reação animal de alerta em uma fração de segundo.* O "criminoso" — e vítima ao mesmo tempo — encolhe-se um pouco mais que os irmãos. Digamos que o pai, após o olhar fulminante, solte um palavrão e comece um daqueles sermões mil vezes repetidos.

O coitado sentirá dois movimentos opostos: vontade de sair correndo ou vontade de reagir, gritar, protestar, brigar. Mas o fato é que permanece imóvel e o tórax também, isto é, a respiração para, e, dependendo das circunstâncias, pode ficar parada por muitos e muitos segundos. É o caso da onça e do cabrito preso.

Outro exemplo. Mamãe acordou "daquele jeito" — que os filhos identificaram muito bem já no primeiro grito do dia! Basta isso para que todos comecem a agir com cautela, controlando os movimentos, receosos de se fazerem alvo de um sermão aborrecido, de umas palmadas ou coisa pior. Durante muitas horas, eles se comportarão de forma contida, com considerável restrição da respiração. Esse é um exemplo de como se pode estabelecer uma ansiedade persistente — e coletiva!

Algo de todo semelhante pode acontecer em uma empresa quando o patrão chega e, logo após a primeira ordem ou bronca, todos percebem que será um dia difícil.

O pai chega em casa às seis e meia da tarde, geralmente alcoolizado e fazendo escarcéu. Às seis e quinze, toda a família começa a respirar menos.

Estou na rodoviária esperando uma pessoa muito querida e o ônibus está atrasado; procuro explicações e as que me são dadas pela empresa não me convencem. *À medida que a espera se prolonga*, aumentam os meus maus pensamentos e, sem que eu me dê conta, vou respirando cada vez menos, mantendo o tórax em posição de expectativa, isto é, cheio, "alto", e passo a ter dificuldade de esvaziar os pulmões — o que me aliviaria bastante.

Outro exemplo paralelo é o da mãe que está em casa esperando a filha, que prometeu chegar às onze da noite. Se a filha não chega na hora, a cada minuto decorrido a mãe fica mais "preocupada" e vão lhe passando pela cabeça pensamentos cada vez mais terríveis — visto que a respiração fica cada vez mais contida. Mamãe dirá que se sente mal porque está preocupada — com maus pensamentos. Mas a ordem dos fatos corresponde precisamente ao contrário do que a mamãe diz.

Não são os "maus pensamentos" que a fazem ficar cada vez mais ansiosa. É a ansiedade crescente que desperta e alimenta os maus pensamentos. A sensação de fato ruim é a ameaça real e crescente imposta pela respiração cada vez mais contida. É como se ela estivesse sendo estrangulada devagar, mas sem nenhuma corda em seu pescoço. Nessa situação, os pensamentos só podem ser terríveis!

Releia o último trecho, leitor; essa descrição é muito importante.

Em regra, as pessoas não percebem ou mal percebem que seu mal-estar provém da contenção respiratória. Respirar é nosso hábito mais antigo. Começa poucos instantes após nosso nascimento! Por isso, mal conhecemos o modo como respiramos — como mal conhecemos nosso modo de andar, os movimentos de nossa face e nossos gestos mais característicos.

Vamos continuar com a série de exemplos, para que não sobrem dúvidas quanto a essa questão, porque um dos melhores e mais frequentes efeitos do renascimento é a atenuação gradual da ansiedade.

A ansiedade é uma só emoção. Quando falamos em ansiedades, referimo-nos às muitas situações ou motivos que despertam essa emoção penosa.

Criança diante da mãe. Poucos dirão que uma criança pode sentir medo diante da mãe, pois todos os preconceitos dizem o contrário: que a mãe é a pessoa de maior confiança da criança, que a ama incondicionalmente e é a menos capaz de maltratá-la.

No entanto, muitas vezes, as mães olham feio para a criança, gritam, fazem gestos ameaçadores, batem. Para um bichinho, esse bicho grande é sentido como uma grande ameaça.

Mas a criança — é óbvio — não pode brigar com a mãe — nem fugir de casa.

Uma esposa começa a perceber que não ama mais o marido, que o despreza, até odeia. Durante um tempo, ela fará o possível para negar esses sentimentos. O marido comporta-se, então, como uma *ameaça oculta* — temida por ela.

É fácil multiplicar exemplos de impulsos ou emoções que "não se devem" sentir — e muito menos seguir. Isto é, fazer aquilo que o impulso ou a emoção me levariam a fazer: fugir, brigar, gritar, abraçar, chorar, rir, pular ("dar pulos de alegria") e até desaparecer ("vontade de sumir").

Em todos esses casos e em outros semelhantes, basta que a cena ou situação componha-se, basta que os olhos percebam o perigo ou a ameaça, para que, como reação animal saudável, nosso corpo estruture automaticamente e em instantes a atitude de base que levaria ao gesto ou à reação. Por vezes, o elemento disparador não é a visão da cena, mas a audição de um barulho, de um grito ou até de um tom de voz ameaçador.

Ao contermos a vontade espontânea de fazer algo, contemos ou paralisamos a respiração e transformamos um desejo em angústia. Ressalto: a ação de conter o gesto ocorre em uma fração de segundo após sua proposição e, em regra, não percebemos que bloqueamos a ação. Só conseguimos bloquear a ação, não o desejo — nem a emoção.

Consideremos mais exemplos, pois as situações ansiógenas são inúmeras; são tantas que Freud, em toda a sua vida, nada mais fez do que estudar quanto fazemos a fim de nos proteger dessa sensação penosa — de iminência ou ameaça de morte.

A pressa é um exemplo claro e com complicações psicológicas limitadas. Nesse caso também estamos preparados para alguma ação que não pode ser feita — porque estamos atrasados, precisamente. Não estamos onde poderíamos agir. A pressa é uma ansiedade de certa forma benigna, pois sua "causa" é evidente. Por isso é um bom exemplo. Mas a ansiedade a que chamamos de pressa, *como sensação*, é idêntica a qualquer outra ansiedade, como as de causa oculta.

A ansiedade de antecipação — quando devo ir ao dentista, quando vou para o hospital, quando surge um sintoma alarmante — é suficiente para que a pessoa *não vá* ao dentista, espere ou exija a presença de um parente, ou chame o médico "com urgência".

É dessa ansiedade, "do que poderia acontecer", que se alimentam todas as "empresas de doença", continuamente assustando as pessoas pela TV — aplicando mais dinheiro em anúncios do que em serviços...

Enfim, a categoria mais elevada de ansiedade: *as situações assustadoras perante as quais nada se pode fazer.*

A TV gera mais ansiedade do que qualquer outro fator. Aliás, é difícil *saber se são os noticiários e os filmes que assustam as pessoas ou se é o fato de as pessoas viverem assustadas que alimenta a mídia.*

A TV vive do ibope, isto é, da vontade popular, do desejo ou necessidade de todos de ver esse ou aquele tipo de programa, e a mídia nos oferece o tempo todo notícias alarmantes, desgraças, crimes, cataclismos, crises...

Por que, afinal, *as pessoas desejam ver essas coisas*? É por isso que a TV as mostra; sem público não há programa. *A mídia se alimenta em grande parte das ansiedades pessoais, isto é, de tudo que tantos gostariam de fazer — e precisariam fazer — em sua vida pessoal e não fazem porque os preconceitos e o medo de ficar falados os paralisam.*

Todos vigiam e controlam a todos para que ninguém faça o que todos gostariam de fazer — essa é a ansiedade do mundo — a de todos e de cada um.

O pânico — tão na moda — tem sido considerado uma doença "nova". Trata-se de uma crise aguda ou muito intensa de ansiedade, nada mais, nada menos.

Insistamos: o "moderno" pânico foi o objeto único de estudo de mestre Freud... Novíssimo, sem dúvida.

O pânico é uma intensa crise de medo sem perigo ou ameaça evidente — como toda ansiedade, mas em forma de crise, isto é, instala-se subitamente e com vigor. Duas condições podem desencadear a crise de pânico: um estado crônico de ansiedade somado a uma pequena ansiedade atual ou a associação de um estímulo momentâneo a uma situação chocante do passado. Um exemplo: uma pessoa sofreu um acidente automobilístico sério no passado quando estava em um fusca verde; se estiver, digamos, *com pressa* e passar perto de um fusca verde, ela poderá ter uma crise de pânico.

Note, porém: exemplos didáticos servem para esclarecer ideias, mas a realidade costuma ser bem mais complicada; além dos fatores que o modelo ilustra, muitos outros atuam. Também existem graus por demais diferentes na força da ansiedade. Enfim, podem operar, nas situações concretas, numerosos reflexos condicionados, com a associação de um leve estímulo presente a muitas outras situações e personagens do passado (como no caso do fusca).

É bem provável que a primeira de todas as ansiedades seja a do parto, com as ressalvas previamente feitas. Basta ver as fotografias do livro *Nascer sorrindo* (Brasiliense, 1974), de Leboyer, para convencer-se de que o parto por si só não é tão traumático quanto a tradição e os preconceitos insistem em dizer que ele é — visto que, ao repetir isso mil vezes, contribuem para que ele assim se torne, com a ativa cooperação das maternidades e dos obstetras.

Um pouco mais sobre o pânico: *a crise de angústia talvez seja uma das mais velhas doenças da humanidade*, tendo sido interpretada de mil modos, em mil épocas diferentes. Considerá-la doença "nova" — em vez de perceber que é um novo nome para uma velhíssima doença — significa apenas que a pessoa ignora outros estudos. Hoje, a moda é dizer que o pânico depende de certa substância produzida em excesso pelo cérebro. Mas não se sabe dizer, quando há um caso de pânico, se foi a substância que o produziu ou se, *respondendo a dada situação*, o cérebro elevou a produção de tal substância. O cérebro não existe nem funciona isolado do mundo, nem da consciência.

Insistamos: a ansiedade existe desde que surgiram na Terra o sistema nervoso vegetativo e os sistemas motores automáticos, com sua competência para mover ou paralisar.

Acertadamente, Freud intuiu o seguinte: a angústia — ele falava mais em angústia do que em ansiedade — é um fenômeno absolutamente central na personalidade. Mas, justiça seja feita, a noção freudiana tinha pouca ou nenhuma fundamentação no corpo, embora os fenômenos viscerais que me serviram de base já fossem razoavelmente conhecidos na época.

Podemos afirmar: a angústia é uma perturbação profunda do mundo visceral e do nosso aparelho motor.

A ansiedade é o fundamento único de toda a patologia psicossomática.

Gosto da seguinte imagem: a ansiedade pode ser comparada à situação de um motorista deveras bisonho que simultaneamente pisa no acelerador e no freio. Não é difícil imaginar tudo que pode acontecer de ruim com o organismo numa situação como essa.

Imagem número dois: chicoteio um animal e freio a carruagem.

Diz a psicologia verbalista: a ansiedade somatiza-se, isto é, abala toda a ordem visceral, "espalha-se" (começam as metáforas) por todo o organismo, perturbando as funções de todos os órgãos.

"Perturbação emocional", "distúrbio neurovegetativo", "estresse" (antigamente, "estafa nervosa"), o popular "nervoso" são os muitos nomes da mesma coisa.

Em todos esses casos, melhor seria dizer: é raiva contida, é medo contido, é amor contido ou frustrado, é tristeza negada (se fosse aceita, geraria o choro, que é um efeito natural da ansiedade).

O caso da hipertensão arterial é claro: geralmente se trata de raiva contida. A pressão alta faz parte da preparação "natural" para a luta, durante a qual é preciso aumentar o fornecimento de sangue, sobretudo para os músculos (que correspondem a metade da massa do corpo) e para o cérebro, que, estando "no alto", exige do coração mais esforço a fim de que o sangue lá chegue. Mas também pode se tratar de medo — *vontade coercitiva e contida* de sair correndo, de afastar-se.

Colesterol alto — assim dizem muitos médicos (não todos). Há pessoas que vivem anos com taxas astronômicas de colesterol no sangue e passam muito bem, obrigado; há quem o tenha de menos e acabe morrendo de infarto. Mas esses casos não constam das estatísticas (na parte final deste estudo voltaremos à questão).

Úlcera: "remorso" (*remorsus*, particípio passado de *remordere*, "tornar a morder"), ou morder-se por dentro, porque não me animo a morder o outro de verdade — não seria muito educado...

Câncer: depois de anos de contenção, a pessoa se faz — se torna — contenção: desiste de viver porque viver não vale a pena.

Diarreia: "Deixe-me fazer pelo menos alguma coisa..." (aqui há mais coisas, mas não creio que seja oportuno discuti-las agora).

Vômito: "Deixem-me eliminar essa amargura, esse desespero de sentir, querer fazer e não poder fazer".

Inflamação da garganta: "Não posso dizer o que eu queria, nem gritar".

Veja bem, leitor, estou sendo muito esquemático — demais. Que ninguém tome estas linhas como um tratado de patologia. Não estou negando outros fatores causais de tais moléstias, mas apenas sublinhando aquilo que a maioria dos médicos não quer saber. Leia bem: não *quer* saber — porque sofre de conflitos semelhantes. Não estou resumindo toda a medicina. Estou dando exemplos esquemáticos.

"Conflito" — palavra fundamental em toda a psicopatologia. Conflito básico: quero fazer, tenho de fazer — e não me permito. Na verdade, não me permitem — os outros não deixam, dizem que não se deve, que é feio, não fica bem, não é civilizado...

Já no seio familiar tudo pode — é onde as pessoas "põem pra fora" tudo que não conseguem engolir nem vomitar "lá fora". Somos, de longe, muito mais "bem-comportados" com os estranhos do que com os familiares.

A família é o mais frequente e o mais poderoso causador de estresse, porque dura, dura, dura... Em meio a ela alguns se manifestam — demais; e alguns aguentam — também demais.

Mas vamos aliviar um pouco o clima pesado. Falemos de uma ansiedade que é positiva! Se eu estiver na presença de uma pessoa amada em segredo, a ansiedade será muito parecida, quanto à alteração visceral, com o que foi descrito anteriormente: preparação automática para o ato de aproximar-me, contatar, acariciar, envolver-me. Mas a ação — o processo motor contido — será bem outra, e nisso reside a diferença entre o que passo a denominar ansiedade opressiva ou constritiva e ansiedade expansiva. Esta de há muito foi caracterizada pelo povo: "O melhor da festa é esperar por ela..."

No namoro antigo — e ainda um pouco no de hoje — era muito bom "sonhar com a amada" — toda uma ansiedade de expectativa, mil ações também contidas ou *agora* impossíveis, mas aprazíveis, gostosas.

Com isso nos aproximamos de dois personagens famosos, Moreno e Perls, fundadores, respectivamente, do psicodrama e da Gestalt-terapia. Moreno: *toda ansiedade é medo de entrar em cena*. Não só na cena do teatro, mas nas "cenas" (situações) que ocorrem no cotidiano. Perls: angústia é medo de agir — de entrar em ação e, por derivação, de decidir, de escolher, de optar.

A psicoterapia fala de mil coisas, mas é muito difícil ouvi-la falar destas: decisão, escolha, exercício da vontade, do querer. A psicoterapia não tem querer — tem só compreender, explicar, contemporizar.

Voltando aos exemplos, alguns menos dramáticos podem ser lembrados: ficamos ansiosos quando, ao assistirmos a um filme de suspense ou de terror, começamos a ouvir a música que preludia o aparecimento do monstro.

Os fanáticos por futebol podem ficar ansiosos durante todo o jogo, como se estivessem no lugar dos jogadores. Mas os jogadores estão em movimento, e os primeiros não. Aliás, é por isso que o termo é "torcedores": o nome se deve ao fato de os assistentes *se torcerem*, isto é, se agitarem contidamente, como se estivessem jogando.

Sabe-se de pessoas fanáticas por futebol que morreram do coração durante campeonatos mundiais. O fator mais importante para essas mortes bem pode ter sido uma respiração bastante restrita, *mantida assim durante horas.* Quando os pulmões não respiram o suficiente, o coração tem de trabalhar em dobro — ou mais — a fim de manter o corpo — e sobretudo o cérebro — bem suprido de oxigênio.

É esse esforço adicional do coração, quando ele já está lesionado, que causa a morte. Aliás, cardíacos que morreram à noite, durante o sono, podem ter sofrido crises agudas de ansiedade em virtude de um sonho.

Basta reencontrarmos um desafeto, um "inimigo", alguém que tenha dito coisas feias a nosso respeito, para que, de novo, a respiração diminua ou se detenha, porque o corpo assume um conjunto de tensões agressivas que foram interrompidas, isto é: não disse nem fiz o que eu gostaria de dizer ou fazer, embora estivesse pronto — "pré-parado" — para tal.

É importante assinalar que a ocorrência de paradas respiratórias por poucos instantes é algo automático ou instintivo. Acontece com todos os mamíferos e com todas as aves, talvez também com os répteis. Qualquer animal, ao ouvir ou de algum modo perceber algo estranho em seu ambiente, exibirá a "reação de alerta", da qual faz parte a parada respiratória. Compreenderemos essa reação mais facilmente se lembrarmos que, nos concursos de tiro ao alvo (ou de "flecha ao alvo"), um instante antes de disparar o candidato detém a respiração — e o fato faz parte de seu aprendizado consciente. É claro: a respiração — sempre em curso — perturba a concentração e a percepção; por ser feita por músculos voluntários, suas contrações periódicas atrapalham não apenas a atenção, como também a postura.

Esse é o *fundamento instintivo primeiro das paradas respiratórias.*

O que diferencia os seres humanos é que nossas "ameaças" duram bem mais do que as dos outros animais, e são bem mais sutis do que um predador à espreita — ou por perto.

Vale ressaltar que o uso da palavra veio complicar a situação. Em perigo, "pensamos" em chamar alguém — ou dizer a alguém — em vez de agir...

Cabem aqui toda a teoria e toda a prática do "desabafo" — note-se a conotação respiratória. Quando desabafo, ponho em palavras minha contenção — falo com veemência de minha raiva, de meu medo, de minha mágoa — de tudo quanto "guardei no íntimo", de *tudo que eu não disse nem fiz na hora certa*; na hora, "engoli" ou contive toda a vontade e todo o desejo de fazer — ou de dizer...

Com demasiada frequência, o desabafo funciona contra a pessoa, que ao desabafar volta a respirar com certa facilidade, "esquece" ou "perdoa" a quem a fez sentir-se mal *e retorna à situação (ou pessoa) que a perturbou* pronta para receber outra dose...

Também detemos a respiração quando nos concentramos em uma tarefa exigente e que consideramos importante. Voltamos a parecer um bicho em alerta — atento —, a fim de distinguir, entre ruídos e formas, aquilo que é perigoso.

Toda a filosofia escolástica consistia em "distinguir" ideias ou noções, como se, na inteligência, reinasse a lei da selva, como se um erro intelectual ou lógico pudesse ter consequências muito graves — como as enfrentadas pelo veadinho que não distinguiu o capim alto e seco das raias da pele do tigre que se arrastava por entre as hastes do capim...

Enfim, a respiração fica perturbada sempre que "pensamos" com certa veemência — em palavras.

Há dois sistemas de controle da respiração: o que governa a respiração destinada a responder pelas nossas necessidades de oxigênio e o que a organiza a fim de podermos falar. Todo o falar situa-se na expiração, e, por isso, ela não pode ocorrer do modo passivo que lhe é natural: apenas respirar — sem falar e sem "pensar" em palavras.

CONSELHOS PARA ATENUAR A ANSIEDADE

Quando ansioso, se você conseguir, respire ampla, profunda e pausadamente.

Se não conseguir fazer isso, então contenha a respiração de propósito e completamente. Não estranhe o segundo conselho. O fato é que, se parar de respirar por querer, você estará assumindo o controle da sua respiração. O assustador disso é o fato quase ignorado de que a respiração se torna cada vez mais contida sem que você queira, ou até sem que você se dê conta. Ao parar *por querer*, é como se você pusesse a mão na válvula de um torpedo de oxigênio e pudesse fechá-lo — ou abri-lo — a seu gosto. Nesse caso, a asfixia pelo fechamento da válvula pode ser bem tolerada durante certo tempo, porque está em suas mãos, e não na de um inimigo invisível.

Mas o melhor meio de controlar a ansiedade — o mais rápido, mais fácil e mais eficiente — é *respirar rápida e superficialmente* — a chamada "respiração de cachorrinho cansado", usada no parto. A ansiedade atenua-se em prazo muito curto — menos de um minuto. *Depois* pensaremos sobre o que aconteceu ou sobre o que está acontecendo...

Entre renascedores em formação, popularizou-se o uso da expressão "respire isso", sempre que um deles queixava-se de algum mal-estar ou sintoma.

É um excelente conselho; basta respirar dessa forma por pouco tempo e toda a questão muda de aspecto: muda a tonalidade emocional, clareia-se a consciência e os fatos passam a ter outro sentido.

POR QUE A RESPIRAÇÃO É CAPAZ DE PRODUZIR TAIS E TANTOS EFEITOS ESPECIAIS?

Lembra-se, leitor? Vamos continuar...

Retornemos a uma declaração básica já feita: podemos influir na respiração ou modificá-la

VOLUNTARIAMENTE.

A respiração é a única função visceral sobre a qual podemos agir "por querer", mesmo sem nenhum aprendizado especial. Até mesmo um indivíduo com capacidade intelectual reduzida respirará desse ou daquele modo se lhe mostrarmos "como se faz".

O segredo primeiro é este: o ser humano controla a respiração porque fala e fala porque consegue controlar a respiração!

O segredo intermediário é este: a movimentação respiratória é feita por MÚSCULOS VOLUNTÁRIOS (quando tranquila, pelo diafragma e pelos intercostais). Eles é que ampliam periodicamente a caixa torácica, eles é que correspondem ao elemento ativo da respiração. A melhor imagem que se pode usar para a compreensão da dinâmica da ventilação pulmonar — a entrada do ar nos pulmões — é a do antiquíssimo fole. Na respiração, são os músculos que alargam o fole, e, assim, se mostram *como a única força ativa* do enchimento pulmonar. Mas a comparação vale pela metade, pois, *em condições normais, o esvaziamento pulmonar é inteiramente passivo*; no fole, o esvaziamento é feito, ele também, pela força do operador. Os pulmões são tão elásticos quanto uma bexiga e, se expandidos, tendem "sozinhos" a esvaziar-se. Além disso, as costelas, delgadas e terminadas em cartilagens, também são *forçadas* pelos músculos e, cessado o esforço, tendem a *voltar sozinhas* para suas dimensões originais.

Essas são as forças da expiração — de todo passivas. Não é necessário esforço algum para que o tórax, uma vez expandido, retorne à posição original. Quando fazemos muito mais força do que de costume, por haver necessidade de maior ventilação pulmonar, então entram em ação diversos outros músculos inspiratórios auxiliares; nessas circunstâncias, também o esvaziamento pulmonar se faz ativamente por músculos auxiliares da expiração; então, a comparação com o fole se torna completa.

Note que a expressão "esvaziamento pulmonar" é equívoca; os pulmões nunca se esvaziam de todo, e mesmo com a expiração completa ainda contêm mais de um litro de ar.

Melhor se compreenderá o que está sendo dito se a respiração for comparada com os demais movimentos das demais vísceras, movidas por músculos lisos, de todo involuntários. Ninguém consegue fazer o estômago e os intestinos se moverem "por querer", nem os ureteres, nem os canais biliares. O coração tampouco — ainda que sua constituição microscópica não conte com músculos lisos; mesmo assim, ele não é voluntário.

Sabemos que ninguém "segura" ou desfaz uma cólica intestinal ou renal "por querer".

Mas convém esclarecer um pouco mais a questão: os músculos estriados não são voluntários desde o começo; a rigor, eles são "voluntarizáveis", isto é, havendo empenho, pode-se aprender a contraí-los por querer.

Os movimentos do corpo são tão essenciais que vamos aprendendo a fazê-los sem ensino ou treino específico; mas controlar os músculos da garganta ou do períneo (anogenitais) já exige atenção especial, visto que a maioria das pessoas não os controla voluntariamente — embora sejam estriados.

O terceiro segredo do poder da respiração é que ela é SEMPRE URGENTEMENTE NECESSÁRIA.

A reserva de oxigênio do corpo — do ar contido em dado momento nos pulmões e aquele presente no sangue circulante — mal dá para uns poucos minutos de vida. E mais: o gás carbônico em taxa pouco superior à normal se mostra tóxico para o organismo. Em comparação, sabemos que é possível viver mais de um mês sem comer e vários dias sem beber água; o organismo realmente armazena essas substâncias. Por isso, a respiração é sempre urgentemente necessária, como o sabemos todos. Bastam poucos segundos de parada respiratória para que comecemos a nos sentir mal.

Por essa razão, toda parada ou restrição respiratória é sentida pelo organismo como uma ameaça vital. Esse sentimento-sensação é a ansiedade. Insisto: a restrição respiratória não "produz" ansiedade; ela é a ansiedade.

Importante: não é preciso alcançar o nível da asfixia — sufocação — para que ocorra o alarme silencioso; basta que a respiração se detenha uns poucos segundos — ou se restrinja bastante. A sensação piora quando o tórax permanece tenso, "armado" e "preparado". Nosso corpo, nesse caso, sente a situação como extremamente perigosa. "Angústia", termo hoje quase substituído por ansiedade, significa estreito e apertado. É o tórax "apertado" pela "preparação" que produz as sensações penosas a que damos o nome de ansiedade.

Último e paradoxal segredo da respiração: bastaria UM movimento respiratório bem amplo para fornecer ao corpo todo o oxigênio de que ele necessita para um minuto de atividade vital. Concretizemos com números. Numa única respiração bem ampla inalamos — mesmo sem treinamento algum — pelo menos dois litros de ar, isto é, cerca de 400 ml de oxigênio (a atmosfera contém 21% de oxigênio). Nosso metabolismo basal consome de 250 a 300 ml de oxigênio por minuto. Portanto, em atividade usual, bastaria respirar uma só vez por minuto. Por isso dissemos que só muito raramente a ansiedade alcança o *limite da asfixia*; muito antes disso, o corpo já se sente ameaçado e deflagra a *ansiedade*.

Combinemos esses últimos dados: posso ficar diversos segundos sem respirar ou respirando bem pouco sem que isso me ameace de sufocação. Mas o organismo, apesar disso, sente essa restrição como ameaça grave contra essa função sempre urgentemente necessária. E mais: só há ansiedade quando há expectativa, isto é, ação "engatilhada", contração muscular difusa do corpo e exigência aumentada de... respiração (de O_2).

ESCLARECIMENTO E JUSTIFICATIVA DAS FORMAS DE RESPIRAR USADAS NA TÉCNICA DO RENASCIMENTO

As instruções dadas ao candidato não condizem muito com modos recomendados de respirar.

Boca aberta. É evidente que a respiração normal é feita pelo nariz ou, até melhor, é evidente que o nariz "foi feito" para respirar... A respiração pela boca tem duas vantagens. A primeira é que o fluxo do ar fica bem facilitado, pois a complexa estrutura das fossas nasais, com suas anfractuosidades, constitui-se na passagem mais estreita das vias respiratórias.

Depois, a boca aberta dificulta muito a "engolição" de emoções, forma extremamente comum de suprimi-las. O famoso "nó na garganta" é isto: garganta contraída para não deixar que gritos, palavras fortes, xingações, choro e desespero saiam.

Mas acrescentamos: não é recomendável respirar desse modo o dia todo. Continua sendo verdade que a maneira usual e "certa" de respirar é pelo nariz.

Respiração acentuando o movimento para cima — respiração costal dos fisiologistas —, com certo prejuízo da respiração diafragmática — ou abdominal. De novo, isso é bom para o renascimento (e para a "boa postura"), porém não pode ser aconselhado como modo cotidiano de respirar — mas há bem mais a dizer a esse respeito.

Se você experimentar respirar assim — enchendo de ar o peito bem mais do que o abdômen —, você vai imediatamente se sentir "orgulhoso", "senhor de si", altaneiro, digno, respeitável e até temível... Quase tudo que herdamos de Reich nos tem mostrado que um dos defeitos psicossomáticos dos mais frequentes e dos mais perniciosos consiste no PEITO FECHADO.

O peito pode viver fechado de muitos modos. Como no ciclista (em virtude da posição de ação); como na pessoa medrosa — ombros "espremidos"; no deprimido — ombros caídos; no tímido e/ou no desconfiado — ombros empurrados para a frente.

No extremo oposto, temos o peito cheio e rígido dos poderosos, com os ombros muito para cima e um pouco para trás, pouco móveis e também limitantes para a respiração; é difícil para eles a expiração "até o fundo". Temos, então, uma variedade de más posturas, todas limitando a respiração cronicamente. Na ocorrência de um fato desagradável, passa-se disso para a ansiedade, pela acentuação da posição. Trata-se de verdadeiras insuficiências respiratórias crônicas, usando a linguagem que se emprega para doenças de outros órgãos.

Talvez o maior mal dos homens seja esse "peito fechado" — expressão ao mesmo tempo relativa à postura e aos sentimentos.

Quando enchemos ou abrimos o peito (como o Cristo Redentor!), emitimos imediatamente a mensagem: estou aqui, estou pronto para acolher, estou expondo meu coração, estou confiante, aberto.

Mas é essencial que a musculatura respiratória mantenha-se elástica — e não rígida; mantenha-se sempre capaz de pulsar e de adaptar-se, variar conforme o momento. Só essa maciez ou fluidez respiratória nos garante o sentimento, a percepção e a vivência de emoções as mais variadas, as mais fortes e as mais delicadas. Pois o essencial da relação respiração/emoção é isso. Há mil modos de respirar: conforme os fatos, as intenções, as possibilidades, os limites...

Sem ampla mobilidade torácica, nenhuma emoção pode fluir desimpedida, "pura", "livre". Foi dessa liberdade que falamos bem no começo deste estudo.

O peito rígido sugere inacessibilidade emocional, dureza, implacabilidade; o peito "desanimado" sugere falta de força, de energia, falta de posição, de oposição e de decisão. Com a prática frequente do renascimento, podemos ir corrigindo também essas más posturas psicossomáticas.

Toda postura é psicossomática; a postura é, ao mesmo tempo, uma posição física e uma posição mental ou psicológica; é um "modo de estar no mundo" e um "ponto de vista".

Com o renascimento, podemos aos poucos "abrir o peito", com o profundo sentido humano dessa expressão.

Pessoas muito acostumadas a se deixar levar pela vida — pela respiração automática e inconsciente realizada pelo diafragma — podem experimentar dificuldades sérias ao tentar fazer a respiração "subir". Pessoalmente, não hesito em recomendar que usem faixas elásticas no abdômen, nas primeiras sessões, para facilitar a captação da nova forma respiratória. Adiante voltaremos a esse tópico.

Consideremos a "respiração circular" ou respiração sem pausas — nem "no alto" da inspiração, nem "embaixo", no fim da expiração.

Vale ressaltar que, na respiração, a inspiração é o período ativo: é quando ocorrem contrações musculares voluntárias (no caso do renascimento). É o momento da expansão, da autoafirmação, da coordenação de esforços vários para atingir certa finalidade: "dar-me vida". A expiração é passiva, como vimos. É o momento do "não eu" (do "não há eu"), da entrega, do abandono, da inconsciência, do "nada está sendo feito". Ou não há nada, ou não sou eu, ou não é comigo. É até possível que, nos momentos de forte ansiedade — quando a respiração para de vez —, chegue à consciência esta mensagem, ilusória mas consoladora: "tudo está parado", isto é, "nada vai acontecer", ou, ainda, "nada está acontecendo". Que alívio para quem está com medo — ou está sendo impelido para uma ação temida, como quando pensamos: "Se eu fizer assim, não sei o que poderá me acontecer..."

Enfim, como o gás carbônico é trezentas vezes mais difusível do que o oxigênio, quando a respiração se detém ou quando ela é muito lenta, dificulta-se a eliminação do primeiro; sua eliminação é fundamental para que ocorra a experiência do renascimento.

Lembremos a experiência de todos: a respiração consiste em fazer variar periodicamente um volume — o da caixa torácica (a cuja face interna estão aderidos os pulmões). Ela pode variar de amplitude — de ampla ou profunda a rasa ou superficial; de frequência — de lenta a rápida; e de ritmo — de regular a irregular. Os fisiologistas ainda têm dificuldade para compreender como os controles respiratórios conseguem harmonizar as necessidades do organismo combinando essas variações.

Phil Laut e Jim Leonard, colaboradores de Orr e autores do livro *Rebirthing: the science of enjoying all of your life*[22], acrescentam orientações mais específicas a nosso esquema básico de respiração circular.

Dizem eles que há três tipos de respiração circular, descritos a seguir.

1. *Lenta e profunda:* é a melhor para iniciar uma sessão de renascimento, para terminar de integrar um padrão de energia e começar a perceber outro. O grande volume de ar nos torna mais conscientes do padrão, e a lentidão deixa mais claro o enfoque.

22. Laut, Phil; Leonard, Jim. *Rebirthing: the science of enjoying all of your life*. Hollywood: Trinity Publications, 1983.

Esclarecendo os termos: "padrão de energia" equivale a qualquer evento interior cuja configuração seja suficientemente clara, a ponto de ser percebida pela pessoa. Integrar um padrão é fazer que ele se desenvolva, se resolva ou desapareça pela continuação da respiração.

2. *Rápida e superficial:* é a melhor maneira de respirar quando um padrão está emergindo com força. A superficialidade torna mais fácil a relação com o padrão, e a velocidade acelera a integração. Ao se usar esse tipo de respiração, é fundamental enfocar atentamente os detalhes do padrão.
3. *Rápida e profunda:* é a melhor opção quando um padrão emergente tende a provocar distrações. O grande volume de ar tende a conservar a consciência "no lugar", e a velocidade acelera a integração.

Acrescentam os autores: habitualmente o ritmo é o da pessoa, em geral moderado; ritmos especiais só em condições especiais. E ainda: a inspiração lenta aumenta a aptidão para o enfoque (para distinguir os detalhes) e a respiração rápida aumenta a consciência global do momento.

É fundamental que a expiração seja passiva, seja ela lenta ou rápida — conforme a escolha, ou o que for próprio da pessoa para o momento.

Enfim, se a inspiração ocorre pelo nariz, expira-se pelo nariz; o mesmo em relação à boca (esse reparo se refere a variações — após a pessoa já ter experimentado vários renascimentos).

Aproveito a citação dos autores para comentar seu livro — e suas propostas técnicas e explicativas. Eles reconhecem que a técnica já foi proposta muitas vezes, por muitos, em muitos lugares. Acentuam bastante o prazer gerado por ela e minimizam seu cunho terapêutico — sem negá-lo (note-se o título do livro).

Seu esquema explicativo é próprio, meio complexo, com leves tinturas orientais. O livro dedica um número reduzido de páginas à técnica do renascimento — em tudo que se refere à respiração... O restante tem muito de uma teoria original sobre o funcionamento psicológico, com pontos altos, bem inteligentes, e pontos não tão altos. O livro reserva muitas páginas à autossugestão — bem posta e inteligentemente executada.

O ponto de vista dos autores no que se refere à imortalidade é genial.

Afirmam insistentemente que o que é pretendido é o estado de êxtase (ou de iluminação) — com o que eu concordo; mas vezes demais passam a ideia de que isso é até fácil — com o que eu não concordo.

Outros autores próximos das origens da técnica descrevem inúmeras experiências difíceis, situações desesperadoras, sintomas penosos.

É claro que, depois de ter passado por várias horas difíceis em meio a essa atividade, vejo as coisas com uma clareza e com uma disposição nascidas precisamente desse empenho, exercido durante muito tempo. Compreende-se. Mas, ainda assim, continua impossível transmitir a outra pessoa o que eu vivi e/ou experimentei.

Exemplos de tropeços: os autores insistem tanto no "relaxamento completo" quanto na "expiração inteiramente passiva" — esquecendo-se de dizer quão difícil é conseguir realizar qualquer um dos dois. A maioria das pessoas mal consegue perceber que respira...

Deles guardei duas declarações excelentes: a primeira, a de que, na verdade, só o prazer e a felicidade (o êxtase) são reprimidos. Basta ver animais jovens e saudáveis para convencer-se de que estar vivo é *A felicidade* — o que torna imediatamente compreensível a lenda do paraíso perdido.

A outra, a de que todas as declarações são verdadeiras. Logo, não existe A verdade, mas muitas verdades. Acrescento: a verdade é *a soma* de todas as declarações (sobre um tema, objeto, situação ou pessoa).

Os autores têm algum conhecimento sobre a fisiologia da respiração, mas nenhum interesse em desenvolvê-lo. De minha parte, tentamos estabelecer as bases fisiológicas do renascimento com base em conhecimentos e dados da ciência ocidental.

De novo: todas as declarações são verdadeiras... Não vejo oposição nem competição entre os dois pontos de vista. Antes, o que se demonstra duplamente é duplamente verdade.

Ponto crítico: eles dizem especificamente que a hiperventilação pode ocorrer mas não é necessária. Neste livro, procuro estabelecer, exatamente, a necessidade da hiperventilação. O leitor já conta com fatos e argumentos suficientes para assumir uma posição pessoal.

Vantagem da posição cientificista: conseguir que os renascedores e a técnica do renascimento ganhem respeitabilidade socioprofissional.

Mas seria injusto despedir-me desses dois moços sem declarar minha admiração por vários trechos do livro citado, em particular "O quarto elemento do renascimento: integração ao êxtase" e o quinto elemento: "Faça o que lhe der na cabeça porque tudo funciona" (este se refere a pessoas já bem treinadas, é claro).

Nesses dois capítulos do livro, os autores demonstram um bom humor, uma sabedoria e um amor pela vida que só poderiam ter nascido em pessoas que... praticaram o renascimento muitas vezes, com muitos indivíduos, e alcançaram um verdadeiro estado de beatitude — de quase santidade...

RESPIRAÇÃO E ESPIRITUALIDADE (CEIA DE DALÍ)

Comecemos com as palavras. Re-*spir*-ar tem a mesma raiz latina de e-*spír*-ito. SPIR significa "que sopra", "vento". Inspiração quer dizer encher o peito de ar, mas a mesma palavra entra em expressões como inspiração poética, profética, artística, divina... É possível dizer que as coisas metaforicamente "mais altas" nos vêm concretamente "do alto" — do céu, da atmosfera... Expirar é esvaziar o peito, mas é também morrer — "exalou o último suspiro", expirou (de uma vez...). Aspirar significa, de novo, encher o peito, porém também se fala em "nível de aspiração da personalidade" e se diz "Aspiro a muito" — com aspirar, portanto, como sinônimo de querer, desejar. Como se já não bastasse, temos outra palavra mil vezes usada nos discursos: alma. O termo provém do hebraico e significa "sopro", "hálito". Por que tais palavras se ligam tanto à respiração?

Primeiro porque, ao respirar, eu me dou vida. Para o recém-nascido, é nas primeiras respirações que começa a individualidade: *respirar é seu primeiro ato com as próprias forças e em benefício de si próprio.* Em tudo mais ele depende dos outros, como dependia da mãe quando em seu útero. Nós começamos (o eu começa) com a respiração, e — eu acredito — é a respiração que forma ou modela a vontade.

Depois porque o ar é invisível (como se diz do espírito). Mas é ele que nos dá ou nos traz vida. Quem morre não respira, e quem não está respirando está morto.

Logo, a RELAÇÃO MAIS VITAL DO SER HUMANO É COM O... INVISÍVEL.

Esse mesmo invisível — o ar —, quando se agita, formando os vendavais, as tempestades, os ciclones, mostra uma força deveras sobre-humana — ele é o Poderoso.

Se reunirmos esses fatos de experiência universal — presentes em todos os lugares, em todos os tempos e em todas as pessoas —, teremos o começo de uma bela definição de espírito:

ESPÍRITO É O INVISÍVEL TODO-PODEROSO
("O Poderoso Senhor das Tempestades!")
QUE ME DÁ A VIDA
(quando respiro).

Por aí se vê que todas as nossas noções relativas à palavra "espírito" estão fortemente ligadas à respiração, tanto concreta quanto simbolicamente.

E a alma? Quase sempre que nos referimos a ela, estamos falando de sentimentos ou emoções, e aqui já cansamos de mostrar como essas coisas nascem no peito, ou no peito são contidas — "sopitadas", diziam os antigos; falavam também no "arfar do peito" da mulher amada.

No renascimento, não raro as pessoas experimentam estados de êxtase, de comunhão cósmica, vivências com alto sentido espiritual ou religioso. Mais: é surpreendente a regularidade com que, dia mais, dia menos, as pessoas experimentam, no renascimento, sentimentos de autoaceitação incondicional — ser e viver é o maior e o primeiro de todos os bens; sentimentos de gratidão — pelos mesmos motivos; e sentimentos de perdão em relação a tudo que se fez "contra" elas — a convicção de que cada personagem do passado fez o que sabia, o que conseguia — sem maldade, se pudermos dizê-lo.

Imitamos a Cristo na cruz: "Pai, perdoa-lhes, porque não sabem o que fazem" (o que faziam comigo).

Ampliemos essas sugestões, mesmo com o risco de repetições — porém repetições em outra clave.

Principalmente, quanto à força de vontade — afirmação do espírito — necessária para respirar quando não há vontade nenhuma de fazê-lo, nenhuma premência fisiológica.

Vimos que o mais poderoso estímulo à respiração é o acúmulo de gás carbônico no sangue. Mostro modos para que qualquer pessoa possa testar a declaração experimentando consigo mesma.

Repito: na psicologia acadêmica — e mesmo nas alternativas —, não se fala em vontade, decisão, atitude assumida ou definida, ação, escolha, risco. Curiosamente, essas palavras são muito usadas nos textos destinados a executivos... Parece que só eles têm de decidir...

Releia as palavras, leitor: são quase o resumo de tudo que a humanidade atribui a essa entidade fugidia denominada "espírito". Nossa psicologia não tem espírito — portanto, tampouco tem identidade ou posição... Nem alma, já que tudo que o paciente sente é "transferência", e tudo que o terapeuta sente é "contratransferência". Com base em meias verdades e muito medo de assumir atitudes ou decisões, o psicólogo aprende na escola — oficialmente! — a deixar tudo com o cliente e dar aos sentimentos humanos nomes escalafobéticos e até repulsivos (apego oral canibalista, caráter anal retentivo, inveja do pênis e outros palavrões técnicos desagradáveis); além disso, esses termos são confusos e nada funcionais — não servem para nada, ou só para que os "especialistas" falem entre si, acreditando que estão entendendo alguma coisa.

Voltemos: após a ampla eliminação do gás carbônico, não há nenhuma vontade de respirar — nenhum impulso instintivo, nenhuma premência ou necessidade fisiológica de respirar — enquanto subsistir a baixa tensão de CO_2 no sangue.

Aí surge a vontade: *respiro mesmo sem ter vontade nenhuma.*

O querer se sobrepõe ao necessitar e ao desejar. Afirma-se a *vontade* de viver acima e além do desejo, do prazer e da necessidade.

Nenhum dos textos consultados sobre renascimento (meia dúzia) fala a respeito desse fato, a meu ver fundamental.

Na verdade, estou inventando modos de repetir essas noções porque, ditas em poucos parágrafos, diante dos muitos outros sobre tantos aspectos do renascimento, elas poderiam passar despercebidas ou ser subestimadas — para mim, uma perda ou uma omissão irreparável.

Desde a primeira respiração, ficou estabelecido: por minhas forças, exclusivamente com meus recursos, posso ME DAR VIDA ou, pelo menos, POSSO MANTER MINHA VIDA, que é uma chama. As oxidações estão presentes no centro e no eixo de toda a nossa mais do que complexa maquinaria química. Sem oxigênio morremos em poucos minutos. Mas cabe ao eu — se ele quiser ou conseguir querer! — manter essa chama acesa, intensificá-la ou reduzi-la. A mágica suprema da vida — entre milhares de milagres — consiste em conseguir queimar-se em câmara lenta, aproveitando a própria destruição para se refazer — interminavelmente...

Posso acelerar os processos vitais ou retardá-los à vontade — basta respirar mais ou menos. Vamos repetir: como a respiração é feita por músculos potencialmente voluntários, posso regulá-la, posso me dar muita ou pouca vida — *conforme eu quiser*. Pode-se formular de modo mais claro e/ou mais impressionante o poder do querer, do decidir, do escolher? De novo a noção de espírito — agora bem mais clara — mostra-se indissoluvelmente ligada à respiração.

A de alma, então, nem se fala. O renascimento é, acima de tudo, um trabalho de descongelamento emocional, um auxílio para que as emoções possam fluir — como lhes é próprio —, em vez de "canalizá-las" a fim de que se comportem como devem... Se essa tolice fosse ao menos realizável, poder-se-ia levá-la a sério mesmo que a contragosto! Mas canalizar emoções é impossível: ou a pressão vai crescendo até a explosão, ou as emoções simplesmente saem dos... canos, e nos "levam a fazer" desatinos, aquelas coisas que, uma vez feitas, não conseguimos justificar...

Ninguém controla nem suprime emoções; se você, após muito empenho, conseguir aprender a conviver com elas, sentir-se-á um surfista especial. Nesse caso, ao mesmo tempo que você se equilibra sobre a onda emocional — milagre! —, ela muitas vezes obedece a esse controle suave que leva em conta a natureza e a direção da onda...

É sempre a respiração — a onda viva mais próxima da consciência, e a mais influenciada por ela — o modelo e o momento do aprendizado de como se comportar quando a onda se forma.

Podemos vivê-la e realizar aquilo que a fez surgir ou tornarmo-nos estátuas, congelando-a em uma imobilidade tensa de muro de represa, cada vez mais espesso, mais isolante, a nos pôr cada vez mais distantes de tudo que nos é tão necessário.

Mais uma raiz do espírito pode ser encontrada na respiração.

Comecemos com os hindus e uma de suas definições da divindade:

DEUS É O VAZIO CRIADOR.

Os pulmões são apenas um vazio, do qual depende toda a nossa vida, que precisa do oxigênio para continuar, para exercer ou desempenhar todas as funções implícitas no estar vivo.

Compreendamos bem o fato de que os pulmões são APENAS um vazio, um limite para um espaço úmido onde o ar pode entrar em contato quase direto com o sangue.

Os pulmões não FAZEM a respiração — eles apenas PERMITEM que ela aconteça.

Vejamos: as células dos rins ou dos intestinos, por exemplo, agem de forma dirigida, e para agir consomem oxigênio. As células renais (dos túbulos contorneados) não só absorvem seletivamente certas substâncias do sangue (ureia, glicose e vários íons), como devolvem a ele algumas dessas substâncias, eliminando outras pela urina. Filtramos aproximadamente cem litros de sangue por dia, com um retorno para a circulação de 99 litros de material filtrado; eliminamos mais ou menos um litro de urina por dia. É um trabalho considerável.

As células do estômago produzem *ativamente* ácido clorídrico e pepsina — uma substância capaz de decompor as proteínas (da carne e outras) em aminoácidos, prontos para ser absorvidos.

As células pulmonares não *fazem absolutamente nada* além de delimitar um espaço úmido — o interior dos alvéolos.

Elas se comportam como membranas permeáveis aos gases respiratórios — e são indiferentes a eles. Quero dizer que, se injetarmos oxigênio em certa quantidade em uma veia próxima dos pulmões (no braço, por exemplo), o sangue que passa pelos pulmões, agora com um *excesso* do gás, terá seu oxigênio *eliminado*, pois sua concentração estará maior no sangue do que no ar alveolar. Os pulmões, assim, estarão permitindo que o oxigênio *saia* do corpo, melhor prova de sua indiferença e falta de função ativa. A função "respiratória" dos pulmões, portanto, não existe; quem os enche de ar são os músculos do tronco, e quem os esvazia é sua elasticidade, e também a do tórax; eles não atuam sobre os gases que neles entram e deles saem continuamente.

A função "respiratória" dos pulmões é SER UM VAZIO — e mais nada. No entanto, é desse vazio que dependem todos os processos vitais! Vazio criador — são os pulmões!

E como os pensamentos "nos vêm" à cabeça? Ninguém sabe — e esse é um dos aspectos mais fascinantes da psicologia e da filosofia. Não sabemos, mas o processo é muito semelhante ao invisível que aspiramos — e que em nós se concretiza em vida. Depois, inspiração, aspirações... É possível dizer que elas "nos vêm" pelo ar que inalamos, aparentemente gerando em nós ideias, poemas, imagens... Não é a respiração o próprio retrato do vazio criador e das mensagens que "nos vêm" à mente? Não virão, nossas ideias, do ar que inalamos?

Além disso, não saem elas na forma de palavras — formadas por esse mesmo invisível que nos... inspirou? Não são as palavras vibrações do ar que inalamos e que, ao saírem de nós, se fazem mensageiras invisíveis de nossos desejos, anseios e verdades? Ninguém vê as palavras no ar — sendo elas tão invisíveis quanto o ar que as constitui. Se as palavras saem de nós dessa forma, por que não acreditar que os pensamentos "nos venham à mente" do mesmo modo como saem de nós? O "pensamento", pois, está no invisível que me dá vida — se eu me apropriar dele!

Enfim, uma observação mais relacionada à alma que ao espírito: o renascimento desperta espontaneamente, na maior parte das pessoas — como dissemos —, sentimentos muito bons, de autoaceitação incondicional, de perdão quanto a tudo que foi feito contra nós e toda a maldade do mundo, e, finalmente, de gratidão reverente por esse dom de criação contínua que é a vida — o estar vivo, o sentir que estou vivo.

E mais: a prática do renascimento clareia demais os sentimentos; apresentada a situação, percebemos logo o que nos importa e logo decidimos o que fazer, sem nos enroscarmos em mil e um pensamentos como "Eu devia", "Mas não sei se estou certo", "Não tive culpa", e tantos outros julgamentos ao mesmo tempo penosos e insolúveis.

Relato pessoal: durante muitos e muitos anos fui vítima (!) de um rancor amargurado que me envenenava a alma; por fora, animado e bem resolvido; por dentro, vivia muitas e muitas horas entre maus pensamentos, críticas acerbas aos outros, desprezo pela mediocridade humana, receio em relação a tudo que eu fazia, incerteza quanto a todas as minhas iniciativas.

Um horror. Eu tinha noção de quanto esses sentimentos me torturavam e me punham no caminho de patologias mais graves, mas pouco adiantava "tomar consciência".

O renascimento foi um ponto de partida fundamental para atenuar esses sentimentos penosos. E hoje, quase incrédulo, me percebo praticamente livre desse pesadelo vitalício.

Por fim, leitor, se você acompanhar bem as figuras que foram expostas nesta obra e o texto que as segue, perceberá com clareza quanto espírito e alma têm que ver com a respiração, assim como a depressão, a angústia, a raiva, o medo e outras emoções.

É provável que você se pergunte por que os pintores surrealistas tanto pintaram a respiração; fato é que eles foram tão angustiados quanto nós e, ao pintar, tentavam — inconscientemente — perceber melhor e se possível superar a própria angústia e as próprias inibições, induzidas pela educação e exigidas pela sociedade. Eles respiravam e continham seus desejos e vontades tanto quanto nós. Por isso, seus quadros nos descrevem — tanto quanto a eles.

SENSAÇÕES E REAÇÕES MAIS COMUNS DURANTE A HIPERVENTILAÇÃO

Garganta e boca secas — em virtude da respiração com a boca aberta. Pode-se deixar um copo d'água ao lado da pessoa para o caso de essa sensação incomodar demais.

Formigamento localizado ou generalizado na pele, muito variável na intensidade; no começo, e para alguns, é incômodo, até assustador — quando a pessoa "olha para ele" como ameaça. Chega a ser agradável em outras circunstâncias, algo como uma vibração vital.

Contrações musculares intensas e involuntárias, igualmente variáveis na força e na distribuição. Mais frequentes nos braços e nas mãos, que se flectem espasmodicamente — a "mão de parteiro" (tetania) dos fisiologistas, que a descrevem em associação à deficiência de cálcio ou alcalose sanguínea. Não é algo muito bonito de se ver e, para muitos, é bastante assustador — trata-se da sensação de não poder controlar os próprios movimentos. É um efeito muito evidente, tanto para quem sente essas contrações como para quem as observa. Mas é fundamental assinalar — contra a explicação do fisiologista! — que elas vão e vêm, na mesma pessoa, em renascimentos sucessivos. Em alguns não aparecem; no caso dos que as sentem, depois de certo número de experiências elas podem desaparecer de vez (veja-se a crítica aos fisiologistas bem no fim deste estudo).

Algumas pessoas relatam dor de cabeça; a nosso ver, sinal de vasoconstrição cerebral excessiva, talvez advertência tendo em vista a diminuição do ritmo ou da amplitude da respiração.

O mesmo se pode dizer acerca das tonturas — bem mais comuns, mas que a pessoa só sente ao tentar levantar-se e andar.

Frequentíssima é a intensa vontade de urinar durante a sessão ou ao seu final — evidente sinal de que os rins estão tentando neutralizar a alcalinidade excessiva dos líquidos orgânicos (perda do ácido carbônico) pela grande eliminação de sódio, substância bastante alcalina e principal "antagonista" do ácido carbônico na manutenção do equilíbrio acidobásico do organismo. Além disso, a eliminação da ureia diminui; ela também é ácida.

São as declarações "estou me sentindo leve" ou "estou me sentindo pesado".

Muitos sentem frio e outros, em menor número, sentem calor. É conveniente deixar alguns cobertores na sala de trabalho.

Muitos babam! Alguns se declaram nauseados.

Outros vomitam ou sofrem descargas diarreicas.

Mas o que mais chama a atenção quando se chega a uma sala onde várias pessoas estão se concentrando na respiração é a aparência de "pátio de milagres" ou até de terreiro de candomblé.

Há quem ria, quem brigue com agressores invisíveis, quem chore sentida ou desesperadamente, quem grite de dor, de raiva, de medo, quem se agite, quem fique como um cadáver, quem faça movimentos "obscenos" e até quem, obviamente, ensaie movimentos de uma relação sexual ou de uma masturbação. Há muitos esboços do "reflexo do orgasmo", tão bem caracterizado por Reich... Há fetos encolhidos, recém-nascidos a chupar o dedo, nenês choramingando ou risonhos e felizes...

Repito aquilo que foi dito sobre a formação do renascedor: essas reações estranhas exigem formação sólida. Primeiro, para que ele as experimente muitas vezes em si mesmo, e, depois, para que não perca o controle e saiba o que fazer com os que se agitam e se comovem. Ele precisa também aprender a fazer a encenação do parto (encenação para o técnico; o participante experimenta o fato como realidade).

Enfim, o principal é que o renascedor pratique infinitas vezes o que ensina, primeiro para aprender consigo mesmo e depois para ajudar-se em momentos difíceis da vida — ou até para se divertir!

Claro que todos esses fenômenos podem ser interpretados e tratados de muitos modos, de acordo com outras experiências do renascedor, com outras práticas ou teorias. De nossa parte, preferimos apenas fazer que a pessoa se atenha à respiração, esteja ela sentindo ou manifestando seja lá o que for. Em termos psicológicos, isso quer dizer que confiamos *no desenvolvimento do espírito* do paciente, em vez de cultivar nele a necessidade do outro — a famosa dependência em relação ao orientador.

Já dissemos mas vamos repetir: a respiração holotrópica não é simplesmente um tratamento de dificuldades ou sintomas. Ela pode despertar e ajudar a desenvolver qualidades muito valiosas, além de proporcionar "viagens" surpreendentes pelo universo interior.

Depois de algumas experiências, por vezes até nas primeiras, ocorrem vivências profundas e prazenteiras, *insights* dramáticos ou hilariantes.

Aos poucos, pela repetição, a respiração vai impelindo a personalidade na direção da criança despreocupada — e apesar disso responsável (nem sempre do modo como a sociedade espera...) —, do animal livre, do primitivo, que percebe depressa o que lhe importa e age decididamente para conseguir o que sente como importante.

Toda a força do cérebro reptiliano e toda a magia do cérebro mamífero!

Paralelamente, uma atenuação de todas as deformações (chamadas de educação) impostas pela família (representante dos "valores" sociais), pela escola, pelos nossos péssimos e mentirosos costumes, pela nossa hipocrisia compulsória.

Somos todos maravilhosos, mas o mundo feito de pessoas maravilhosas é sufocante — mal se consegue viver nele —, um mundo em marcha lenta e em câmera lenta, jamais permitindo que se desenvolva o muito que todos têm e que foi sufocado.

Literalmente sufocado — morto por asfixia —, ou mantido inerte pela ansiedade crônica.

MEDO DE TUDO QUE PAREÇA DIFERENTE DO ACEITO EM MEU PEQUENO MUNDO FAMILIAR E NO MEU PÉSSIMO MUNDO SOCIAL.

Um dos fenômenos mais estranhos e assustadores que podem ocorrer durante a HPV é o "buraco negro" — no jargão dos renascedores. A pessoa para de respirar, fica imóvel, pálida, dando bem a impressão de estar morta. Nesses casos, não insistimos que continue respirando — aliás, é como se a pessoa estivesse desmaiada, sendo que mal responde ao que a ela é solicitado. Acreditamos que, ao ficar assim, a pessoa esteja sendo invadida por sensações de assimilação impossível naquele momento ou naquela etapa. Outros acreditam que o fenômeno faz parte do processo, e o associam à passagem da vida intrauterina — com a "morte" do feto — para o nascimento do ... recém-nascido! São duas formas de viver acentuadamente diferentes, uma sem e a outra com a respiração.

Apesar do aspecto assustador, nada de prejudicial ocorre além do que se vê. A pessoa logo retorna. Orr acreditava que o indivíduo, nesses momentos, fica frente a frente com seu questionamento mais importante: desejo viver ou desejo morrer?

Foi dito por muitos renascedores que o processo todo parece evoluir em ondas, ou ciclos. O nascituro vai sendo abordado ou tomado por um conjunto de forças opressivas e restritivas angustiantes, que se aprofundam, levando muitos a parar de respirar. Mas se a pessoa insiste, logo mais a estreiteza se alarga em sensações de paz, de felicidade, de prazer ou de alegria — uma ou mais de uma de cada vez.

Assinalo de novo o ponto comum entre o renascimento e uma terapia corporal levada avante com base nos pressupostos de Reich: intensificação e subsequente afrouxamento de regiões contraídas. Quem trabalha com bioenergia conhece bem essa alternativa.

Podemos finalizar com Dominique Levadoux[23]:

> Na verdade, tudo acontece como se, ao fim do processo de *rebirthing*, cada um tivesse seu próprio filho — que é ele mesmo, porém diferente do que era antes. Essa criança precisa de muitos cuidados para desenvolver-se, para ser alimentada, encontrar um meio que lhe convenha, para ter relacionamentos que favoreçam seu crescimento e sua expressão. O sentimento de ser responsável por si mesmo, de ser seu próprio pai e mãe, volta continuamente. Os melhores guias para o desenvolvimento posterior do renascido são a responsabilidade, a afeição e a escuta desenvolvidas em relação às necessidades da "nova criança". É essa consciência e esse respeito que permitem fazer face à eventual defasagem que possa surgir entre ela e seu meio habitual. Tudo é fácil quando estamos em contato com essa segurança interior que o renascido

23. Levadoux, Dominique. *Renascer: uma outra maneira de viver*, Rio de Janeiro: Icobé, 1987.

cria ou desenvolve; tudo se complica quando a perdemos. Podemos esquecê-la, nos distrair, nos afastar, mas ela está sempre conosco e se revela quando simplesmente relaxamos e respiramos.

QUANDO? QUANTO? QUANTAS VEZES?

Pessoalmente (Leela, Mônica e eu) temos praticado a HPV em mil circunstâncias e de mil maneiras diferentes — com diversas finalidades e variados resultados, difíceis de esquematizar.

Amostras: Leela passou, antes de se fazer renascedora, por três crises renais — tidas como responsáveis pelas piores dores que podemos sentir. À última eu assisti, e posso afirmar que contemplar alguém com uma cólica renal é de partir o coração. Foi preciso interná-la e administrar analgésicos poderosos. Depois que ela aprendeu a HPV, por duas vezes pressentiu novas crises e se pôs a respirar — três horas a fio! Venceu as crises.

Inclusive o aspecto da urina matinal — quase sempre turva — vem melhorando gradualmente.

Eu, pelo contato imprudente — na verdade tolo — com flores que continham substâncias irritantes para os olhos, sofri uma reação alérgica pavorosa. Senti-me como Jesus Cristo, com sua coroa de espinhos, mas no meu caso passando diretamente sobre os olhos. As duas superfícies da conjuntiva pareciam cheias de espinhos. Fiquei respirando nem sei quantas horas certa noite, talvez a pior de minha vida. Não fosse a respiração, eu teria entrado em desespero cego — não sei o que faria. Não me curou na hora, nem logo depois, mas permitiu-me suportar horas de uma tortura que eu não desejaria nem para meu pior inimigo.

De outra parte, com tudo que aprendi com Reich e todo o treinamento para perceber sensações corporais, mil vezes me deliciei com a respiração, vivendo momentos de profundo sentimento religioso, de compreensão e comunhão cósmica.

Mônica poderia descrever outras tantas experiências semelhantes — em particular a cura de uma gastrite persistente, geralmente incômoda e, por vezes, insuportável.

De pessoas que realizaram a HPV conosco, ouvimos centenas de relatos paralelos, envolvendo todas as variantes já lembradas: regressões, resolução de traumas infantis, revivência e superação de traumas do parto, ativação de arquétipos, de imagens protetoras, emergência de símbolos poderosos, *insights* profundos, recordações de momentos decisivos, resolução de conflitos atuais, melhora ou cura de sintomas e muito mais.

Mas as descrições que fizemos de nossas experiências pessoais não fazem justiça ao que a respiração holotrópica pode fazer quando praticada incontáveis vezes. Experimentamos, os três, mudanças amplas, profundas e estáveis de personalidade nos seis últimos anos. Preciso dizer que já passei dos 80 anos e, de acordo com os preconceitos, é difícil mudar com essa idade.... Ficamos mais fortes, mais alegres, mais compreensivos, mais serenos perante as agruras da vida, com pouco ou nenhum desespero, depressão, rancor, confusão — muito presentes antes. Um verdadeiro renascer.

Clareza emocional, facilidade para decidir, firmeza para realizar o decidido — tudo obtido pela redução considerável dos mil pensamentos inúteis que ocupam nossa cabeça na maior parte do tempo.

Porém, que o leitor não se iluda com essa afirmação. Tais vivências na certa foram estimuladas pela HPV, mas praticamos muito, já há cinco anos. E não vivemos em um mar de rosas. De acordo com o modo peculiar de funcionamento do inconsciente, quanto mais forte e flexível o ego — o herói interior —, maiores as tarefas que se propõem, mais fundos os pensamentos e as emoções — incluindo as difíceis e penosas.

Melhor falar em vida cada vez mais expressiva e significativa do que em mar de rosas.

Além do mais, tínhamos um bom treinamento prévio em relação à autopercepção e muitos conhecimentos bem assimilados acerca do funcionamento psíquico, visto que isso nos ajudou a compreender como a respiração pode nos auxiliar.

Todavia, ter muitos conhecimentos, porém mal organizados, pode atrapalhar; cremos que pessoas mais simples, talvez mais honestas do que nós, poderão buscar com sucesso o que encontramos — e encontrá-lo também.

Encontrar o rumo que mais convém aqui e agora, a coragem de decidir e o ânimo para empenhar-se.

Voltemos à prática — o que fazemos com os que nos procuram.

Sempre uma hora? É bom começar com essa meta por uma boa razão: até hoje, é a duração que apresentou os melhores resultados — logo, terreno assaz seguro. Mas, à medida que as pessoas adquirem prática, vão aprendendo a variar a duração, conforme o momento. A melhor hora de parar é quando alcançamos um momento muito bom, que nos dá vontade de continuar. Parando aí, há uma boa chance de esse estado bom perdurar por muitas horas. A pior hora de parar é quando estamos em um momento ruim, que envolva medo, dor, contrações musculares etc. Parar nessas horas é compreensível — quem as viveu sabe a força desse desejo; mas é o pior que se pode fazer. A maior probabilidade é de que o estado persista por horas, até mesmo dias, ou até que a pessoa retome a respiração — até melhorar.

Quantas vezes — para os que nos procuram?

Temos dois esquemas. Aconselhamos as pessoas a fazer doze sessões, uma por semana, durante três meses. Cada sessão dura de três a quatro horas. Após ligeira explicação sobre a forma de respirar, os participantes deitam-se em colchonetes e respiram durante uma hora. Leela e Mônica ficam se movendo entre elas, observando e intervindo sempre que alguém para de respirar ou começa a respirar de modo impróprio. Após esse período, as pessoas relaxam durante meia hora. Depois servimos um chá com bolachas, enquanto se refazem e "retornam". Então, ouvimos o que elas têm para nos dizer, mas fazemos o possível para que se atenham ao que experimentaram durante a respiração; pouco fazemos em matéria de interpretação. Em nossas sessões, a HPV é acompanhada por música — do tipo *new age* e também do repertório das meditações dos admiradores de Osho (Bhagwan Shree Rajeneesh).

Esses grupos são abertos ou rotativos; aceitamos, conforme a conveniência dos participantes, variações no ritmo das sessões. Por vezes, recomendamos que um ou outro siga um ritmo diferente, fazendo sessões mais próximas, se nos parecer conveniente.

Nosso outro grupo é fechado — sempre as mesmas pessoas. Fazemos "compactos" nos fins de semana: sexta-feira à noite, sábado com dois encontros, domingo também; saltamos um fim de semana e repetimos o encontro quinze dias depois. Aos poucos estamos nos persuadindo de que esse modo é mais eficiente do que o outro. Como em outras formas de trabalho psicológico, o intervalo de uma semana expõe a pessoa a seu ambiente usual, e muitos comportamentos de má qualidade são reforçados, reduzindo a atuação da HPV. Nos compactos, também o fato de serem as mesmas pessoas cria laços de solidariedade, que são benéficos, pois elas se apoiam mutuamente. A organização da sessão é a mesma nos dois casos.

Quantas pessoas em cada grupo? A pergunta precisa ser feita devido às crises emocionais que exigem cuidados individuais. Como é possível que vários participantes do grupo entrem em momentos difíceis, oito a dez pessoas para cada técnico presente seria o máximo admissível. Nossos grupos, com duas técnicas, não admitem mais de quinze pessoas, e o atendimento individual (dentro do grupo) parece satisfatório.

Sempre insistimos nisto: *nosso trabalho não é um tratamento. São doze sessões; não obstante muitos efeitos favoráveis, elas não configuram um conjunto fechado.* Nós as consideramos etapas do *aprendizado de uma técnica*, compreendendo tanto a forma de respirar como os primeiros passos de enfrentamento com efeitos desagradáveis ou agradáveis; o "trabalho" com a respiração. Salientamos que efeitos mais incisivos e permanentes só serão conseguidos com a continuação da respiração em casa. Quanto mais, melhor.

Com o tempo, a pessoa vai desenvolvendo certa autorregulação, aprendendo a sentir quando convém realizar e quando se pode dispensar a HPV.

Este é o lado mais triste da HPV: em nossa experiência, observamos que não mais de 10% das pessoas continuam o trabalho por sua conta. Mas 20% retornam, seja para fazer outra série, seja para sessões avulsas.

Em tempo: aos hesitantes, oferecemos a alternativa de experimentar uma ou duas sessões, isoladas, para que eles vejam como funciona.

Cerca de 20% dos participantes trazem amigos ou parentes, havendo vários casos de famílias inteiras que aderiram à prática.

Quantas pessoas não conseguem respirar de jeito nenhum? Apenas 1%, segundo nossa experiência. Mas sejamos claros: insistimos muito, usando quantos modos forem necessários para fazer que as pessoas respirem: carinho, energia, insistência, vigilância, alterações de posição e outros. Alguns se zangam, mas posteriormente nos agradecem...

Depois que se assimila a rotina descrita, fazemos — e inventamos — variações. Não nos referimos a outros modos de respirar — isso não muda. Fazemos, por exemplo, que um participante observe a respiração do outro. Depois, eles trocam de papel (nos compactos).

Pedimos aos participantes que respirem sentados, "olho esquerdo no olho esquerdo", fixando o olhar em pontos na parede ou na chama de uma vela. Essas variações só podem ser feitas, repetimos, nos grupos compactos... Nunca realizamos — por óbvias dificuldades práticas — a respiração com imersão em água quente, ou mesmo fria (propostas por Orr).

Por fim, isso é o que acontece com todas as técnicas: depois que o técnico se familiariza com elas, começa a criar variantes (no caso, sempre respeitando a respiração holotrópica). Afinal, a rigidez na aplicação de uma técnica é uma neurose profissional que indica rigidez de caráter do técnico — ou sua indiferença diante do que faz.

A RESPIRAÇÃO NO ORIENTE

Há muitos anos li vários livros sobre ioga, e durante um ano segui, por minha conta, um programa aconselhado no livro que me pareceu mais simpático — de cujo nome não me lembro mais.

Uma parte desses exercícios — a terça parte, aproximadamente — envolvia respirações variadas. Por exemplo, alternando a entrada de ar entre as narinas, fazendo contagens diversas para a inspiração e para a expiração, fazendo pausas também contadas, soprando com força, mudando o ritmo e a intensidade: lenta e profundamente ou rápida e superficialmente.

O autor declarava que cada tipo de respiração visava a certo efeito, mas eu me sentia cético quanto a essa especificidade de resultados. Hoje, tendo revisto os dados sobre a influência do O_2 e do CO_2 sobre o sistema nervoso, *parece-me bem viável pensar nessa variedade de efeitos conforme o tipo, o volume e o ritmo da respiração.*

Com uma ressalva: não basta variar a respiração para obter determinado efeito. *É preciso aprender a sentir e a distinguir as sensações corporais ocasionadas pelos vários tipos de respiração*; só essas sensações podem nos dizer quais funções nervosas estamos favorecendo ou prejudicando (inibindo), porque as variações nas taxas de gases respiratórios são muitas, e cada uma atua em um grau da cascata nervosa — visto que elas são individuais.

Talvez por isso os hindus deem tanta importância ao guru. Talvez ele sirva, entre outras coisas, para ensinar isso que estamos dizendo.

De qualquer modo, o estudo das variações nas taxas de gases respiratórios constitui campo para muitos trabalhos científicos interessantes e úteis. Eles podem elucidar a questão e, ao mesmo tempo, oferecer meios para que se possa escolher o nível neurológico de excitação ou inibição específico e desejado — ou determinar aquele a ser evitado.

O capítulo seguinte complementará essas reflexões.

Pergunta: por que, nas sessões de renascimento, apesar de algumas pessoas respirarem amplamente e outras assaz modestamente, ambas conseguem os efeitos esperados? Ou: será que *sempre* ocorre a HPV?

Aproveitamos a pergunta para fazer uma crítica aos estudos de fisiologia (médica) relacionada à respiração.

Na ciência, não se considera o indivíduo. O estudo de cada caso é tido invariavelmente como secundário e pouco digno de fé. Ao se propor a examinar dada função fisiológica, o experimentador sempre o faz reunindo certo número de animais — ou de seres humanos. Pelo menos dez, quantidade próxima de um número mínimo aceitável. Mais: durante estudos preliminares, se algum dos sujeitos se mostrar afastado de uma média presumível — ou previamente estabelecida —, ele será posto de lado, excluído do grupo.

Em estudos de patologia segue-se o mesmo padrão. Por exemplo: o câncer. Só hoje é que investigadores mais ousados e originais estão estudando o que houve com pessoas que tinham câncer e NÃO morreram — ao contrário, curaram-se. A maioria dos estudos *só aceita* os casos fatais e acaba concluindo o aparentemente óbvio desde o começo: o câncer é uma moléstia sempre mortal!

Em matéria de respiração, vou citar alguns fatos e uma estatística que me fizeram duvidar de todas as médias citadas nos tratados.

Primeiro, o caso de uma mulher de 30 anos que vivia praticamente sem respirar — sem patologia definida. Seu sangue continha seis milhões de glóbulos vermelhos! Era como se ela vivesse nos Andes, onde a concentração atmosférica de oxigênio é bem menor. Nesse caso, o sangue precisa aumentar sua capacidade de transportar oxigênio. Suas costelas, aos 30 anos, mostravam sinais de calcificação, como se ela tivesse 60!

Tudo "psicológico", note-se.

Segundo: uma paciente com crises de catatonia, durante as quais chegava a ficar roxa por ausência completa de respiração durante vários minutos. Isto é, *insensibilidade dos centros respiratórios ao excesso de gás carbônico* (excesso, leitor, não a falta, como acontece na HPV).

Terceiro: o caso de uma mulher jovem, também de respiração limitada. Em certo momento da psicoterapia, mostrou-se útil o desenvolvimento de uma luta em câmera lenta, para que pudéssemos verificar certas coisas. Lutamos, usando bastante força, durante vários minutos. Paramos e ela me olhou com superioridade, pois eu resfolegava bastante, por causa do excesso de CO_2 gerado pelo exercício muscular; a respiração dela mal se alterara. Conclusão: como no caso anterior, a paciente sofria ou gozava de uma considerável *insensibilidade* ao excesso de CO_2 (ou eu de muita sensibilidade!).

Enfim, a estatística, mais uma estimativa do que uma informação exata. Durante certo tempo, recomendei a alguns pacientes que se queixavam explicitamente de "falta de respiração" (sempre sem patologia) que reaprendessem a respirar por meio da realização de respiração em circuito fechado — conforme sugestão de von Meduna, anteriormente citado. Esse autor submeteu pacientes a uma "intoxicação" controlada por excesso de CO_2, procurando obter os efeitos que, mais tarde, conseguiu utilizando a insulina.

Para a realização de tal respiração, faz-se a adaptação ao rosto de uma sacola de plástico, de 25 a 30 centímetros de largura e 40 a 45 de comprimento, passando sobre o dorso do nariz e por baixo do queixo; com uma mão de cada lado, fecha-se hermeticamente a sacola, inicialmente cheia, e depois a pessoa deve respirar como quiser. Como o CO_2 sai dos pulmões e volta, aos poucos ele se acumula no sangue, e a pessoa começa a respirar cada vez mais ampla e profundamente, até não aguentar mais.

Eis os números estranhos: enquanto algumas pessoas desistem após dez a quinze respirações, outras respiram assim cem vezes — ou mais! Note-se que os números não são exatos, mas a desproporção é demasiada — nenhum fisiologista acredita na história, mas assim ocorreu.

Desse modo, demonstramos que a sensibilidade das pessoas ao excesso de CO_2 é notavelmente variável.

Por que não pensar o mesmo em relação à *redução* do CO_2 do sangue, como ocorre no renascimento?

Assim, podemos compreender — ou explicar — questões propostas bem antes. Há pessoas que, no renascimento, respiram ruidosa e até espalhafatosamente, lembrando as antigas locomotivas a vapor, enquanto outras o fazem mansa e discretamente; no entanto, nos dois casos são experimentados muitos dos efeitos descritos.

Orr, em seu texto original, que pouco diz sobre a respiração, e alguns outros discípulos se esquivam de comentar a fisiologia do processo, considerando-a confusa ou inconclusiva.

Não satisfeitos com recordações, resolvemos fazer um teste mais bem organizado. Distribuímos sacos de plástico, todos com 25 cm x 35 cm, a 35 jovens de ambos os sexos.

Número de respirações	**Número de pessoas**	
	1ª tentativa	**2ª tentativa**
10 ou menos	2	1
13	3	4
14	1	2
15	2	6
16	3	–
17	1	1
18	2	1
19	1	3
20	7	2
21	–	1
22	4	2
24	3	2
25	1	1
26	–	1
27	–	2
28	1	2
29	–	1
30	1	2
31	–	1
32	2	–
35	–	1
37	1	–
40	–	1
45	–	1

Mostramos como adaptar a sacola ao rosto a fim de fechar o circuito respiratório; controlamos a execução da operação. Em seguida, demos a seguinte instrução: "Agora, respirem fazendo movimentos respiratórios bem amplos e bem profundos" (e respiramos desse modo para que observassem).

Fizemos duas rodadas de exercícios — com intervalo de uma hora —, e pedimos aos participantes que contassem quantas vezes conseguiam respirar em circuito fechado. O resultado está na tabela.

Poderíamos fazer gráficos e calcular médias, mas não nos importa essa quantificação — a experiência está sujeita a várias críticas. Mas basta correr os olhos pelas colunas para se dar conta da notável variação de sensibilidade ao excesso de CO_2 — única conclusão que nos interessa. A diferença de número de pessoas entre as duas colunas se deve à saída de três pessoas antes da segunda tentativa.

TÉCNICAS COMPLEMENTARES QUE PODEM FACILITAR E AMPLIAR OS EFEITOS DO RENASCIMENTO

Acrescento agora alguns complementos ao renascimento que não são empregados por Leela e Mônica; resultam de minha formação como médico, psicoterapeuta, e de meus estudos sobre psicofisiologia e sugestão.

Uma ligeira indução ao relaxamento e/ou o alongamento dos músculos da cintura escapular podem levar mais rapidamente a fenômenos expressivos. O relaxamento pode ser feito por meio de diversas técnicas bem conhecidas. O alongamento dos músculos da cintura escapular destina-se a facilitar a abertura do peito — como se disse anteriormente.

Esquematicamente: alongamento lento dos braços para cima, para a frente, para os lados, "buscando ir além" — como é próprio dos alongamentos mais típicos. Deve-se fazer cada movimento duas a três vezes, lentamente, sincronizando-os com uma respiração lenta e profunda. Continuando, com as mãos na nuca, deve-se levar os cotovelos para trás; depois, para trás e para cima; por fim, para trás, para cima e para fora.

Essa ativação dos músculos respiratórios auxiliares facilita e intensifica a consciência e o controle da respiração, tornando mais simples a respiração torácica.

O alongamento sistemático de todos os músculos do corpo, processo que não dura menos que uma hora, pode nos levar bem mais rapidamente a estados "profundos" e a imagens poderosas.

Mas não nos parece adequado começar assim. É essencial experimentar o corpo em seu estado habitual, vivenciar as primeiras sensações espontâneas e seguir o processo de renascimento desde o princípio. O acréscimo de alongamento já é outro capítulo, podendo ser muito prazenteiro e levar rapidamente a viagens psicodélicas. HPV recreativa — seria um bom nome.

Amar em um estado de HPV pode ser ou fazer-se uma experiência inesquecível e, de novo, é possível realizar uma escalada de técnicas, com efeitos crescentes, para conseguir essa finalidade. Primeiro degrau: trocar carícias apenas por meio da hiperventilação.

Aí há um elemento meio ridículo — de início (imagine a cena, leitor). Mas quando começamos a sentir as sensações modificadas, torna-se fácil esquecer o ridículo e envolver-se na nova situação.

Numa segunda etapa, faz-se preceder o encontro pelo alongamento da coluna e abertura do tórax — como anteriormente esquematizados.

Enfim, o grau mais alto de encontro se consegue com o alongamento de todos os músculos do corpo, a hiperventilação e, depois, com o contato de corpos e de pele.

A "Osho pulsation"

Quanto à respiração holotrópica, podem ser propostos exercícios adicionais capazes de liberar e até controlar o reflexo do orgasmo, ou levar a ele. Não tenho conhecimento nem experiência pessoal a esse respeito — baseio-me apenas em conversas entre amigos. Seria bom se um deles se propusesse a continuar meu estudo acrescentando esses elementos, os quais, segundo eles, ampliam muito os bons efeitos da HPV.

Mas deixo aqui também um protesto: é definitivamente uma injustiça dar ao processo o nome de Osho. Reich disse tudo que era preciso saber para compor essa técnica, e o que dissemos nos parágrafos anteriores, na certa, também tem que ver com a "Osho pulsation".

USO DA SUGESTÃO NO RENASCIMENTO

Durante dois compactos experimentamos usar a sugestão para intensificar o aproveitamento do processo.

Na metade final do relaxamento, durante quinze minutos aproximadamente, ficamos passeando pelo salão, falando com a voz pausada, macia e insistente do sugestionador.

O conceito dessa fala divide-se em duas categorias: tomada de contato e de controle; e ampliação da consciência respiratória no cotidiano.

Modelo da tomada de contato: a melhor maneira de conseguir contato sugestivo é declarar aquilo que a pessoa *já está experimentando* — e falando na primeira pessoa do singular.

"Estou deitado, respirando suavemente, sentindo-me bem, leve, todo o meu corpo ainda vibrando de vida..." As declarações são repetidas três ou quatro vezes, com pausas entre as falas.

Segunda parte: trata-se de fazer que os participantes experimentem ou sintam a própria respiração e suas alterações *no dia a dia*.

"A cada dia vou perceber cada vez mais depressa todos os momentos em que minha respiração se alterar" (repete-se); "Sempre que minha respiração estiver presa, vou me dar conta da situação e localizar o que está me oprimindo ou ameaçando"; "Sempre que minha respiração estiver livre e solta, vou parar para senti-la, experimentando o prazer, a paz e a felicidade de uma respiração livre"; "Vou identificar depressa todas as situações e todas as pessoas que influem em minha respiração, separando no ato quem me oprime de quem permite que eu me expanda livremente".

Essas frases são modelos. Cada técnico fará suas frases, mas os dois pontos importantes são: perceber depressa o que prende a respiração e tudo que a solta.

Tivemos resultados surpreendentes em um grupo. A sugestão foi feita durante cinco sessões, durante dez a quinze minutos, e, para alguns participantes, o efeito foi tão marcante que se tornou incômodo... No entanto, eles perceberam e classificaram durante a semana todos os momentos de respiração expandida e todos os momentos de respiração constrangida ou presa.

De minha parte, só podemos insistir nesse ponto. É evidente que ele ajuda consideravelmente as pessoas *a orientar-se no cotidiano*, a distinguir rapidamente o que as torna felizes do que as prende, oprime ou pesa sobre elas.

Não podemos imaginar processo melhor para que a pessoa se dê conta da importância da respiração e das mil conexões entre a ansiedade, as circunstâncias e os personagens de sua vida. Esse tipo de sugestão — que só intensifica a percepção da ansiedade — é o melhor modo de levar as pessoas a "tomar consciência" ou a "tornar-se conscientes" em relação a todas as situações que despertam ansiedade. Com isso poderão, como diz Dominique Levadoux, cuidar melhor da nova criança que está se desenvolvendo e preservá-la — afastando-a ou afastando-se de tudo e de todos que possam perturbar ou comprometer o desenvolvimento desse filho interior.

Recordando o que dissemos sobre o otimismo de Phil Laut e Jim Leonard, vale ressaltar que é grande o número de indivíduos que mal percebem que respiram.

Por isso, julgamos útil a prática, antes do renascimento, de alguns exercícios, para que as pessoas *comecem a perceber que respiram e como respiram*. Não se trata de ensinar a fazer, mas de ensinar a perceber — duas atividades, para nós, bem distintas.

Não é fácil deixar a expiração acontecer passivamente; ela significa entrega, e os seres humanos são muito reservados. Além disso, para muitos não é clara a diferença entre respiração torácica e abdominal. Há entre as pessoas formas muito curiosas de respiração, e chega a ser bem engraçado comparar o que elas fazem com o que elas acreditam ter feito...

Registramos aqui uns poucos exercícios que consideramos básicos caso se pretenda fazer que as pessoas percebam melhor sua respiração e consigam exercer certo controle sobre ela.

Deitados de costas. *Instrução:* "Parem de respirar e fiquem assim até que a situação se torne bem incômoda; ao voltar à respiração, sigam cuidadosamente a 'vontade' de respirar que se propõe — e que não corresponde a uma inspiração ampla. Sintam bem o que a respiração 'quer' fazer, e não façam nada além disso. Em seguida, voltem a conter a respiração e repitam a experiência algumas vezes".

Instrução: "Lentamente, encham os pulmões até sua capacidade máxima (inspiração forçada), depois soltem o ar, deixando-o sair livremente, até que o peito pare sozinho em seu 'ponto morto' natural. Agora expirem todo o ar que puderem — sem se machucar! Esvaziem o peito 'até o fundo' e o deixem livre para que retorne ao 'ponto morto'. Repitam o exercício algumas vezes". Assim treinamos a percepção da mecânica básica da respiração.

Instrução: "Entrelacem os dedos das mãos sob a nuca — como se formassem um travesseiro. Nessa posição, encham os pulmões devagar, até sua capacidade máxima, e parem por alguns segundos, sentindo bem os esforços nas faces laterais do tórax (intercostais). Depois, deixem o ar sair livremente, como se estivessem no alto de uma montanha-russa e se deixassem deslizar até o ponto mais baixo. Permitam que a expiração se 'faça sozinha'".

Agora, um bom modelo para que se sinta o que significa "expiração passiva". *Instrução:* "Tapem uma narina usando o dedo indicador direito e, com o polegar, comprimam a outra narina, deixando apenas uma passagem bem estreita para o ar. Experimentem inspirar e regulem esse estreitamento de tal forma que se torne bem perceptível o esforço de inalar o ar. A passagem deve ser bem estreita e o esforço bem nítido. Depois de completar a inspiração forçada, deixem que o ar vá saindo pela mesma abertura. Notem que agora a expiração se faz longa — e é isso mesmo que se pretende. Após terem regulado a passagem do ar pelo nariz, tornando-a exígua, mínima, façam várias *inspirações* forçadas — mas abrindo a passagem do ar na *expiração*. Em seguida, façam várias inspirações sem obstáculos, mas recomponham o fechamento na expiração, que assim se fará bem lenta, permitindo sentir com clareza quanto ela é passiva. Enfim, alternem uma expiração deixando o ar sair livremente pela abertura estreita com uma expiração forçando a saída do ar pelo orifício apertado. Marquem bem a diferença entre deixar o ar sair e soprar o ar para fora".

Bastam esses exercícios para que as pessoas passem a perceber melhor o ato respiratório e aprendam tanto a fazer o esforço inspiratório como a expiração passiva, duas etapas básicas na respiração circular.

REGULAÇÃO DA RESPIRAÇÃO

Podemos respirar quinze vezes por minuto, inalando meio litro de ar por vez, como podemos respirar sessenta vezes por minuto — ou mais —, inalando até três litros de ar por vez. A cada minuto, inalamos o ar necessário, nem mais, nem menos. Como o organismo consegue essa regulação?

A regulação da respiração é um dos capítulos mais complicados nos textos de fisiologia; mil e um fatos podem alterá-la. O "coração" da respiração localiza-se no bulbo (parte superior da medula espinhal), onde grupos de células nervosas gozam da propriedade de disparar impulsos periódica ou ritmicamente; próximo a eles, vários outros grupos de neurônios se conjugam para modular esse ritmo primário e torná-lo não só mais suave como mais eficiente e oportuno (mais adequado a cada momento vivido pela pessoa).

Uma das influências mais constantes é o reflexo de Hering-Breuer: quanto mais os pulmões se expandem, mais partem deles impulsos nervosos para inibir a inspiração; quanto mais esvaziados os pulmões, mais impulsos transitam por outros caminhos, tendentes a estimular a inspiração. Esse esquema representa um dos *feedbacks* mais antigos, na área das funções fisiológicas, entre os já descritos pelos estudiosos.

Aqui vamos apenas considerar a influência do gás carbônico (CO_2) e dizer muito pouco sobre o oxigênio; esses dois gases estão, desde cedo, presentes nos estudos escolares, mas poucos sabem o que de fato significam.

A mais poderosa influência exercida sobre a respiração é a do gás carbônico; ele funciona como um ácido, visto que, ao acumular-se, produz a acidificação dos líquidos orgânicos, o que é muito prejudicial para todos os processos metabólicos. Por isso o CO_2 influi tanto sobre a respiração. Ao contrário do que se poderia esperar, com o O_2 já não ocorre o mesmo: é que temos uma pequena reserva desse gás no organismo — cerca de meio litro contido no ar presente nos pulmões o tempo todo mais cerca de um litro no sangue circulante. Isso nos garante uns poucos minutos de vida. Além disso, a hemoglobina é tão eficiente que, mesmo no caso de respirarmos oxigênio puro, pouco se alterará a quantidade do gás no sangue — que está sempre saturado em relação a ele.

Você pode testar essas declarações em si mesmo. Pare de respirar agora, segure a respiração o máximo possível — mas não exagere! — e cronometre essa pausa respiratória. Depois, respire rápida e superficialmente por um minuto e repita a cronometragem. Você conseguirá, no mínimo, ficar o dobro do tempo sem respirar e talvez consiga um número quatro ou mais vezes maior em comparação à primeira vez.

Agora adapte uma sacola de plástico ao rosto, de forma que você possa respirar dentro dela, fechando hermeticamente o espaço. Respire e sinta o que acontece. Dado que o gás carbônico é continuamente produzido por todas as células do corpo e que, apesar de exalá-lo, na respiração seguinte você o inala de novo, ele vai se acumulando no sangue, e a respiração acaba se ampliando "sem querer", cada vez mais, até que não se aguente mais. O acúmulo de CO_2 estimula cada vez mais poderosamente os centros respiratórios, e a respiração se faz absolutamente imperativa.

Os fisiologistas tentam separar o efeito do CO_2 do efeito da acidez — o que é difícil e não nos importa.

Os dados fundamentais para nós são os seguintes, já "traduzidos" em termos psicológicos: muito gás carbônico no sangue, intensa "vontade de respirar" (intensa necessidade de eliminação rápida — ele se comporta como um veneno); pouca quantidade de gás carbônico no sangue — como acontece com a respiração durante o renascimento —, nenhuma "vontade" de respirar. É quase possível afirmar que o corpo, nesse caso, "quer ficar" com a respiração parada, a fim de que o CO_2 volte a acumular-se e volte a estimular a respiração.

Mas que fique claro: a respiração sofre a influência de diversos outros fatores, podendo-se admitir, porém, que a do gás carbônico é deveras poderosa.

DADOS NUMÉRICOS RELATIVOS À HIPERVENTILAÇÃO

A fim de compreender as bases fisiológicas da técnica, fomos buscar dados em tratados de uso médico. Encontramo-los no *Principles of human physiology*, de E. H. Starling, C. Lovatt Evans e H. Hartridge (14ª edição, Londres: Churchill, 1968, p. 288).

- A HPV *produz aumento da pressão arterial* de 86 mm para 98 mm Hg (*média* entre a mínima e a máxima).
- *A diferença arteriovenosa* passa de 6,3 (normal) para 10,6 ml de oxigênio para 100 g de cérebro. Esse dado muito nos importa. Diferença arteriovenosa é a diferença quanto ao conteúdo de oxigênio entre o sangue que chega ao cérebro e o que dele sai (sangue arterial e sangue venoso, respectivamente). Note-se que se trata de uma diferença considerável. Ela significa que, durante a HPV, o cérebro *extrai do sangue bem mais oxigênio do que em condições normais.*
- O fluxo sanguíneo no cérebro passa de 54 a 36 ml de sangue por minuto para 100 g de cérebro. Surpresa! Como pode o fluxo de sangue cerebral se reduzir se a pessoa está respirando muito mais e se o cérebro está consumindo mais oxigênio do que em condições normais? *O córtex cerebral* passa a consumir *menos* oxigênio, porém *os núcleos profundos* ficam mais ativos, isto é, consomem mais oxigênio.
- Dado básico: o *consumo de oxigênio pelo cérebro* passa de 3,3 a 3,8 ml por minuto por 100 g de cérebro. Aí está a prova do que acabamos de afirmar.
- Dado final: a *resistência vascular cerebral* passa de 1,6 a 2,7 mm Hg por mililitro de sangue por minuto para 100 g de cérebro. Esse aumento notável na resistência vascular cerebral significa que ocorre no cérebro *uma vasoconstrição extensa*, isto é, as arteríolas cerebrais têm seu diâmetro reduzido, *o que se deve à redução da taxa de gás carbônico no sangue circulante.*

Não se pode estabelecer um número para a baixa de CO_2 porque ela depende do volume de ar respirado a cada vez, da frequência respiratória e da duração da HPV.

No caso de uma HPV com duração de uma hora, e com respiração mesmo que de média amplitude, é bem provável que a taxa de CO_2 caia ao mínimo possível — igual à da atmosfera, 0,04%. Esse número não pode ser menor, é claro.

Como os livros de fisiologia só falam em HPV com duração de *poucos minutos*, a transposição dos números para *uma hora de HVP* é problemática. Mas esses são os únicos dados de que dispomos.

RELAÇÃO ENTRE POSTURA E RESPIRAÇÃO — AMPLIAÇÃO DO TEMA

Podemos afirmar que a famosa "postura militar" é um bom modelo para se compreender a boa postura — com restrições. Vamos falar da postura ereta, lembrando que, quando a posição varia, varia também a boa postura. Então: "peito cheio", "bem direito" (coluna tão reta e tão perpendicular ao chão quanto possível), "barriga chupada", face bem para a frente, olhos para a frente e olhando — vendo. Mas, em acentuada divergência com a postura militar, que é rígida, é preciso dar ênfase a maciez, suavidade e fluência.

Tudo posto e mantido com cuidado e jeito, mas nada fixo, duro, parado.

O renascimento praticado com frequência pode ajudar consideravelmente na consecução das qualidades posturais que integram a mobilidade respiratória.

Eis mais um motivo para se respirar acentuando a inspiração e a respiração torácica. Em condições de atividade usual, leve, a respiração é feita esquematicamente pelo diafragma e pelos músculos intercostais externos (embora haja bastante variação individual nessa área). O diafragma pode ser considerado o "coração da respiração". Embora seja um músculo estriado, seu funcionamento é em grande parte automático, "se faz sozinho"; aliás, perceber em si mesmo a presença e a atuação do diafragma é uma tarefa difícil, assim como conseguir controlá-lo voluntariamente. Já os intercostais externos são bem mais "voluntarizáveis"; é fácil perceber sua atuação *nas faces laterais do tórax* quando enchemos bastante o peito; se inspirarmos levantando os braços, melhor ainda; é fácil, também, controlá-los por querer, enrijecendo o tórax sem movê-lo, por exemplo.

Mas, sempre que se fala em movimentos corporais humanos, é preciso ter em mente que somos os animais com a mais versátil motricidade. Pode haver variação individual em qualquer tipo de movimento que se imagine, inclusive o respiratório. Na respiração intensificada pelo esforço, intervêm algumas dezenas de músculos!

Quando "encho o peito" — projetando o osso esterno para a frente e ligeiramente para cima —, faz-se muito convincente a noção/sensação "Eu *quero* respirar" e, no mesmo ato, "Eu quero viver", ou ainda, e melhor, "Vivo por querer". Confrontem-se essas afirmações com as que descrevem a pessoa inconsciente quanto à respiração e na qual predomina o automatismo diafragmático: "Eu me deixo viver", "Vou viver" ("Vou indo..."), "A vida vai acontecendo" e, diante das próprias ações, "Foi sem querer", "Não sei como aconteceu", "Não tive culpa", "Ele me obrigou"...

Essas correlações tão íntimas entre respiração e postura se fundamentam, de forma claríssima, no próprio esqueleto. Temos a coluna como eixo central, anatômico e funcional de todos os nossos movimentos. Mas nos dois terços intermediários desse eixo — a coluna dorsal ou torácica — estão presas por articulações móveis todas as costelas. Enfim, é ao longo de todo o rebordo costal (em todo o assoalho da caixa torácica) que se prende o diafragma! Isto é: todas as variações de volume respiratório estão indissoluvelmente ligadas ao eixo primário do corpo. Portanto, a movimentação das peças responsáveis pelos movimentos respiratórios depende da coluna. Para bem compreender essa correlação, pense em uma pessoa bem corcunda, em uma pessoa muito deprimida (muito encurvada para a frente) ou até em um ciclista. Em todos eles, a expansão torácica está seriamente dificultada. Ou sente-se você, leitor, e deixe seu corpo inclinar-se o mais possível para a frente. Agora tente respirar! Nesse contexto, vale lembrar também a posição fetal. É evidente que o feto mal poderia respirar se precisasse.

É por tudo isso que a coluna reta e a "barriga chupada" (não demais!) fazem parte da boa postura. Nessa posição, as possibilidades de ampliação do tórax — de respiração ampla — são máximas.

A posição ideal tem outra qualidade: é a que dá ao coração mais espaço para expandir-se, para se encher de sangue.

Se você se curvar o mais possível para trás, de novo restringirá a ampliação do tórax e do abdome.

Como a boa integração entre a respiração e a postura constitui um dos fatores mais importantes para uma boa saúde física e mental, vamos adiantar o que falta para uma compreensão mais completa do aspecto postural.

Falemos um pouco da "barriga chupada" e de seus efeitos fisiológicos e psicológicos. Uma ligeira tensão nos músculos abdominais mantém as vísceras abdominais "no lugar"; elas ficam muito soltas dentro da cavidade abdominal, e contê-las de forma adequada é benéfico para a circulação sanguínea das próprias vísceras e, inclusive, para a circulação geral, evitando o acúmulo crônico de sangue no abdome.

Agora faça uma pequena experiência. De pé, incline o tronco para a frente. Sinta os músculos da coluna que o "seguram" para que você não caia. Todos os músculos que seguram você são posteriores em relação à coluna. Em seguida, incline-se para trás e perceba a contração dos músculos abdominais. Eles são os antagonistas dos extensores da coluna (os que você sentiu na primeira posição). Em regra, as pessoas ficam ligeiramente inclinadas para trás, com o abdome meio saliente e o traseiro também saliente: é a forma mais comum de má postura. Alguns ainda apertam de leve as nádegas, projetando o traseiro ainda mais para trás (medo principalmente de vivenciar sensações sexuais ou de "soltar" o ânus; medo de "deixar sair"). Essa postura, mal comparando, é como a respiração diafragmática: de acordo com ambas, as coisas simplesmente acontecem — "Não sei por que fiz assim", "Escapou"...

Na boa postura, existe certo grau de tensão nos músculos da coluna e certo grau de tensão nos músculos abdominais, o que solidariza elasticamente o tronco com a bacia. Primeira sensação: "sou" ou "estou" inteiro. Como a maior parte de nossas ações é feita pelos braços/mãos e como toda a nossa estabilidade depende das pernas "bem plantadas" (hoje se diz *grounded*), é possível entender a sensação correspondente, de inteireza. Mais: *como só é possível manter essas tensões com algum grau de consciência e intenção*, a posição passa para a consciência as seguintes noções: "estou aqui", "estou pronto", "estou presente", ou seja, a sensação de que existe um eu! "Senhor de si" — *swami* para os hindus. Mais ainda: "Sou responsável pelo que acontece", "Faço porque eu quero" ou "porque eu decido"; hoje se diz: "Sinto firmeza"...

O exagero dessas tensões — no abdome e na coluna ao mesmo tempo — leva ao orgulhoso, ao prepotente, ao dominador, ao déspota — a um exagero da noção de si, a uma mania de grandeza!

Em nós, toda e qualquer noção de força — também a psíquica ou interior — está ligada a tensões musculares. Se estou muito relaxado, sinto-me levado, sem controle, "um trapo", agitado pelas circunstâncias; se exagero, torno-me um poste, feito de pedra.

Estar vivo sempre significa pulsar, variar, ser flexível, plástico, adaptável.

Note-se, para terminar: seria ingênuo acreditar que o renascimento possa nos dar todas essas virtudes excelentes — principalmente após repetir a prática apenas algumas dezenas de vezes! Mas, na posição deitada, o modo de respirar aconselhado vai nos fornecendo um molde ou modelo de boa posição para quando estivermos em pé — e um bom modelo de integração entre a respiração e a postura.

No zen se diz: "Tudo consiste em estar bem sentado" (sem apoio!) — como na posição *padmasana*, da ioga.

Se adotarmos o hábito de renascer, talvez algumas das virtudes mencionadas surjam — porém em muitos meses, ou alguns anos...

Conversas com outros técnicos, formados por outras pessoas (e não por Samvara), convenceram-me de que a *forma de respirar* é secundária; o importante é a hiperventilação. Stanislav Grof, que também propõe a respiração holotrópica, recomenda que se respire superficial e aceleradamente durante duas horas ou mais. Acreditamos que, dessa forma, a reserva alcalina do sangue seja reduzida quase a zero e a vasoconstrição cerebral alcance o ponto máximo.

RENASCIMENTO E NEUROLINGUÍSTICA

Neurolinguística é o nome sofisticado, e que "pegou", da velha sugestão. Ou, tornando mais explícitas uma e outra: o poder da palavra na determinação do comportamento.

O modelo mais acabado de sugestão temo-lo na hipnose. Se pedirmos a uma pessoa que preste atenção em alguma coisa sem interesse algum para ela, caso mantenha o olhar fixo nessa coisa, ao cabo de cinquenta a sessenta segundos a pessoa entrará em transe, um estado de "consciência vazia". Nesse estado, ela tende à *obediência automática*, a fazer o que lhe pedirmos (se isso não estiver em oposição a seus valores fundamentais).

O fato no centro da sugestão é a *obediência automática*, uma disposição deveras instintiva de nossa natureza, por mais que conscientemente a neguemos e por mais que ela horrorize liberais e intelectuais.

Talvez possamos compreendê-la pensando nos instintos sociais. Em momentos de emergência ou perigo, a união do bando é mais importante do que o parecer de cada indivíduo. Quem conseguir assumir a liderança — ser mais rápido na decisão — na certa convencerá o resto do grupo. Bem explicitamente: na hora em que a onça ataca, ninguém para a fim de discutir o que deveria ser feito.

Creio que tenha nascido desse imperativo de sobrevivência a capacidade humana de, em certas circunstâncias, passar a uma *obediência automática*. Todos têm uma boa noção do que grupos humanos podem fazer quando movidos por fúria coletiva.

Atua nessa questão mais um imperativo social: os poderosos imaginam ser deuses, o que é compreensível; no entanto, a maioria das pessoas, estranhamente, se comporta como se acreditasse nisso, obedecendo automaticamente, inclusive com risco de morte, como soldados em campanha.

Podemos estar lidando com secreta e profunda sabedoria da natureza: somos tão perigosamente agressivos que talvez seja melhor uma "autoridade" única do que autoridade nenhuma. De novo chegamos à obediência automática, mesmo em casos prejudiciais aos indivíduos.

Mais um fator atua no transe: quando não olhamos para nada — olhar "vazio", sem direção nem intenção —, a ação inexiste — ficamos paralisados. Lembre que a regência primária da ação está no olhar. Sem essa direção o atuar é por demais dificultado.

Agora é fácil compreender a força da sugestão, principalmente no caso da sugestão coletiva. Refiro-me à soma de preconceitos — de frases e de poses feitas — que se repetem milhares e milhares de vezes à nossa volta, a todo instante, desde que nascemos. Podemos denominar esse conjunto *ideologia.*

Preconceitos são afirmações vagas, com certo coeficiente de verdade ou de realidade, mas tomadas como verdades absolutas ou como explicações definitivas. É inegável que a maior parte das mães — tomemo-las como exemplo — dedica certo amor a seus filhos; mas, ao lado disso, existem nas mães numerosos outros sentimentos, muitos dos quais nada têm de amoroso, e também há diversos momentos nos quais as mães não amam os filhos. No entanto, o preconceito diz que todas as mães amam sempre todos os seus filhos...

O *preconceito* é sempre uma afirmação — se pudermos dizê-lo — de mentes obtusas: uma afirmação tosca e simplória, à qual se dá valor de grande verdade, de verdade definitiva ou única.

É claro que, para que tantas pessoas se entendam, a linguagem precisa ser bem simples.

Qual é, então, a força das palavras? É a força da unanimidade. Se todos dizem a mesma coisa, esse dizer passa a ter valor de lei universal (naquele grupo). É tido como "natural", "normal", "real".

Vejamos a questão de outro ângulo: a palavra como a mais recente aquisição e qualidade exclusiva de nossa espécie. É certo que ela está enraizada principalmente no neocórtex. Corresponde a uma das funções mais "superficiais" ("corticais") de nosso cérebro. De outra parte, a palavra é, na certa, o principal instrumento do que chamamos educação, tanto familiar quanto escolar; também, da educação que vai ocorrendo no cotidiano, por influência de todos sobre todos, nas conversas de rua, de bar, entre amigos, no clube — a chamada "troca de ideias".

Palavras, palavras, palavras...

Ora, é justamente no neocórtex que ocorre a vasoconstrição produzida pela baixa de gás carbônico no sangue.

Podemos acreditar, assim, que a hiperventilação diminui a força das palavras sobre a consciência e, desse modo, reduz a força das repressões, sempre ligadas a um "não" e sempre associadas a preconceitos — frases feitas.

A hiperventilação atenua a força de todos sobre cada um.

Ela nos permite experimentar o existir sem palavras — um dos passos fundamentais da meditação.

Orr e outros acreditam que o mais importante seja o aspecto observador. Mas talvez seja o determinador ou o seletivo. Viver não é compreender, nem mesmo perceber; é, acima de tudo, escolher, decidir, dirigir.

Não me refiro ao conceito comum e obscuro de "força de vontade", nem à tenacidade de convicções ou ao fanatismo; refiro-me ao querer como a *decisão essencial a cada instante.*

É a mão no leme e o olhar nas velas.

"Vontade de viver" — já se disse.

Mas a cada momento, e não como projeto acabado.

Como sentir, como se orientar e como se dirigir nos campos de influência que nos cercam a cada instante.

RENASCIMENTO E FELICIDADE

Dissemos que o renascimento produz alguns efeitos de ótima qualidade, como o perdão quanto a tudo que possa ter acontecido no passado, a gratidão pelo presente, o aumento da autoestima e certa espécie de espiritualização que ocorre espontaneamente, caso a pessoa repita muitas vezes o processo.

Algumas experiências novas nos permitiram compreender melhor esses efeitos, e nos pareceu conveniente registrar esses achados.

Reflexões preliminares

Situações, objetos ou personagens podem ser vistos de muitos ângulos, ou revelar inúmeros aspectos, mas, apesar desses muitos aspectos, em regra só percebemos uns poucos, quando não apenas um — como acontece com as interpretações preconceituosas.

Também o personagem que considera algo ou discursa mostra diversos lados, qualidades, deficiências, e também ele capta a si mesmo de modo limitado.

Na verdade, uma boa psicoterapia, com o tempo, mostra isso mesmo, todos os significados das situações e variados aspectos do personagem; "tomar consciência" é exatamente isso.

Ainda: tanto no Brasil como em outros lugares, o sofrimento, a opressão, a vitimação, os abusos etc. são temas bem-aceitos nas conversas; porém, mostrar-se feliz já é algo que parece suspeito para muitas pessoas... Sofrer é digno e legítimo; ser feliz nem tanto — provoca inveja... O famoso "vale de lágrimas" é emblemático — lídima herança da ideologia judaico-cristã.

Mais um fator preliminar: as funções do neocórtex são essencialmente analíticas. A palavra é o melhor exemplo: decompomos a realidade em mil e um aspectos, ângulos, cores, contextos, e cada um desses elementos recebe um nome. A linguagem é isso.

Temos outro exemplo no córtex visual (lobo occipital); nele há grupos celulares especializados em perceber linhas verticais — e mais nada; linhas horizontais, oblíquas a 45° e suas perpendiculares; grupos celulares especializados em perceber cores, formas, formas em movimento, movimentos. Também o neocórtex visual decompõe o mundo em fragmentos antes de reuni-lo em conjuntos.

Já o cérebro mamífero e a motricidade arcaica funcionam mais holisticamente, de modo mais global; é certo que, perante uma paisagem, o animal verá poucos objetos *distintos* — somente os que disserem respeito às suas necessidades ou temores. Uma criança, da mesma forma, tende a perceber cenas e momentos *em conjunto*, consistindo em uma parte importante da maturação e do fazer-se adulto precisamente a multiplicação das análises ou decomposições; em partes cada vez menores do mundo, o civilizado vê um número cada vez maior de elementos. Trata-se do especialista — a mais alta expressão do civilizado.

Agora podemos começar a juntar esses tópicos preliminares: a hiperventilação de algum modo anestesia ou reduz o funcionamento do neocórtex, a região do cérebro mais sensível à falta de oxigênio; com isso, como vimos, o animal e a criança ganham espaço. As partes mais antigas do cérebro ficam liberadas e, assim, conseguem proceder à síntese de episódios passados, isto é, reunir os lados negativos, dos quais a pessoa tem consciência — até demais —, a aspectos positivos dos mesmos episódios, os quais a estruturação da personalidade de vítima não permitia perceber. O mesmo se pode dizer a respeito das percepções da pessoa em relação a si mesma. Todos nós temos noções bem limitadas de nós mesmos; no renascimento, percebemo-nos mais inteiros, mais completos. E como cotidianamente reprimimos a alegria, a felicidade e o prazer, eles comparecem como novidade quando nos é dado reexperimentar sensações como crianças ou animais saudáveis. Sem essa divisão em lados imposta por restrições e preconceitos, ao reexperimentarmos esses elementos partilhamos de sua inteireza original.

O renascimento inibe tudo que temos de analítico e de seletivo, proporcionando-nos, no mesmo ato, experiências globais próximas da iluminação, da integração com o universo e dos estados extáticos.

O renascimento, enfim, ao "inibir as inibições", reduz as divisões internas.

Podemos, assim, reexperimentar situações do passado em sua inteireza, e não apenas em seus aspectos restritos e negativos. Daí o perdão e a gratidão: pela descoberta de quanto havia de bom em momentos tidos como apenas ruins, sofridos, penosos.

A realidade, tanto a objetiva quanto a subjetiva, é invariavelmente boa e má, fácil e difícil, luminosa e sombria, apresentando elementos de sofrimento e outros de felicidade, alegria e prazer.

Estar verdadeiramente vivo é experimentar assim, por inteiro — inteira a situação, inteiro o sujeito.

Assim, a vida se mostra maravilhosa, poderosa, rica.

Felicidade é experimentar assim.

Vivemos aos pedaços, em pedaços, desligados, separados, pequenos.

Divididos dentro de nós e divididos entre nós.

"Religião" se decompõe, etimologicamente, em *re* e *ligare* — unir de novo, integrar, recompor a totalidade original.

O neocórtex se desenvolveu para garantir a segurança e nos dar poder, mas, no mesmo ato, tornou a felicidade impossível, distante ou rara.

Ninguém fica feliz só com pedaços — seja lá do que for.

Não gozando mais de horas — muitas — de felicidade, passamos, sempre ambiciosos de segurança, a exigir felicidade eterna com base em juras e contratos — como o de casamento. Por não conseguir me sentir feliz aqui e agora, faço que alguém jure amor eterno a mim, o que serve para me tranquilizar, dar segurança (outra vez!), mas não me faz feliz. Muito pelo contrário: nada mais distante da felicidade do que o convívio frequente, obrigatório e exclusivo; este gera tédio e, logo depois, agressão — jamais felicidade.

COMO ESCOLHER UM RENASCEDOR CAPAZ E DEDICADO

Sem dedicação pessoal e sem que o técnico tenha experimentado muitas vezes a técnica que aplica, nada de efetivo poderá acontecer. É bem provável que nada de muito ruim ocorra; será apenas um esforço inútil. Porém, isso poderá acarretar descrença em relação a um processo que, quando bem conduzido, corresponde a tudo que dissemos.

Em matéria de orientador espiritual, é preciso desconsiderar diplomas formais. Nada substitui a impressão obtida e a ligação pessoal entre orientador e orientando.

Este tem todo o direito de, logo de início, perguntar qual é a formação efetiva do orientador; deve indagar não só sobre quem foi seu mestre e quanto durou a formação, mas, acima de tudo, se o orientador pratica o que ensina.

A atitude do orientador na primeira experiência é fundamental — é quando seu interesse, sua capacidade para dar atenção individual e sua tranquilidade podem ser apreciados. Se nesse primeiro contato não surgir um elo pessoal de confiança e de simpatia, o melhor a fazer será procurar outro.

O pior mal das técnicas alternativas de trabalho pessoal *é que elas são facílimas de imitar*. Pessoas que tenham participado de umas poucas sessões de renascimento podem se acreditar capazes de orientar outros, porque a maneira de respirar é, de fato, muito simples — e para isso basta praticar umas poucas vezes.

Importante: quanto menos competente o orientador, maior sua pose, seu modo de demonstrar autoridade, e mais evasivas suas respostas. Um orientador incompetente jamais dirá "Isso eu não sei", mas forjará respostas pouco claras e nada convincentes.

Quem domina uma área sabe o que não sabe e pode dizer "Isso eu não sei" com tranquilidade...

Outra falha grave na formação, mesmo de orientadores competentes (foi o caso de Leela e de Samvara): pouco ou nada se diz sobre a fisiologia elementar da respiração. Aliás (e de novo): é grande o número de "técnicos" em trabalhos corporais que não têm noção nenhuma sobre o corpo, seja de sua anatomia, seja de sua fisiologia. Não é preciso fazer um curso de medicina, mas seria bom que essas pessoas dessem boas olhadas em um atlas de anatomia e estudassem, pelo menos, a fisiologia ministrada no ensino médio.

Isso não tem acontecido, sendo essa uma grande razão de descrédito em relação às técnicas alternativas.

leia também

Couraça muscular do caráter (Wilhelm Reich) – Ed. rev.

José Angelo Gaiarsa

Nesta obra, Gaiarsa apresenta ao leitor um profundo estudo a respeito da relação entre corpo e comportamento. Baseando-se em estudos da biomecânica, da cinesiologia, da anatomia e das neurociências, o autor afirma que a forma como agimos ao longo da existência deixa marcas em nossa postura, cujo significado psicológico costuma ser negativo. Para tanto, propõe exercícios de desencouraçamento que liberam os movimentos e nos ajudam a recobrar a espontaneidade.

ISBN: 978-85-7183-217-6

O corpo traído – Ed. rev.

Alexander Lowen

Nesta obra pioneira, Alexander Lowen explica como os indivíduos negam a realidade, as necessidades e os sentimentos do corpo, o que acaba por desenvolver um ego sobrecarregado e obcecado com o pensar – em detrimento do sentir e do existir. Aqui, o autor apresenta técnicas terapêuticas comprovadamente eficazes para resolver o problema. Por meio de profundas reflexões e da análise de casos reais, Lowen também traça um paralelo entre a dualidade corpo-mente nos indivíduos e nossa separação da natureza.

ISBN: 978-85-323-1117-7

Narcisismo – A negação do verdadeiro self – Ed. rev.

Alexander Lowen

Ao contrário do que diz o senso comum, os narcisistas não amam a si mesmos nem a mais ninguém; eles constroem uma máscara rígida para ocultar suas emoções. Nesta obra revolucionária, Alexander Lowen usa sua ampla experiência clínica para mostrar que os narcisistas podem recuperar os sentimentos suprimidos e reaver sua humanidade. Por meio da terapia bioenergética, tanto os narcisistas quanto aqueles que convivem com eles encontrarão o caminho para uma existência plena e verdadeira.

ISBN: 978-85-323-1082-8

www.gruposummus.com.br
Acesse, conheça o nosso catálogo e cadastre-se para receber informações sobre os lançamentos.

www.gruposummus.com.br